HET KWAAD

JAN GUILLOU

Het kwaad

DE FONTEIN

© 1981 Jan Guillou
Voor de Nederlandse vertaling:
© 2004 Uitgeverij De Fontein, Baarn
Oorspronkelijke uitgever: Piratförlaget
Oorspronkelijke titel: *Ondskan*
Vertaling: Erica Weeda
Omslag: Hans Gordijn, Baarn
Zetwerk: v3-Services, Baarn
ISBN 90 261 1971 2
NUR 332 / 402

Uitgegeven met een licentie van Uitgeverij De Fontein, Baarn

De klap trof hem hoog op zijn rechterjukbeen. Dat was precies de bedoeling geweest, toen hij zijn hoofd enkele centimeters schuin omhoog
had gedraaid op het moment dat zijn vader sloeg. Hier aan tafel richtte
vader meestal op zijn neus, die hij probeerde te raken met een slag van
zijn pols en de achterkant van de vingertoppen. Het deed weliswaar geen
pijn als zo'n klap hem raakte, maar hij hield er zo'n dof gevoel aan over.
Dan liever het jukbeen.

Vader was trots op zijn treffer, omdat hij zich inbeeldde dat hij snel en
onverwachts kon toeslaan. Maar voor Erik, die alle slagen en schijnbe-
wegingen van zijn vader net zo goed kende als de tafels van vermenigvul-
diging, was het een koud kunstje om dat trekje onder het rechteroog van
zijn vader te herkennen dat de slag aankondigde. Aan tafel ging het gewoonlijk om een lang en duidelijk aangekondigde draai om de oren, uitgevoerd met een rechtse hoek, of anders die gemaskeerde slag met de pols
vanaf de andere kant, die op de neus gericht was. Die laatste was meer bedoeld als een belediging dan om schade toe te brengen.

Hij had moeiteloos zijn hoofd voldoende ver achterover kunnen buigen, waardoor zijn vader volledig zou hebben misgeslagen, maar dan bestond het risico dat die ouwe zak zijn zelfbeheersing zou verliezen en zich
gewoon over de tafel zou werpen om hem met een linkse hoek of een
rechtse directe in zijn gezicht te raken. Het porselein zou kapotgaan en
in het ergste geval zou de hele tafel omkantelen. Dan kreeg hij de schuld
en zou het pak slaag na het eten een halfuur langer duren.

Daarom kwam het erop aan dat hij vader niet helemaal liet misslaan
als hij die gemaskeerde slag met de pols uitvoerde. Er was discipline en
training voor nodig om zijn hoofd net zo ver te draaien dat vader de neus
miste, maar de wang raakte.

'Ja, ja,' zei vader monter, 'vandaag kiezen we voor de borstel en vijfentwintig klappen.'

Dat was een ongewoon mild vonnis, zo ongeveer het minimum. Vijfentwintig klappen met de achterkant van de kleerborstel duurde maar
zo'n twintig seconden en dan was het over. Dan hoefde hij niet te huilen. Hij wilde ook niet huilen als vader sloeg. Niet huilen was mogelijk

zo lang je je adem kon inhouden. Berkentakken, die zowel langzamer als pijnlijker waren dan de kleerborstel, kon je ongeveer dertig klappen lang verdragen. Het was een koud kunstje om je adem vijfendertig seconden in te houden bij een pak slaag met berkentakken.

De hondenzweep was het ergst. Het was alsof je al bij de eerste slag werd lek geslagen. Met het eerste straaltje bloed werd de lucht eruit geslagen en het leek wel alsof dat kleine gaatje siste en piepte. Daarna werd dat gaatje groter geslagen totdat je echt huilde. In het ergste geval gebeurde dat al halverwege, na twaalf, dertien slagen.

Als je huilde en tegelijkertijd kronkelde om de slag te ontwijken, raakte vader zo opgewonden dat hij nog harder sloeg en de tel kwijtraakte. Of hij stopte, waarna hij omstandig begon uit te leggen dat hij nu wel tien slagen moest toevoegen, omdat je het slaan bemoeilijkte.

Vijfentwintig klappen met de kleerborstel was dus bijna niets. Maar het was belangrijk om niet te dankbaar over te komen, want dan kon je een toeslag krijgen. En verder moest je natuurlijk tijdens de rest van de maaltijd het geluk aan je zijde hebben: niet het zoutvaatje laten vallen, niet over de tafel reiken, niet de boterham aan de verkeerde kant smeren, niet je kleine broertje plagen, niet je glas melk omgooien, je aardappels niet te slordig schillen enzovoorts. Want dan kreeg je een toeslag. Ook kon het voorkomen dat vader een willekeurige andere aanleiding vond.

'Wat een smerige rouwrandjes heb je aan je nagels. En dat aan tafel! Dat wordt vijf klappen extra,' zei vader dan.

Dertig klappen met de kleerborstel was bijna niets. Je kon gemakkelijk dertig seconden lang je adem inhouden en je concentreren op niet schreeuwen of spartelen.

Het was half september, een frisse dag met een heldere lucht en felle zon. Ze aten vroeg en de zonnestralen weerkaatsten in het geslepen patroon van de wijnglazen. Hij volgde zo'n zonnestraal met zijn blik en stelde zich voor dat alle stofjes samen een melkwegstelsel vormden. En net op dat moment zou de reus aan de kosmische eettafel, met die krankzinnige vader, zachtjes fluitend lucht uitblazen, zodat de stofjes door elkaar heen zouden wervelen, waardoor alle planeten uit hun baan werden gerukt en de aarde verpletterd werd door een even plotselinge als totale catastrofe.

'Zit niet te spelen aan tafel, vijf klappen extra,' zei vader, die kennelijk had gezien dat hij naar de melkweg van stofjes blies.

Maar vijfendertig klappen met de kleerborstel was nog steeds niet iets om je zorgen over te maken. Het was niet moeilijk om je tijdens vijfendertig klappen met de kleerborstel te concentreren, althans als de huid op je achterwerk en rug nog een beetje heel was.

Hij keek nogmaals naar de lichtstraal met de stofdeeltjes en berekende dat het genoegen om nogmaals naar het planetenstelsel te blazen vijf klappen extra zou opleveren. Hij zag er maar van af, aangezien het als een bewuste provocatie kon worden opgevat en dan zou vader niet alleen vijf klappen toevoegen, maar bovendien overstappen op een erger instrument dan de kleerborstel. Dat was het niet waard.

Hij hield het maar bij fantasie.

Achter de messing deurtjes van de tegelkachel knetterde het vuur. Het klonk als sparrenhout en niet als het duurdere berkenhout. Bij de korte muur deed het felle zonlicht een licht vierkant op het behang oplichten. Gisteren hing daar nog een schilderij. Ze hadden dus weer een schilderij moeten verkopen. In het begin, toen het gezin nog maar pas vanuit de Rijke Voorstad naar de binnenstad was verhuisd, hing de hele muur in de eetkamer vol schilderijen.

Na de maaltijd moest hij helpen afruimen om niet nog meer toeslagen op te lopen. Na het afruimen ging moeder naar de keuken om koffie te zetten. Dan was het tijd om met vader naar de slaapkamer te gaan voor het pak slaag na het eten.

'Broek omlaag en vooroverbuigen,' zei vader mechanisch en greep naar de kleerborstel.

Aan de toon waarop vader het zei, hoorde hij dat er geen gevaar op de loer lag. Vandaag was vader kalm en beheerst en zou alles snel achter de rug zijn. Hij deed zijn broek omlaag en boog zich voorover. Op hetzelfde moment dat vader zijn arm ophief voor de eerste klap, haalde Erik diep adem, sloot zijn ogen en balde zijn vuisten. Het ging allemaal heel snel en toen resteerde alleen nog de belediging.

'Weer vrienden?' vroeg vader en stak zijn hand uit.

Als hij die hand niet schudde, begon de hele procedure van voren af aan.

'Weer vrienden,' zei hij en glimlachte. Hij pakte vaders hand. Toen trok hij zijn broek op, ging naar zijn kamer en liep naar de grammofoon. Het nieuwe nummer van Elvis Presley heette *Heartbreak Hotel*.

Hij lag op bed en keek langs het spinrag in het stucwerk naar het patroon van scheuren in het dak en hij zag zichzelf als een rockster op een toneel ver weg in het land van de vrijheid, daar in het westen. Hij probeerde de vreemde woorden van Elvis Presley te imiteren. Hij bleef nog lang zo liggen en voelde zich helemaal gelukkig.

Het was zo'n dag dat alles perfect was verlopen. Bovendien was het pak slaag na het eten niet bijzonder erg geweest en het feit dat ze zo vroeg hadden gegeten, duidde erop dat zijn vader die avond bijtijds naar zijn werk moest. Vader was eerste kelner in een restaurant, hoewel hij zich meestal directeur noemde. Als vader vroeg moest werken, kon je naar de bioscoop. Er waren drie bioscopen waar hij kon binnenkomen bij films die verboden waren voor kinderen en in de dichtstbijzijnde werd een oorlogsfilm over Korea vertoond. Die wilde hij zien. Hij ging alleen, zodat hij – zonder met iemand te hoeven praten – ervan kon genieten dat alles vandaag zo goed was verlopen.

Uit noodzaak had hij de Vuurtoren een pak rammel moeten geven. Uiteindelijk was het onvermijdelijk geworden en als hij het niet had geregeld was hij nu zijn bende kwijt geweest. De bende luisterde alleen maar zolang je won. Eigenlijk was het onrechtvaardig, want er waren belangrijker dingen voor de leider van een bende dan het winnen van een vechtpartij. Maar duels waren de meest zichtbare proeve van bekwaamheid en dus moesten duels gewonnen worden. Achteraf bekeken had hij al een halfjaar geweten dat er een dag zou komen dat de Vuurtoren hem zou uitdagen.

Maar de Vuurtoren zou de bende nooit kunnen overnemen. De Vuurtoren kon vechten, maar hij kon niet praten en als hij de wedstrijd won, zou dat er alleen maar toe leiden dat de bende langzaam uiteen zou vallen. Uiteindelijk zou hij alleen overblijven, zonder iemand die hem gehoorzaamde. Dan zou hij helemaal alleen midden op het schoolplein staan, zonder te begrijpen waarom. Het was immers niet genoeg dat je de sterkste was.

De Vuurtoren was namelijk het sterkst, daarover bestond geen enkele twijfel. Hij was bijna een paar decimeter langer dan alle andere leerlingen uit 2^5 op het lyceum. Met zijn amper veertien jaar was hij al een meter tachtig lang; hij woog 68 kilo, gooide met gemak meer dan 65 meter met een balletje en had een gigantische lul. De Vuurtoren vocht maar zelden en dan ook nog fantasieloos, maar als hij een doodenkele keer in woede ontstak, was hij verschrikkelijk.

Erik had de afgelopen week lopen wikken en wegen, toen hij wist dat het onvermijdelijke dichterbij kwam. De Vuurtoren sloeg een lange, zwiepende rechtse. Het was een langzame slag, maar met gewicht en een grote reikwijdte. Schoppen deed hij nooit. Hij probeerde zijn tegenstander snel vast te grijpen om vervolgens zijn gewicht te benutten en boven op zijn slachtoffer op de grond te belanden. Als je onder de Vuurtoren terechtkwam, kon je nauwelijks meer uit zijn greep komen. Daar lag je dan, terwijl de Vuurtoren zwaar en langzaam sloeg, afwisselend tegen de maag en het gezicht van zijn slachtoffer, totdat de klus geklaard was.

De Vuurtoren was degene die het geld inzamelde. Iedereen die op het lyceum zat, kon bij de bende geld lenen. De voorwaarden waren simpel: honderd procent rente in twee dagen en een rondje Vuurtoren voor wie niet betaalde. Het was absoluut noodzakelijk om de Vuurtoren op de wanbetalers af te sturen, anders zou het systeem al gauw instorten.

De Vuurtoren vocht eigenlijk zonder agressie. Maar wie een pak rammel van hem kreeg, verbeeldde zich dat het erger was dan het in feite was, omdat hij zo groot was en een zwart leren jack droeg met op de rug het symbool van de bende. De angst om een pak slaag van de Vuurtoren te krijgen woog zwaarder dan het pak slaag zelf.

Het was Göran die de Vuurtoren af en toe apart had genomen om hem stukje bij beetje ervan te overtuigen dat hij Erik moest neerslaan om daarmee de macht te grijpen en de leiding te nemen. Göran handelde wellicht niet uit de overtuiging dat de Vuurtoren zou winnen. Hij had zelf het dichtst bij Erik gestaan toen ze in hun eerste jaar op het lyceum de bende geformeerd hadden en het was nog steeds een open vraag wie er nu eigenlijk de touwtjes in handen had. Vandaar dat hij Göran een stevige aframmeling had gegeven om de zaak voor eens en voor altijd af te handelen en een jaar lang had het prima gefunctioneerd. Waarschijnlijk wilde Göran nu een poging doen om de Vuurtoren als zijn wapen te gebruiken.

De hele week tot aan de uitdaging had Erik gedaan alsof er niets aan de hand was. Ondertussen had hij de laatste hand gelegd aan zijn tactisch strijdplan. Het was volkomen duidelijk dat een compromis niet tot de mogelijkheden behoorde. Hij kon alleen winnen of een pak slaag krijgen en in het laatste geval zou hij helemaal alleen komen te staan. De superioriteit van de Vuurtoren wat betreft gewicht en reikwijdte vond hij minder beangstigend dan het risico alleen over te blijven en uit de bende te worden gezet.

Na een paar dagen nadenken wist hij precies hoe hij de Vuurtoren moest verslaan. Het was niet zijn snelheid die de doorslag kon geven, want dat voordeel woog niet op tegen het gewicht en de kracht van de Vuurtoren. De Vuurtoren was echter langzaam van begrip en het duurde dan ook lang voor hij boos werd, dus kon je hem verslaan als je snel en compromisloos te werk ging. Toch verwierp hij het alternatief om de Vuurtoren gewoon onder zijn grote lul te schoppen. Een dergelijke overwinning werd niet gewaardeerd en zou alleen maar tot veel geklets achteraf leiden, wat vervolgens weer een revanchepartij zou opleveren die hij nog moeilijker zou kunnen winnen.

Bij een uitdaging werd altijd een bepaald ritueel gevolgd. De combattanten stelden zich op tegenover elkaar en besteedden een aantal minuten aan beledigingen die voornamelijk over de lafheid van de ander gingen. Vervolgens was het van belang dat de tegenstander een beetje aarzelend het eerst zou slaan, zodat je zelf met volle kracht kon terugslaan. Je kon bijvoorbeeld de tegenstander op zijn neus blijven tikken, totdat hij zijn zelfbeheersing verloor en probeerde terug te slaan. Daarmee was het ritueel voltooid en het gevecht in gang gezet. Tijdens het ritueel verzamelden de toeschouwers zich in een schreeuwende kring om de vechtjassen heen en probeerden ze op te hitsen voordat een van de surveillerende leraren eraan kwam.

Waarschijnlijk rekenden de Vuurtoren en Göran erop dat het allemaal zo zou verlopen. De Vuurtoren zou tegenover hem staan in de kring van schreeuwende toeschouwers en een van zijn lange armen uitstrekken om hem op zijn gezicht te slaan of hem zijn pet af te slaan. Dan zou het heel moeilijk worden om door de dekking en de grote reikwijdte van de Vuurtoren te breken. Tegelijkertijd zou je je onmogelijk op een andere manier uit die situatie kunnen redden en dan zou het eindigen zoals het altijd eindigde wanneer de Vuurtoren vocht: hij lag boven en bleef slaan tot de klus geklaard was.

Zo hadden ze het zich waarschijnlijk voorgesteld.

Toen de afrekening kwam, wist Erik exact wat hij moest doen. Hij wist ook dat hij zou winnen als hij zijn angst kon onderdrukken. Dat was van doorslaggevende betekenis: niet weifelen, zelfs geen seconde.

Aan het einde van de lunchpauze stond de bende onder de grote kastanjes in de verste hoek van het schoolplein. Erik verdeelde de inkomsten van de woekerwerkzaamheden van die dag en gaf de Vuurtoren een muntstuk van vijftig öre en het bevel naar de bakker om de hoek te gaan en een koffiebroodje te kopen.

'Nee,' zei de Vuurtoren met een dikke stem, 'je kunt, verdomme, je boodschappen wel zelf doen.'

Tegelijkertijd gooide hij het muntje van vijftig öre op de grond voor Eriks voeten.

'Ja, en dan zou je meteen een koffiebroodje voor de Vuurtoren kunnen kopen,' giechelde Göran op de achtergrond.

Het werd doodstil onder de kastanjebomen. Het muntje op de grond was niet mis te verstaan. Er was geen weg meer terug, nu moest hij gewoon het plan volgen, zonder ook maar een seconde te twijfelen.

Hij glimlachte toen hij een paar stappen dichter naar de Vuurtoren liep.

'Ik dacht dat je net zei dat je geen boodschappen wilde doen,' zei hij zacht en bleef glimlachen.

'Precies,' zei de Vuurtoren, met een heesheid die betekende dat hij een droge mond had, en hief voorzichtig zijn armen op om het ritueel te beginnen.

Erik richtte midden op zijn maagkuil en glimlachte nog steeds toen hij toesloeg, met al zijn kracht en zijn hele lichaamsgewicht achter zich in de voorwaartse beweging. Het voelde alsof zijn vuist helemaal tot de ruggengraat doordrong, dwars door de zachte, nog niet gespannen maagspieren. Zonder een geluid uit te brengen klapte de Vuurtoren voorover, lamgeslagen omdat hij geen lucht kreeg. De volgende slag richtte Erik precies boven zijn neus. De eerste keer trof hij niet perfect, maar hij sloeg opnieuw waarna de bloedneus een feit was. Een bloedneus was belangrijk, heel belangrijk. Aan de ene kant maakte het indruk op de omgeving, aan de andere kant moest het de Vuurtoren nog meer angst aanjagen. Vervolgens gaf hij een korte rechtse schuin omhoog tegen de linkerwenkbrauw van de Vuurtoren. Een blauw oog, het ultieme brandmerk, was ook belangrijk.

De Vuurtoren zakte op zijn knieën. Nu was het zaak om het moment aan te grijpen, terwijl de Vuurtoren nog niet van de verrassing en de schrik bekomen was. Met zijn rechterhand tilde hij het gezicht van de Vuurtoren op en met zijn linkervuist richtte hij op het andere oog. Maar hij zag dat het niet meer nodig was.

'Geef je het op?' vroeg hij.

De Vuurtoren knikte slechts. Hij begon weer wat op adem te komen; de crisis was over.

'Hier,' zei Erik en reikte hem een zakdoek aan. 'Veeg af, je ziet er niet uit.'

Daarna raapte hij het muntje op, gaf het aan Göran en bestelde een koffiebroodje, dat hij later met de Vuurtoren deelde. Hij wist dat de Vuurtoren de uitdaging nooit zou herhalen. Hij wist dat hij er zelf niet zonder kleerscheuren vanaf zou zijn gekomen als de Vuurtoren het gevecht had voortgezet. Maar alles was verlopen zoals hij had berekend en de bende was voor versplintering behoed. Het blauwe oog van de Vuurtoren zou afschrikwekkend genoeg zijn.

Die avond genoot hij in het donker van de bioscoop van Robert Mitchum die in zijn Super Sabre de een na de andere gele duivel in zijn MIG-15 neerschoot. Voor iedere gele spleetoog die je neerschoot, werd er een rode ster op de neus van je Super Sabre bevestigd. Een van die gele duivels maakte het hem bijzonder lastig, hij had zelfs een aantal blauwe sterren op zijn neuskegel. Maar na een zware maar eerlijke strijd kreeg Robert Mitchum hem ten slotte te pakken.

Hij had kippenvel op zijn onderarmen toen hij de bioscoopzaal uitliep, ofschoon je in de bioscoop natuurlijk altijd wist hoe het zou aflopen. De partij waar jij vóór was won altijd. In werkelijkheid was dat niet zo, want het had weinig gescheeld of hij was eenzaam geworden, die middag, en dan was hij de bende kwijt geweest. Als hij ook maar een greintje twijfel had gehad of met de eerste slag de maagkuil maar half geraakt had, was het afgelopen geweest.

∿

Het grote grijze lyceumgebouw in Jugendstil torende als een burcht midden in de wijk Vasastan. In het trappenhuis bij de grote entree stond een beeld dat Icarus voorstelde en door de 'nationale beeldhouwer', een van de twee beroemde voormalige leerlingen van het lyceum, was gemaakt. De trappen waren van donkergrijs marmer.

Wie voor het eerst de zware eikenhouten deur opende en door de donkere gangen met de hoge welvingen liep, wist dat hij een nieuw leven was begonnen. Als je op het lyceum zat was de school niet langer kinderspel. Nu was je gescheiden van degenen die naar de middenschool gingen en nooit iets zouden bereiken in het leven.

Dat was de strekking van het welkomstwoord van de rector. Daarna moesten de knapen – ze werden altijd knapen genoemd – de eerste dag gebruiken om discipline aan te leren.

Door de klassenleraar werd een klassenvertegenwoordiger aangewezen. De klassenvertegenwoordiger moest fungeren als pelotonscommandant en vooraan bij de lessenaar van de leraar de wacht houden tot de leraar kwam. De klassenvertegenwoordiger moest op het schoolbord schrijven wie zich in afwachting van de leraar misdroegen, vloekten, met het deksel van de schoolbank sloegen of te hard praatten.

Als de leraar binnenkwam, schreeuwde de klassenvertegenwoordiger 'geef acht'. De knapen deden dan een stap naar rechts in de gang tussen de banken en gingen in de houding staan. De klassenvertegenwoordiger maakte een halve draai naar de leraar en droeg het commando over:

'Klas 2⁵ A, absent Arnrud, Carlström, Svensén en Örnberg.'

'Goedendag, knapen! Zitten!' schreeuwde de leraar.

En dan schreef hij aantekeningen in het klassenboek op basis van de noties van de klassenvertegenwoordiger op het schoolbord. Drie slechte aantekeningen in één semester en het cijfer voor orde ging een punt omlaag.

Wie daarna door de leraar werd aangesproken, moest onmiddellijk in de houding gaan staan. Het onbehagen van in de houding te staan en met luide en duidelijke stem – altijd luide en duidelijke stem, anders herhaling – mee te delen dat je het antwoord niet wist, werd geacht een positief pedagogisch effect te hebben. Daardoor zouden de knapen minder geneigd zijn om antwoorden niet te weten.

De regels voor het uitkiezen van de klassenvertegenwoordiger waren enigszins onduidelijk. Dat was een zaak van de klassenleraar en met een klas vol nieuwe, onbekende knapen was het niet altijd gemakkelijk om de juiste keuze te maken. Een goedgeklede knaap uit een wat beter milieu – kleding en achternaam waren een belangrijke leidraad – die er niet te zwak uitzag was de vuistregel in een nieuwe klas. Maar niets belette de klassenleraar om zonder meer de klassenvertegenwoordiger te vervangen.

Bij gymnastiek waren de selectiecriteria minder toevallig. De 'Kaper' hanteerde goed ingestudeerde procedures.

De Kaper was kapitein bij de reserve en ontving de knapen met een floret in de hand, dat hij als het ware in gedachten verzonken een paar keer door de lucht liet suizen voordat hij het opzij legde. Bij de selectie kreeg hij hulp van zijn ondergeschikte, luitenant Johansson.

Nadat de klassenvertegenwoordiger de klas had overgedragen gaf de Kaper de knapen het bevel om rondjes door het gymnastieklokaal te gaan rennen. Hij gaf de maat aan met korte, monotone klanken.

'Luhluh luhluhluh, luhluh luhluhluh,' weerklonk het onder het hoge dak.

Ze renden rond in de zaal met het eigenaardige gevoel dat ze niet begrepen wat er gebeurde en wat de bedoeling van de Kaper was. Na een tijdje werd de oefening afgebroken en werden de knapen in twee rijen voor de touwen opgesteld, die vanaf de ene lange muur naar voren werden getrokken. De touwen liepen door tot aan het plafond; de plafondhoogte was ongeveer zeven meter.

'We gaan klimmen, knapen!' bulderde de Kaper. 'Kom op, vier aan vier, zo hoog als jullie kunnen.'

De meesten bleven ergens halverwege steken. Sommigen konden slechts een klein stukje omhoogkomen, voor ze onder gegiechel van de toeschouwers gelaten de greep verloren en omlaag gleden. Dikke Johan kwam slechts een paar meter van de grond, onder schamper commentaar van luitenant Johansson. Erik en twee anderen klommen helemaal tot bovenaan. Hij voelde intuïtief aan waar het allemaal om draaide.

De volgende oefening was bokspringen. De bok werd steeds hoger gezet totdat alleen Erik en de Vuurtoren overbleven. De Vuurtoren won. De Kaper en luitenant Johansson maakten aantekeningen.

Vervolgens een korte uitleg over de tijgersprong over de kast. Luitenant Johansson deed de techniek voor, beschreef de springplank en legde uit dat je moed moest verzamelen als dit de eerste keer was. Het was niet zo erg als het eruitzag.

De meeste knapen remden weifelend tijdens de aanloop en werden door luitenant Johansson voor laf uitgemaakt. Erik beet op zijn tanden en nam zijn aanloop met volle kracht, zonder dralen, en de katapult van de springplank schoot hem met zo'n kracht over de kast dat hij voorover als een kikker landde. Hij verbaasde zich erover hoe gemakkelijk het eigenlijk was.

Even later schoof luitenant Johansson een andere kast dwars voor de eerste en pikte de knapen eruit die de eerste ronde hadden gehaald. Opnieuw bleven alleen Erik en de Vuurtoren over. Het was duidelijk dat het om een soort selectie ging.

Vandaar dat de knapen verrast waren toen ze plotseling naar het schoolplein werden gestuurd om te gaan voetballen. Luitenant Johansson verdeelde de klas snel in twee teams en gooide een bal naar buiten. Tijdens de wedstrijd, die slechts een kwartier duurde, gingen ze verder met hun geheimzinnige notities. Vervolgens werden de knapen naar binnen verordonneerd en midden in de gymzaal in één rij opgesteld.

'Ja, ja, mannen,' zei de Kaper. 'Dit is het embleem van de school en daar mogen jullie trots op zijn.'

Hij hield een stukje stof omhoog dat een korenschoof op een blauwe ondergrond met gele vleugels voorstelde.

'Het zijn flinke kerels die zoiets dragen,' ging de Kaper verder. 'Nu gaan we de klas in vier groepen verdelen. Iedere groep heeft een groeps-commandant en de groepscommandant draagt het schoolembleem, be-vestigd op het linkerdijbeen van zijn gymbroek, op deze manier. Iedere groepscommandant moet een plaatsvervanger hebben, een vice-groeps-commandant. En de vice-groepscommandant draagt het embleem aan de andere kant, zo. Ik lees nu de namen op van de vier groepscomman-danten.'

Daarop moesten Erik en de Vuurtoren naar voren komen om hun onderscheiding op te halen, samen met nog twee knapen die voldoen-de punten voor kracht, snelheid en zelfverzekerdheid hadden verzameld. Het leek wel een prijsuitreiking. De Kaper brulde 'alsjeblieft' en de kna-pen bogen voor hun pas verworven rangteken.

Voor elke les zorgde de groepscommandant dat zijn peloton in de houding stond. Hij controleerde of de kleding van de soldaten correct was: wit shirt, blauwe broek, witte schoenen, schone sokken. De groeps-chef droeg zijn peloton over en was verantwoordelijk voor de discipline en de opstelling van het team bij iedere balsport waar de strijd tussen de diverse pelotons ging. Een groepscommandant was in principe onafzet-baar aangezien de Kaper beweerde dat zijn selectieprincipes volkomen rechtvaardig waren.

Wanneer de klas op het schoolplein moest voetballen, werd echter van de indeling in pelotons afgeweken. In plaats daarvan maakten de twee besten, dat wil zeggen Erik en Göran, een verdeling. Eerst werd er ge-loot wie het eerst mocht kiezen. Degene die won mocht een kerel uit-kiezen. Ter compensatie mocht degene die de loting verloren had daar-na twee kerels tegelijk uitkiezen. Als de twee teams vol waren en er nog steeds een paar knapen met een onrustige blik op de bank zaten, boden Erik of Göran aan: 'Ach, jij mag de rest van dat schorem wel hebben.'

Het schorem bestond gewoonlijk uit drie of vier knapen. Zij moch-ten 'reserve' zijn, hetgeen inhield dat ze normaal gesproken helemaal niet mee mochten doen.

Fysieke kracht, een mooi lijf met een goed ontwikkelde musculatuur, moed en doorzettingsvermogen waren de steeds terugkerende elemen-ten in de preken van de Kaper waarmee de gymnastieklessen gewoonlijk werden afgesloten of ingeleid. Wij Zweden zijn een sterk en moedig volk. Wij waren goede soldaten, afstammelingen van de vikingen en de solda-ten van Karel XII.

Op deze wijze vormde de lichaamscultus de grondslag voor het sociale systeem van de knapen. Wie het mooiste en sterkste lijf had, wie met handbal en voetbal de meeste doelpunten maakte of met de hoogste boog over de kast en de bok kon springen of met rechte benen vanuit een hangende uitgangspositie en met een omgekeerde greep van de handen over de evenwichtsbalk kon buigen, of wie van de hoogste duikplank durfde te duiken of het langst onder water kon zwemmen maakte deel uit van de bovenlaag van de groepscommandanten en vice-groepscommandanten. De rest was schorem.

Voor wie tot het schorem behoorde, was er in werkelijkheid slechts één methode om zich te verdedigen. Dan moest je doen zoals Dikke Johan, je een kostuum en hoogdravende taal aanmeten, houden van dixieland en als een idioot je huiswerk maken en de rol van de intellectueel spelen die pummels zonder intelligentie verachtte.

Dat waren de grote en belangrijke verschillen ten opzichte van het systeem op de lagere school. Die school in de Rijke Voorstad, die deed denken aan een peperkoekhuisje. Daar hadden heel andere redenen bepaald of je bij de ene of de andere groep hoorde. Ook daar hadden de onderwijzers hun welwillendheid of afkeer ten opzichte van de schoolkinderen aangegeven, maar deze was vrijwel uitsluitend gebaseerd op de manier waarop je sprak of welke klank je achternaam had. Ook daar had het zeker wel betekenis gehad wie de sterkste in de klas was of de meeste doelpunten maakte tijdens het voetballen in de middagpauze. Maar die kwaliteiten waren op geen enkele manier doorslaggevend geweest. Er waren onzichtbare voorschriften die bepaalden waar je thuishoorde.

Er werd gezegd dat je uit een deftige familie kwam. Het was niet zozeer aan je kleding te zien dat je uit een deftige familie kwam, maar het was te horen aan je taalgebruik. Wie zich altijd met een heldere, zekere stem voorstelde, wie op een ingewikkelde manier zijn verontschuldigingen kon aanbieden en meer vreemde woorden gebruikte dan de anderen, was afkomstig uit een deftige familie en kreeg de hoogste cijfers voor de schoolvakken.

Maar hier op het lyceum in de binnenstad bleek alles anders te zijn. De zevenhonderd knapen hadden allerlei verschillende achtergronden en kwamen uit halfdeftige, minder deftige of helemaal niet deftige families. Dat was niet zo moeilijk te bepalen. Van sommigen rook de kleding naar petroleum. Anderen woonden in grote huizen met schilderijen aan de muur en met kristallen kroonluchters. Dat waren deftige families. Geen schilderijen en een klein huis betekenden een niet-deftige familie. Maar lang voordat je de petroleumlucht kon ruiken of in de hal werd ontvangen door het dienstmeisje, was het onderscheid al te horen aan de gebruikte grammatica, de woordkeuze en de uitspraak.

Op het lyceum werd de knapen vanachter de lessenaars, vanaf de preekstoel in de aula en tijdens de beschouwingen van de Kaper, echter ingeprent dat dit een smeltkroes was die kenmerkend was voor het nieuwe Zweden. Hier kende men geen heren of knechten, zoals in het oude Zweden. Hier schiep iedere knaap zijn eigen toekomst in vrije concurrentie en onder gelijke voorwaarden. Wie op het lyceum vlijtig studeerde kon hogerop komen. Wie zakte kon uit de boot vallen en tussen de verlorenen van de middenschool eindigen. We waren een vrij volk, een prachtig Germaans ras met trotse tradities. En wij knapen zouden te zijner tijd aan de macht komen in dit nieuwe democratische Zweden. Wij waren de toekomst en daarom waren een harde opvoeding en een gezonde geest in een gezond lichaam vereist.

Daarbuiten in de grote wereld heerste het onbepaalde kwaad.

Het ideaal van de democratie was dat je altijd ergens het beste in kon zijn en dat je tegen een stootje kon. Maar daarbuiten in de boze wereld, in de landen die door Rusland werden veroverd, waren deze mogelijkheden weggevaagd. Daar waren de mensen net machines, allemaal gelijk.

Zo luidden de donderpreken tijdens het verplichte morgengebed. Er werd veel belang gehecht aan het ritueel van het morgengebed. De knapen stelden zich zwijgend in dubbele rijen op in een bepaalde, vaste volgorde. De wachtdoende leraren gingen de rij langs en controleerden of iedereen zijn psalmboek in de linkerhand had. (Als je het psalmboek was vergeten, leidde dat tot één slechte aantekening, drie aantekeningen tot een lager cijfer voor orde.)

Wanneer de rector ten slotte met zijn grote sleutelbos rammelde, gingen de knapen in een vaste volgorde de aula binnen. Praten was vanaf nu verboden. Betrapt worden op praten leverde een aantekening op.

Na het psalmgezang kwam de preek. Meestal ging de preek over ingewikkelde religieuze morele vraagstukken. Er kwamen namelijk priester-seminaristen om te oefenen in het preken en omdat de seminaristen aan de ene kant nerveus waren en aan de andere kant een in theologisch opzicht zo scherpzinnig mogelijke preek wilden schrijven, was hun gepraat totaal oninteressant voor de knapen. Dan konden de knapen zich discreet wijden aan huiswerk maken. (Erik deed zijn huiswerk altijd op deze manier.) Of de knapen konden in de lucht staren en aan niets denken of elkaar bij de lul vastpakken of de teksten rondom de hoge friezen van de aula lezen, waar de vergulde Latijnse hoofdletters verkondigden:

De waarheid zal u vrijmaken
Zaai een edel zaad op uw tocht
Door de wereld
Behoed uw hart boven al wat te bewaren is
Want daaruit zijn de oorsprongen des levens.

Maar af en toe preekte de rector zelf of een van de retorisch meer bedreven godsdienstleraren. In de strijd tegen het kwaad overwon altijd de moed. (Soms won iets wat een rein hart werd genoemd de strijd tegen het kwaad; een rein hart kwam in de zedenpreken echter minder vaak voor dan moed.) Wie niet waagt, die niet wint. De aanhouder wint en ijver loont zich, zoals Robinson Crusoe heeft bewezen. Voor God was iedereen gelijk en daarom zorgde God voor allerlei wedstrijdmerites. De concurrentiestrijd was enerzijds gebaseerd op sport en anderzijds op de schoolvakken, die op hun beurt werden onderverdeeld in subgroepen zoals polsstokhoogspringen en het vermogen om een zin als 'De kranten noemden hem een bedrieger' te ontleden (welk zinsdeel is *bedrieger?*). Maar de meeste mensen hadden een of andere – misschien verborgen – specialiteit; een innerlijke roeping of een toekomstige bestemming om door moedig optreden hun woonplaats te redden, zoals dat Hollandse jongetje dat door een vinger in de lekkende dijk te steken zijn hele stad voor de overstroming behoedde. En dat ondanks het feit dat hij er niet bepaald stoer uitzag.

Daarom was er voortdurend een wedstrijd gaande. Aangezien Erik het snelst liep, de meeste doelpunten maakte, de meeste slaag kon verdragen, het hardst sloeg en bovendien in een aantal schoolvakken het best was, behoorde hij tot de hoogste elite die uit vijf knapen bestond. In die groep was sprake van felle concurrentie en daar was het niet voldoende dat je het best in sport of wiskunde was. En omdat hij nu eenmaal uit de Rijke Voorstad kwam, die wat landelijke idylle vergeleken kon worden met Vasastan, hadden zijn zwakheden hem eigenlijk moeten diskwalificeren voor elke vorm van leiderschap. Zijn zwakheden waren dat hij geen films had gezien die verboden waren voor kinderen, niet had geneukt, niet over een goede voorraad krachttermen beschikte, eigenlijk niets wist over de ijssalons waar de jukebox altijd Elvis en Little Richard speelde en zelfs nog nooit naar de zondagsmatinees met Zweedse rockbands bij Nalens was geweest, dat hij oubollige kleren droeg, om nog maar te zwijgen van de schoolpet die zijn vader hem had opgedrongen, en dat hij bekakt praatte.

Dergelijke handicaps hadden hem eigenlijk ver van de medaillestrijd moeten houden. Maar ter compensatie – zelfs voor die stomme schoolpet – had hij andere eigenschappen. Hij sloeg al vanaf de eerste slag met volle kracht en hij kon verrassend veel slaag verduren. Die eigenschappen hadden evenveel sociale betekenis.

. Dat punt van veel slaag kunnen verduren was al op een van de eerste dagen gebleken, toen de tekenleraar zijn gebruikelijke inleiding voor een nieuwe klas oplepelde. De tekenleraar was een schnabbelende professor en zijn belangstelling voor de knapen bestond er voornamelijk uit dat ze stil moesten zitten en opgestelde voorwerpen moesten natekenen, terwijl hij de krant las of professorenwerk deed. Zijn systeem was gebaseerd op Julius.

'Dit is Julius,' zei de professor en sloeg een paar maal met zijn aanwijsstok in de lucht, om de fluitende luchtstroom zijn boodschap te laten vertellen.

'Julius is mijn beste vriend hier op school. Wie herrie schopt kan kiezen tussen Julius en een aantekening. Begrepen?! De delinquent mag naar voren komen en zich vooroverbuigen en dan...'

Hij liet de aanwijsstok door de lucht suizen.

'Begrepen? Of hebben jullie nog een nadere demonstratie nodig? Zijn er misschien vrijwilligers?'

De professor keek de klas nu strak aan en zag er kwaadaardig uit.

Deskundig beoordeelde Erik de aanwijsstok als een relatief onbeduidend martelwerktuig. Vooral als het maar om een paar klappen ging. Het idee kwam spontaan boven:

'Ja meester!' schreeuwde hij en ging in de houding staan.

'Vrijwillig?'

De professor loerde argwanend naar de arrogant glimlachende knaap.

'Ja meester, graag zelfs!' Zo erg zou het immers niet zijn.

De klas hield haar adem in bij die uitdaging. De professor had geen keus. Hij zette Erik bij het schoolbord en instrueerde de klas. De knaap moest dus voorovergebogen staan met de handen tegen de onderkant van het schoolbord en zijn kont naar achteren. En toen... liet hij de aanwijsstok door de lucht suizen, maar remde net voordat hij zou treffen.

Erik bewoog zich niet maar bleef in de aangewezen houding staan. Toen sloeg de professor met vertwijfelde kracht.

Maar Erik die zijn adem al inhield en zich concentreerde op het beeld van zijn vaders gezicht schrok niet eens op.

'En hoe voelde Julius?' schreeuwde de professor.

'Heeft de meester dan al geslagen?' vroeg Erik en haalde nogmaals diep adem ter voorbereiding op het resultaat van het gegrinnik van de klas, dat zich maar al te gemakkelijk liet raden.

De professor verloor zijn zelfbeheersing en sloeg vijf, zes slagen met volle kracht, voor hij tot bezinning kwam. Toen bracht hij zijn hand tot stilstand, met Julius uitgestrekt als een zwaard. Het haar hing voor zijn gezicht en hij was rood van de inspanning en de psychologische overrompeling.

Erik stond nog altijd met zijn handen tegen de onderkant van het schoolbord en probeerde nog steeds te doen alsof hij niets gemerkt had.

'Ga zitten! Brutale lummel!' schreeuwde de professor. 'Trouwens...'

Hij zweeg midden in een zin terwijl Erik tussen de rijen banken door naar achteren liep en tegelijkertijd naar hem lachte.

De professor kon immers niets weten over zijn vader. Ook zijn klasgenoten wisten tot nu toe nog niets en voor hen was de moraal van de ochtendpreek of de geschiedenislessen het belangrijkst: 'In Sparta woonde een geslacht van krijgers dat vanwege zijn vermogen om fysieke kwellingen te doorstaan gedurende lange tijd een dominante positie wist in te nemen binnen de Griekse politiek.'

Nu hadden ze het in werkelijkheid gezien, maar ze begrepen er niets van, omdat ze niets over zijn vader wisten.

En net op de avond van zijn gemakkelijke overwinning op die onbeduidende aanwijsstok van de professor liet zijn vader zijn verschrikkelijke humeur zien. Hij moest op zijn tenen lopen om te voorkomen dat het pak slaag na het eten zou ontaarden. Erik dekte de tafel, ruimde af en lette zorgvuldig op iedere beweging aan tafel. Aan de trekkingen in zijn vaders gezicht kon hij zien dat het zo'n dag was waarop hij zich tijdens het slaan waanzinnig zou kunnen opwinden. De volgende aanwijzing was dat vader hem zonder enige aanleiding een klap tegen zijn neus gaf, waarmee hij al aangaf dat hij wel het een of ander zou bedenken.

Erik merkte het trekje onder zijn oog op en zag de klap al aankomen. Hij hardde zich om de klap niet te pareren, maar vader op de neus in plaats van op het jukbeen te laten oefenen. Vader lichtte een beetje op toen hij hem met een fraaie opwaartse slag midden onder de neusgaten trof. Een dergelijke slag gaf een heel apart geluid. Waarschijnlijk gaf dit een prettiger gevoel, dan wanneer hij het jukbeen raakte.

Vader ging langzaam van start en besloot aan het einde van het hoofdgerecht dat Erik twintig klappen met de borstel zou krijgen. Omdat hij laag was begonnen, met maar twintig klappen, had hij kennelijk de bedoeling het aantal binnen tien minuten te verdubbelen. Anders was hij meteen met vijfentwintig of dertig klappen voor de dag gekomen. Maar vijfentwintig of dertig was te veel om te verdubbelen als daar geen speciale aanleiding toe was. Daarom zette hij laag in wanneer hij het aantal behoorlijk wilde opschroeven.

Als nagerecht had moeder chocoladepudding gemaakt. Er was een nieuw puddingpoeder, afkomstig uit Amerika. Je hoefde het alleen maar met melk te vermengen en te laten opstijven, dan smaakte het bijna als echte chocoladepudding.

Erik onderkende het gevaar.

Zijn broertje was zes jaar en kreeg nooit slaag.

Toen ze begonnen te eten van de chocoladepudding die moeder hen had voorgezet, probeerde zijn broertje natuurlijk om met een snelle aanval een lepel van Eriks bordje te pikken. Erik reageerde in een reflex en realiseerde zich te laat dat dit een vergissing was. Toen hij de hand van zijn broertje greep gleed een beetje chocoladepudding van de lepel op het witte tafelkleed.

Vader verdubbelde het aantal klappen tot veertig.

Veertig klappen met de kleerborstel lag net boven de grens van het verdraaglijke.

Aan het einde van het pak slaag zou hij gaan janken. Misschien was het zo'n dag dat vader zich zou laten ophitsen door zijn gehuil en de tel kwijt zou raken. Je moest ook niet te veel spartelen. Te veel gespartel kon tot extra klappen leiden en dan kon de vicieuze cirkel uitmonden in vertwijfeld, onbeheerst huilen, wat vader zozeer zou ophitsen dat hij over de vastgestelde grens zou gaan, zodat Erik, die de slagen altijd telde, van vertwijfeling – of was het drang tot zelfbehoud – te veel zou gaan spartelen, waardoor vader wild van vreugde werd en doorsloeg, zodat tellen zinloos werd en hij slaag kreeg tot de huid barstte en er bloed vanaf de platte kant van de kleerborstel door de kamer spatte, totdat moeders gehuil aan de andere kant van de slaapkamerdeur vader langzaam weer bij bewustzijn zou brengen.

De chocoladepudding groeide in zijn mond. Hij had nog nooit veertig klappen kunnen uithouden.

Hij kon het op twee verschillende manieren proberen. De ene methode was je lichaam niet te spannen. Hij had ergens gelezen dat dit goed zou helpen, maar de ervaring leerde dat het moeilijk uitvoerbaar was.

De andere methode kwam erop neer dat je de spieren in je rug en achterste zoveel mogelijk spande, zodat de slagen door een zo klein mogelijk oppervlak van je lichaam werden opgevangen. Die methode kon bovendien gecombineerd worden met het innerlijke verzet, wat nog belangrijker was. Het belangrijkste was namelijk je ogen dicht te doen en *daarachter* je ogen te sluiten. Je moest jezelf wegdenken, je concentreren op een beeld van een gloeiend vuurtje ergens ver weg achter je gesloten ogen; door vader te haten kon je het beeld van blauw vuur zandstralen tot een fonkelend steentje. Daarvoor moest je je ruim van tevoren concentreren. Om maar liefst veertig slagen te doorstaan moest je een hele poos aan de haat tegen vader denken.

Wat afwezig ruimde hij de tafel af, waardoor hij bijna een bord op de grond liet vallen, wat tot een catastrofe zou hebben geleid. In de halve seconde die nodig was om het bord te laten wegglippen en een decimeter boven de grond weer op te vangen voelde hij een koude rilling. Daarna moest hij snel zijn concentratie hervinden.

Op weg naar de slaapkamer haalde hij diep adem. Achter zijn open ogen had hij zijn ogen al dichtgedaan. Het bevel van zijn vader om zijn broek te laten zakken en vooover te buigen drong nauwelijks tot hem door. Toen sloot hij de wereld buiten en ademde diep in. Daarna was er alleen nog het blauwe vuur van de haat, diep vanbinnen in het donker.

Toen hij merkte dat hij op weg was naar het licht, alsof hij na een diepe duik op weg was naar de oppervlakte, was hij de slaapkamer al uit. Hij moest vaders hand gepakt hebben en weer vrienden met hem geworden zijn zonder het zelf te weten. Toen kwamen de vreugde en de triomf. Hij had veertig klappen doorstaan! Hij had het een beetje koud.

's Avonds lag hij onder het dekbed in de kinderkamer een verboden boek te lezen. Het waren de sprookjes van de gebroeders Grimm. Die werden als ongeschikt en angstaanjagend voor kinderen beschouwd en een paar jaar eerder was hij op heterdaad betrapt toen hij in het boek las (circa dertig klappen). Vervolgens had hij een uitvoerige uitleg gekregen hoe iemand die als kind de angst toeliet, deze zijn hele leven niet meer kwijtraakte.

Dit exemplaar had hij uit de schoolbibliotheek geleend, samen met de Zweedse geschiedenis van Grimberg en nu las hij het verboden boek onder het dekbed met zijn ene oor als een periscoop op de omgeving gericht; snelle voetstappen en bliksemsnel ging de zaklantaarn uit en verdween samen met het boek onder de matras (niet onder het kussen!).

Maar daar in het donker was zijn broertje nog steeds wakker.

'Ik wil jouw zaklantaarn hebben,' zei het broertje.

Erik antwoordde niet.

'Als ik je zaklantaarn niet krijg ga ik gillen en dan zeg ik tegen vader dat jij me hebt geslagen,' zei het broertje.

Haastig overdacht Erik de situatie.

Gaf hij toe, dan zou hij niet alleen de zaklantaarn kwijt zijn, maar ook vaker met dit soort chantage te maken krijgen.

Gaf hij niet toe, dan zou zijn broertje ongetwijfeld het dreigement ten uitvoer brengen. Vader zou naar boven komen en de deur openrukken en dan zou geen enkele verklaring hem nog kunnen helpen. Maar daarna zou zijn broertje kunnen dreigen de procedure onmiddellijk te herhalen. En vader zou razend worden als het broertje hem snikkend zou vertellen dat Erik hem opnieuw geslagen had.

'Ik tel tot drie,' zei het broertje.

Als hij nu toegaf, zou zijn broertje hem alles kunnen ontnemen.

'Eén,' zei het broertje.

Maar juist vandaag was vader in het soort humeur dat er iets gruwelijks zou kunnen gebeuren tijdens het pak slaag dat hem te wachten stond.

'Twee,' zei het broertje.

Ook een poging om zijn broertje met een paar kronen om te kopen zou niets aan de zaak veranderen. Dan zou hij alleen maar stukje bij beetje geplukt worden.

'Drie. Nu ga ik gillen,' zei het broertje.

'Wacht,' zei Erik, 'niet gillen. Want weet je wat ik ga doen als jij gaat gillen?'

'Dat durf je toch niet, want dan slaat vader jou,' zei het broertje.

'Dat kan me niet schelen. Als jij gaat gillen en dat zegt, *beloof* ik je dat ik jou een goed pak rammel zal geven zodra vader klaar is met mij. Snap je wel? Dan ga ik meteen jou slaan. En morgen als ik thuiskom uit school ga ik je weer slaan, want dan werkt vader. Dat beloof ik, snap je wel?'

'Nu ga ik gillen,' zei het broertje.

'Ik beloof je op mijn erewoord dat ik jou meteen daarna ga slaan,' snikte hij.

Toen gilde het broertje. Vader kwam binnen met de kleerborstel in de hand en deed het licht aan.

'Erik heeft me geslagen,' zei het broertje toonloos.

Toen vader klaar was met slaan en tieren hoe laf het was om iemand te slaan die kleiner was dan jezelf bleef Erik een poosje met zijn gezicht in het kussen liggen huilen. Toen deed hij het licht aan, liep naar het bed van zijn broertje en rukte het dekbed van hem af.

'Ik heb je iets beloofd op mijn erewoord,' zei hij.

'Dan gaat vader jou weer slaan.'

'Dat weet ik, maar ik heb beloofd dat ik je zou slaan, jij hielenlikkertje.'

Hij realiseerde zich dat hij dat niet zou redden. Het ging erom dat hij eerst wat over dat pak rammel zou praten, precies zoveel dat zijn broertje bijna vader te hulp zou roepen. Vervolgens zou hij nog net een paar klappen kunnen uitdelen voordat vader kwam aanstormen. Maar waar zou hij slaan? Hij kon hem een paar tanden uit de mond slaan, dat zou nog wel lukken. Maar ten eerste ging het er niet om zijn broertje zoveel mogelijk schade toe te brengen, maar wilde hij alleen voorkomen dat zijn broertje die chantagepoging zou herhalen. Ten tweede zou vader onder alle omstandigheden woest en hardhandig worden. Het zou stom zijn als zijn broertje bloedde wanneer vader kwam binnenstormen.

Snel deelde hij twee klappen uit en stompte zijn broertje in de maag. Die hapte daarop zo lang naar adem dat Erik het licht kon uitdoen en in zijn eigen bed kon kruipen, voordat het gejank losbarstte.

Het was een dubbel voordeel om onder het dekbed te liggen wanneer vader kwam binnenstormen. Aan de ene kant leek het alsof het geen hevig gevecht was geweest en aan de andere kant zou vader misschien gewoon rechtstreeks op het dekbed slaan, zonder te richten. Op de avonden dat vader dronken was, stak het niet zo nauw waar de slagen terechtkwamen.

Maar zijn hoop was volkomen ongegrond. Hij hoorde het al aan vaders voetstappen. Vader kwam niet binnenstormen, hij kwam zachtjes *aanlopen* en zette zijn hielen op de vloer, zodat de stappen zwaar zouden klinken. Toen verstijfde Erik van schrik. Hij vermoedde al wat er kon gebeuren.

Toen vader in de deuropening stond en het lichtknopje omdraaide stond zijn gezicht star en was zijn mond samengetrokken op die speciale manier. In zijn rechterhand bungelde de hondenzweep.

De hondenzweep was van gevlochten leer, dik bij het handvat en dun aan het uiteinde, waar hij eindigde met een metalen clip, die aan de halsband van een hond kon worden bevestigd. Die metalen clip rukte de huid kapot.

Liefdevol en voorzichtig droeg vader het broertje naar buiten. Toen deed hij de deur dicht en op slot, pakte de sleutel en stopte die in zijn borstzak.

'Nee alstublieft, ik wilde niet... het is anders dan u denkt...' snikte hij toen vader demonstratief langzaam het bed naderde.

Hij wist dat bidden en smeken geen enkele zin had. Vertwijfeld ging hij op zoek naar het blauwe vuur midden in zijn kolkende bewustzijn, maar het was te laat. In ieder geval niet mijn gezicht, dacht hij toen vader langzaam het dekbed wegtrok. In ieder geval niet mijn gezicht, het duurt weken voordat dat geheeld is, niet het gezicht, op school...

'Alstublieft, pas op voor mijn gezicht,' huilde hij terwijl hij zich omdraaide in zijn bed, de handen tegen zijn wangen drukte en zijn gezicht in het kussen boorde.

De eerste slag trof hem dwars over zijn onderrug. Hij had nog net tijd om te bedenken dat vader precies gemikt had en dus verschrikkelijk nuchter was. De tweede slag trof bijna op dezelfde plaats en toen hij begreep dat de zweep centimeter voor centimeter omhoog zou kruipen verdween de flakkerende blauwe vlam en begon hij te schreeuwen.

Hij dacht niet langer, hij schreeuwde bij iedere slag. Het was alsof er bij iedere slag een elektrische schok door zijn hoofd ging van de ene slaap naar de andere. Nadat de onderrug klaar was, begon vader te mikken op de linkerbil. Erik begon te kronkelen tijdens de slagen die niet langer met berekende precisie troffen. Hij probeerde zich met zijn handen te beschermen, maar toen mikte vader op zijn gezicht en toen hij zijn gezicht met zijn handen bedekte, sloeg vader weer op zijn lichaam.

Het gehuil was rood en vernederend. Het was precies het tegenovergestelde van het blauwe vuur. Het gehuil was opvlammend wild en nam zijn bewustzijn in bezit, het versterkte de pijn zozeer dat het bewustzijn ergens halt hield; het waren de ongecontroleerde pogingen tot verlichting van het onderbewustzijn. Maar hij huilde ook omdat hij huilde; omdat hij geen weerstand kon bieden tegen die vervloekte rotzak met die bloedige, fluitende hondenzweep.

Op een of andere manier hield het op. Midden in de pijn was het alsof het nooit zou ophouden, alsof er nooit verlichting zou komen, zoals je je de hel voorstelt. Maar toch hield het op een of andere manier op.

Eerst werd hij de stilte gewaar, want nadat zijn longen beverig een laatste krampachtige snik voortbrachten, waardoor hij plotseling weer rustig kon ademhalen, was het stil. Zijn onderrug, billen en de achterkant van zijn dijbenen gloeiden. Hij wist dat hij in elk geval striemen op zijn lijf zou hebben. De zweep raakte hem altijd zo hard, dat iedere slag een rode striem achterliet. De huid zwol op boven een rood streepje bloed. Als dat niet kapotging, stroomde het bloed terug in het lichaam en bleef er een blauwgroen randje achter dat daar nog wekenlang zou zitten.

In die stilte voelde hij met zijn hand over zijn rug en achterste. De hand werd vochtig en kleverig. Het was bloed van de plekken waar de metalen clip de huid had opengereten. Het zouden wondjes worden met langwerpige korstjes, korstjes die groot en ruw en bobbelig waren en gemakkelijk barstten als je een snelle beweging maakte.

Zoals hij het zich achteraf – weliswaar vaag – herinnerde, kwam zijn moeder binnen met een kom lauw water en een linnen lap. Ze zei niets, of hij herinnerde zich niet dat ze iets gezegd had.

Misschien huilde ze, misschien voelde hij het zout van haar tranen in een van de open wonden. Maar het zou ook een droom kunnen zijn als gevolg van de beginnende koorts. Het voelde als mooie pianomuziek ver weg.

Hij was veertien jaar en vocht nog maar zelden. Hij was immers de leider van de bende en kon dus niet zomaar een beetje vechten. Als iemand uit de parallelklas zijn schuld aan de bende niet wilde afbetalen, was er een beetje slaag nodig, niet veel slaag. En dan was het beter om Göran of de Vuurtoren erop af te sturen of iemand anders uit de bende. Als hij zelf vocht, moest het belangrijk zijn, bijvoorbeeld als iemand na een tweede waarschuwing nog niet betaalde. Dan moest hij zelf over het schoolplein lopen, met de bende een paar stappen achter zich, tot degene die niet betaald had zich te laat realiseerde wat er stond te gebeuren en probeerde weg te rennen, wat altijd onmogelijk was. De bende wachtte namelijk altijd op het juiste moment, wanneer het schoolplein diagonaal kon worden afgesneden, waardoor de weg naar de beide uitgangen versperd werd. Wat overbleef was gewoon een kat-en-muisspel tot de schuldige in de hoek bij de twee hoge muren was gedreven waaruit hij onmogelijk kon ontsnappen.

In zo'n situatie voelde hij geen vreugde of triomf meer. Eigenlijk vond hij het zielig voor degene die een aframmeling moest krijgen. Er was echter nog een andere reden dat hij steeds minder vocht, een reden waarover hij niet met de bende praatte.

Het was wel duidelijk dat als er een jongen niet hoefde te betalen, de anderen hetzelfde zouden proberen. En als veel jongens tegelijk zouden proberen om er onderuit te komen, zou het systeem instorten als een kaartenhuis en dan kon de bende tijdens de middagpauze niet langer koffiebroodjes in plaats van meegebrachte boterhammen eten of naar de snackbar gaan. Het geld was nodig voor de eensgezindheid.

Dus sloeg hij in dergelijke situaties niet om schade toe te brengen. Liever een draai om de oren dan een bloedneus, of eventueel een blauw oog. Een blauw oog was heel effectief. Het was gemakkelijk om een linkse of rechtse hoek te slaan tegen het punt waar de wenkbrauw eindigt of tegen de botrand waar de oogkas begint. Een dergelijk merkteken was met één slag aangebracht en het blauwe oog zou de anderen afschrikken.

Natuurlijk moest ook degene die weigerde bang worden gemaakt, maar daar was niet veel geweld voor nodig. Een draai om de oren was eigenlijk al voldoende, want het was een vernedering voor degene die hem kreeg zonder te durven terugslaan. Bovendien moest degene die een draai om de oren had gehad voortdurend op zijn hoede zijn dat hij niet opeens een echt pak rammel kreeg. Iedereen die op zijn knieën gaat en huilt en klappen in zijn gezicht krijgt en belooft te betalen, voelt de angst als een groot gat in zijn binnenste. Geen pijn zonder angst.

Het was altijd de angst die doorslaggevend was en dat wist Erik maar al te goed. Het was alsof de meeste mensen om een of andere eigenaardige reden juist op dat punt geen verdediging hadden. Ze konden groot en sterk zijn en alle mogelijkheden hebben om zich te verdedigen, maar de angst verlamde hen.

Een jongen die een paar klassen hoger zat, had een paar jaar bokstraining gehad bij boksclub De Adelaar. Hij was veelbelovend, zei men, en op het lyceum werd hij gewoonlijk de Bokser genoemd. Hij zou in de finale van het juniorenkampioenschap in Stockholm hebben gestaan.

Aangezien de Bokser de bende meer geld verschuldigd was dan hij had of wilde betalen was een afstraffing onvermijdelijk geworden, en zijn klasgenoten hadden hem natuurlijk opgestookt met de vraag of hij de Vuurtoren of Erik aan zou kunnen. Het geheel verliep ongeveer op dezelfde manier als de eeuwige discussies over wie een gevecht tussen de beste boksers of worstelaars ter wereld zou winnen. Toen begon het gerucht de ronde te doen dat de Bokser niet van plan was te betalen. Dus moest hij een pak slaag hebben.

De bende zat in de snackbar en woog de diverse mogelijkheden tegen elkaar af. Het eenvoudigste was die vent met meerdere jongens tegelijk aan te vallen.

Erik verwierp het voorstel. Dat zou alleen maar tot meer praatjes op het schoolplein leiden. Er zou tot vervelens toe herhaald worden dat het laf was om met z'n allen één jongen te lijf te gaan en dat de Bokser in elk geval de beste was, aangezien de bende genoodzaakt was om meerdere jongens tegelijk in te zetten.

Hoe moest je een bokser aanpakken? Eén ding was in elk geval duidelijk: de kracht van een bokser is zijn techniek met de vuisten. Hij kan zich beschermen en terugslaan en hij kan series slaan om een goede treffer een vervolg te geven. Maar zijn techniek is ook zijn zwakheid, aangezien hij alleen geoefend is in het uitdelen van klappen met de handen. Je kunt hem neertrappen. Of je kunt hem te lijf gaan en hem op de grond zien te krijgen.

'Oké,' zei Erik terwijl hij met ketchup een dun ruitjespatroon over de vettige patat spoot, 'je mag hem hebben, Vuurtoren. Net iets voor jou: hem te lijf gaan, op de grond zien te krijgen en vervolgens het oude liedje. Geen probleem.'

'Nee, waarom ik?' weifelde de Vuurtoren. 'Het lijkt me beter dat we hem eens goed aanpakken met meerdere jongens en hem een steviger pak slaag geven dan anders. Dan wordt er niet meer over gekletst.'

Erik zuchtte en kauwde even op zijn grillworstje, terwijl de anderen zwijgend zaten te wachten. De Vuurtoren was bang, zelfs de Vuurtoren kende dus die eigenaardige angst ten opzichte van een tegenstander die hij gemakkelijk kon verslaan. Maar als de Vuurtoren bang was, dan was de zaak daarmee beslist, ongeacht of de anderen nu begrepen dat hij bang was of niet. Hij zou hem ertoe kunnen dwingen, maar wie bang is verliest altijd en als de Vuurtoren een pak slaag kreeg, zou alles daarna nog erger worden.

'Oké,' zei Erik, 'dan zal ik die vent zelf wel te grazen nemen. Maar jullie blijven erbij staan kijken.'

'Dus als het lastig wordt voor jou, dan moeten wij...?'

'Het wordt niet lastig voor mij. Ik win altijd. Kom op, we pakken hem voor de middagpauze voorbij is.'

Op de terugweg naar het schoolplein nam hij zijn plan door, dat was gebaseerd op het naar boven halen van de angst die zich ergens in de Bokser moest bevinden. Had de Bokser immers niet lang geleden diezelfde angst gehad, toen hij zo hard kwam aanrennen over het schoolplein dat ze er nog over praatten in zijn klas.

Maar je kon de Bokser niet zomaar met een gemeen trucje mishandelen. Hij moest de Bokser met de vuist slaan op een manier die in ieder geval aan boksen deed denken. Iets anders zou alleen maar tot geklets leiden. En het moest snel gebeuren.

De Bokser was groter dan hijzelf, had een grotere reikwijdte en was bovendien een bokser, dus van een langdurig gevecht in boksstijl kon geen sprake zijn. Dat zou ertoe leiden dat zijn eigen gezicht er na een tijdje afschuwelijk zou uitzien. En dat zou in elk geval als een nederlaag worden beschouwd, ook al kon de Bokser hem niet neerslaan. Het grotere gewicht van de Bokser maakte het meer dan twijfelachtig of je werkelijk moest proberen hem zo dicht te naderen dat je hem kon vloeren. (Dat zou alleen de Vuurtoren met gemak voor elkaar kunnen krijgen.)

Je moest hem dus eerst angst aanjagen en vervolgens in zijn gezicht slaan. Het was niet voldoende om hem op zijn oog te slaan, een dergelijke klap zou hij gewoon van zich afschudden. Een bloedneus moest het worden. Maar om de neus te breken van een kerel die gewend was zijn gezicht te beschermen was zoveel angst nodig, dat de goed ingestudeerde reflex om zich te beschermen werd doorbroken. Je kunt niet boksen met een bokser, maar je kunt hem zo aan het schrikken maken dat hij het bijna in zijn broek doet en vervolgens zijn neus breekt.

De bende stelde zich op in de hoek van het schoolplein. Daarginds stond inderdaad de Bokser. Erik zei tegen Gösta, de kleinste van de bende, dat hij de Bokser moest gaan halen. En daarmee verspreidde het gerucht dat het uur gekomen was zich als een lopend vuurtje over het schoolplein. Als de Bokser weigerde naar de bende te gaan, uit angst dat ze hem allemaal tegelijk te lijf zouden gaan, zou de hele zaak al beslist zijn. Maar als hij liet zien dat hij laf was, had hij bij voorbaat al verloren en het was niet erg waarschijnlijk dat hij zich zo gemakkelijk gewonnen zou geven. Het was geen schande om een pak slaag te krijgen van meerdere jongens tegelijk, maar het was wel een schande om een lafaard te zijn.

Een bende uit de klas van de Bokser liep met hem mee – niet om hem te helpen, maar om toe te kijken. Dat kwam goed uit. De Bokser kwam aangelopen met de handen half opgeheven en de bende week opzij, zodat een halve cirkel ontstond met Erik in het midden. Op de terugweg van de snackbar hadden ze de formatie doorgenomen.

Midden in de halve cirkel bleef de Bokser even staan aarzelen. Hij keek waakzaam opzij en Erik hield hem nauwlettend in de gaten. Een tijdlang zei niemand iets. De kring toeschouwers groeide, maar het geschreeuw was nog niet begonnen.

'Hallo,' zei Erik heel langzaam, 'je bent ons geld schuldig en ik vond dat je een kans moest krijgen om je schuld nu te betalen. Dan is het probleem uit de wereld geholpen, zonder dat we je pijn hoeven te doen.'

'Nee,' zei de Bokser verbeten en hief zijn handen nog een paar centimeter verder op.

'Wat,' zei Erik met gespeelde verbazing die hij liet overgaan in dreigende taal, 'maar als je niet betaalt, moeten we je een aframmeling geven, dat weet je wel.'

Dit was het aas, nu moest de Bokser happen en dan ging de rest vrijwel vanzelf:

'Schijterds, met z'n allen tegen één, hè? Laf als meiden, zeker? Jullie durven niet een voor een te komen, hè, want dan zou ik jullie allemaal op één hoop gooien.'

'Maak je niet ongerust,' zei Erik en laste een kunstmatige pauze in, 'het is nog veel erger. Ik ga je namelijk zelf afranselen.'

De Bokser keek argwanend om zich heen en Erik ging snel verder, voordat zijn tegenstander het initiatief kon nemen.

'Als het alleen maar om een paar klappen zou gaan, had ik de Vuurtoren wel gevraagd om het even te regelen. Maar nu is het zo, dat je nu betaalt – je krijgt nog een allerlaatste kans – of anders zal ik je zelf een pak rammel geven dat je nooit meer vergeet.'

Er ging een gemurmel door de menigte. Ze begrepen niet hoe je de Bokser kon bedreigen, de Bokser nog wel en dan op die manier. Ze begrepen namelijk helemaal niets. Het geschreeuw begon zo langzamerhand op gang te komen. Nu was de Bokser genoodzaakt iets te zeggen.

'Ach,' zei hij en Erik merkte tot zijn tevredenheid dat er al wat onzekerheid in zijn stem klonk, 'ach, jou kan ik gemakkelijk een dreun geven met een rechtse-linkse, kom maar op.'

Toen hief de Bokser zijn handen in de verdedigingshouding en maakte een paar lichte danspasjes. Nu moest de stoot hem recht in zijn zelfvertrouwen raken. Erik stond met zijn handen in zijn broekzakken zonder zich te bekommeren om de beweeglijke verdediging van de Bokser, die zich nu binnen handbereik voor Eriks gezicht bevond. Hij wist dat de Bokser niet zou slaan zo lang hij zijn handen in de zakken hield.

'Ik kan je zo in elkaar slaan, als ik daar zin in heb,' zei Erik, 'maar ik houd er niet van om mensen af te ranselen die geen schijn van kans hebben. Daarom vond ik dat je een kans moest hebben. Maar eerst een allerlaatste waarschuwing: je weigert te betalen?'

'Potverdomme,' zei de Bokser achter zijn verdediging en snuffelde aan zijn vuisten alsof hij bokshandschoenen aan had. 'Leuteren kun je wel, maar probeer me eens te raken als je kunt!'

En toen begon hij heen en weer en opzij te springen voor Erik die hem met een glimlach bekeek en zijn hoofd schudde. Erik had nog steeds zijn handen in de zakken en rekte de stilte zo lang mogelijk om de Bokser op de grens te houden tussen spot en het besluit om in de aanval te gaan. De Bokser stuiterde heen en weer, terwijl hij wild aan zijn denkbeeldige handschoenen snuffelde.

'Je krijgt twee vrije slagen,' zei Erik.

De Bokser stopte midden in een pas opzij en liet van verbazing zijn handen zakken. Snel benutte Erik het verrassingseffect.

'Jawel,' zei hij, 'je krijgt twee vrije slagen. Je mag twee keer toeslaan, dan heb je in ieder geval een kleine kans. Maar zeg niet dat ik je niet gewaarschuwd heb. En hé, als je je kans gegrepen hebt en je vrije slagen hebt benut, vergeet dan niet dat die pik van jou heel gevoelig is.'

De Bokser stond doodstil voor hem en staarde hem met open mond aan. Erik zag dat hij op de goede weg was.

Langzaam trok Erik zijn handen uit de broekzakken en balde zijn vuisten. Toen drukte hij zijn vuisten op borsthoogte hard tegen elkaar, schoof zijn linkervoet naar voren en zette zijn rechtervoet een stukje naar achteren in een houding die hij kennelijk had ingestudeerd voor een flinke trap. Nu kwam de beslissing naderbij. Hij wist dat hij alleen maar aan zijn vader hoefde te denken. En omdat hij zijn handen op borsthoogte tegen elkaar gedrukt hield, zag het er weliswaar uit alsof hij zich niet verdedigde, maar in feite voorkwam hij daarmee dat de Bokser twee van de drie vernietigende slagen kon kiezen: de Bokser kon hem nu niet rechtstreeks in zijn maagkuil treffen, maar ook geen uppercut tegen zijn kin slaan. Een rechtse directe tegen de neus zou hij niet wagen als vrije slag. Nu had hij de Bokser zo goed als klem gezet.

'Ach verdomme, schiet op,' zei de Bokser aarzelend.

'Mooi niet. Maar zoals ik al zei: je hebt twee vrije slagen. Je bent toch niet bang dat je naderhand te veel slaag zult krijgen?'

De groep jongens die achter de Bokser stond te schreeuwen eiste dat hij met volle kracht zou toeslaan, nu hij de kans kreeg. Maar de Bokser aarzelde. Erik begon zich te concentreren en zag het beeld van zijn vader in het blauw al duidelijk voor zich. Toen hoorde hij zichzelf de uitdaging van de twee vrije slagen, de lafheid enzovoorts herhalen en de Bokser trok zich weifelend steeds verder terug. De Bokser moest slaan, maar tegelijkertijd was hij bang. Hij probeerde te slaan maar aarzelde.

Erik was onmiddellijk op zijn hoede:

'Grijp die kans, het is de enige die je krijgt. Laat in elk geval zien dat je niet laf bent.'

Toen de Bokser de slag sloeg die hij moest slaan – een stoot tegen de kaak – was er nog steeds zoveel aarzeling en onzekerheid in zijn beweging, dat Erik de slag kon opvangen zonder een spier te vertrekken.

De Bokser staarde hem verbluft aan.

'Dat was *één* vrije slag,' zei Erik. 'Nu heb je er nog maar één over en dan zullen we het hebben. Denk eraan wat ik over je pikkie zei.'

De Bokser aarzelde en keek om zich heen. Het zweet stond op zijn voorhoofd en achter hem eiste de bloeddorstige menigte meer slaag voor wie dan ook, als het maar meer slaag was. Ze wilden én nog een vrije slag zien én zien wat er daarna met de Bokser zou gebeuren.

De vertwijfeling was al af te lezen in de ogen van de Bokser toen hij naar lucht hapte en met een zwaai tegen de andere kaakhelft sloeg. Het galmde door Eriks hoofd en een ogenblik flakkerde het blauwe vuur onscherp. Nu kwam het erop aan dat het vervolg zo snel ging dat de Bokser niet de tijd had om te gaan boksen.

De Bokser stond met zijn dekking op halve hoogte, ongelovig en bang omdat zijn slagen geen enkel effect leken te hebben gehad.

Erik lachte naar hem door de optrekkende mist, veranderde voorzichtig van houding en trok toen plotseling zijn rechterbeen weg. Hij leek een geweldige schop te richten op het onderlijf van de Bokser, waarop die het enige juiste deed: hij liet instinctief beide handen zakken en boog zich voorover om de schop met zijn onderarmen op te vangen. Toen hij midden in die beweging was, trof Eriks vuist hem vol en perfect boven zijn neuswortel.

Erik voelde het kraken tussen de knokkels van zijn middelvinger en ringvinger. Het was een wonderbaarlijke treffer en het bloed spoot perfect tevoorschijn in het gezicht van de Bokser, die op een ingeoefende manier zijn hoofd optilde. (Wie geen bokstraining heeft gehad, buigt automatisch naar voren in zo'n situatie.) Met de shock nog zichtbaar in zijn oogwit hief hij zijn dekking weer op om zijn gezicht tegen verdere slagen te beschermen.

Toen schopte Erik in een wijde boog vanaf de zijkant en raakte zonder problemen precies het kniegewricht van het been waarop de Bokser steunde bij de beweging naar achteren. De Bokser viel pardoes op de grond. Het was een uitgemaakte zaak.

Erik boog zich over hem heen en sprak de repliek uit die hij het laatste kwartier op de terugweg van de snackbar vervolmaakt had.

'Je krijgt niet nog meer slaag, omdat ik medelijden met je heb. Zorg ervoor dat je morgen betaalt, dan hoef je niet bang meer te zijn.'

Toen liepen ze weg – voordat de Bokser kon gaan boksen.

'Hoe is het mogelijk dat je opgewassen bent tegen twee van zulke meppen?' vroeg de Vuurtoren.

'Harde training,' antwoordde Erik en de bende lachte, want ze wisten niet dat het in elk geval de halve waarheid was.

Toen hij die dag thuiskwam, zag hij dat vader een nieuw instrument had aangeschaft. Het hing zo goed zichtbaar in de vestibule dat het je niet kon ontgaan, wat vermoedelijk ook de bedoeling was. Voorzichtig zette hij zijn schooltas neer, pakte het instrument en woog het deskundig in de hand. Het was een schoenlepel, een lange schoenlepel van chroom met een omwikkeld leren handvat. Het onderste deel was heel smal, omdat het een damesmodel was. Hij was licht gebogen en ongeveer een halve meter lang. Hij sloeg een paar fluitende slagen in de lucht bij wijze van proef en constateerde dat het zwaartepunt in het instrument vrij ver naar onderen lag. Als vader te dichtbij kwam als hij sloeg zou een groot deel van de kracht verloren gaan. Maar dat zag vader natuurlijk ook wel in; hij had het instrument immers gevonden en had vast ook ergens in de winkel gestaan en het in zijn hand gewogen en – toen niemand het zag – een paar proefslagen in de lucht geslagen. In ieder geval was het erger dan een kleerborstel, aangezien het een kleiner oppervlak had. Maar zachter dan berkentakken, om nog maar te zwijgen van de hondenzweep.

Hij hing de schoenlepel terug en ging naar zijn kamer, las een stripblad dat hij in een band van Brehm, *Het leven der dieren*, had gestopt. Het openingsbod zou vermoedelijk vijfentwintig klappen bij de inwijding bedragen, nou en?

Later aan tafel opperde vader inderdaad vijfentwintig klappen als pak slaag na het eten onder verwijzing naar het feit dat zijn haar te lang was (en de volgende dag als hij naar de kapper was geweest, zouden het waarschijnlijk vijfentwintig klappen worden, omdat er 'te weinig' was afgeknipt). Aangezien het een heel eenvoudige maaltijd was zonder bijzonder ingewikkelde toeren op het gebied van tafelmanieren en zijn broertje niet in de stemming was om ook maar iets te stelen, was het niet moeilijk voor Erik om zonder misstappen door de maaltijd te manoeuvreren. Vader gaf een klap tegen zijn neus omdat hij er zo brutaal uitzag, dat was alles. Hij liet de klap op zijn neus toe en vader leek op te lichten vanwege het succes van zijn 'snelheid', die volgens hem te danken was aan het feit dat hij in zijn jonge jaren een veelbelovend schermtalent was geweest.

Beneden op straat knarste een tram voorbij. In het begin had hij maar moeilijk aan het geluid van de trams kunnen wennen. In de wat meer landelijke Rijke Voorstad was het 's avonds altijd stil geweest als hij en zijn broertje naar bed gingen. Je werd alleen maar wakker als vader dronken thuiskwam met een taxi en zich ergens over opwond. Dan sloeg hij Romulus en Remus tot ze jankten.

Nu waren ze allebei dood. Romulus en Remus waren twee bijna helemaal zwarte en ongewoon sterke dobermannpinchers. Vader had ze zo vaak met de zweep geslagen dat ze uiteindelijk dol waren geworden. Dat was in elk geval de verklaring van de dierenarts toen ze naar de binnenstad verhuisden en het onmogelijk bleek om jankende honden in het appartement te houden. Romulus en Remus moesten worden afgemaakt. Voorzover Erik zich kon herinneren was het de enige keer dat hij gehuild had zonder te zijn geslagen. Hij was dol op die honden geweest.

Daarbuiten, in de Rijke Voorstad, liepen ze meestal ieder aan hun eigen looplijn, die aan een staaldraad tussen twee eiken was bevestigd. Eriks klasgenoten stelden zich altijd nauwkeurig op de hoogte van de situatie, voordat ze binnen de hekken van het geweldige perceel kwamen. Het was algemeen bekend dat de twee zwarte honden levensgevaarlijk waren. Op een keer liepen ze los toen de vuilnismannen het terrein op kwamen en toen Erik op de plek des onheils kwam, waren de twee mannen al zo lelijk toegetakeld dat het tot een rechtszaak leidde. Maar de twee gebeten mannen waren immers maar vuilnismannen en vader schakelde gewoon een paar advocaten uit Stockholm in, die de zaak zo wisten te brengen dat de gebeurtenis zich had afgespeeld op privé-terrein. En vuilnismannen mochten nu eenmaal niet zomaar iemands privé-leven binnendringen. Bovendien had men in deze tijden, waarin het aantal diefstallen alleen maar toenam, toch het recht om zijn eigendom te beschermen. Het eindigde met een schikking, een soort compromis dat erop neerkwam dat de honden het recht hadden om te bijten, maar dat ze een beetje te veel hadden gebeten, dat vader de stukgebeten kleren en doktersrekeningen moest betalen, maar dat de zaak daarmee als afgehandeld werd beschouwd. Een paar jaar later kwam Erik een van de vuilnismannen tegen. Hij hinkte nog steeds.

Als vader de honden sloeg, gebruikte hij de gevlochten leren zweep met de metalen clip. Het was onbegrijpelijk dat ze gewoon maar jankten en de slagen incasseerden wanneer vader de zweep pakte en langs de staaldraad op hen af liep. Waarom kropen ze in elkaar en huilden en jankten wanneer hij ze met de zweep gaf? Was vader nooit bang dat ze er genoeg van kregen en dat ze zich in plotselinge razernij op hem zouden storten en hem doden? Vader kon Romulus en Remus vijf minuten achtereen met de zweep bewerken volgens een zorgvuldig ritueel, waarbij de honden om beurten een slag kregen. Als Erik dat zag, schoot het door zijn hoofd dat vader vermoedelijk hetzelfde zou hebben gedaan als hij een tweelingbroertje zou hebben gehad.

Op een dag kwam een speelse collie per ongeluk op het terrein. Hij stond op afstand en blafte naar Romulus en Remus die kwijlend en grommend in hun wurgbanden hingen. Erik zat in een boom en zag het allemaal gebeuren.

Vader kwam naar buiten en keek om zich heen. Toen liep hij snel naar Romulus en Remus en liet hen los. Vader stond vrijwel de hele tijd te lachen bij het gebeuren en moedigde Romulus en Remus aan door 'toe maar, toe maar, brave honden' te roepen.

De jacht was snel voorbij omdat Romulus en Remus dankzij een effectieve samenwerking de indringer in een hoek wisten te drijven. Daarna scheurden ze de wanhopig piepende collie in stukken. Het was in een paar minuten voorbij. Erik herinnerde zich hoe de buik van de collie werd opengereten en hoe de neuzen van Romulus en Remus naderhand onder het bloed zaten.

Aan tafel – enkele uren later, toen de resten van de hond waren teruggegeven en via een beschaafd compromis voor de helft betaald waren – gaf vader Erik de schuld van het voorval. Er moest immers een verklaring zijn voor het feit dat Romulus en Remus los hadden rondgelopen op het terrein. Dat fikkie wat ze om zeep hadden geholpen, was een duur tentoonstellingsexemplaar.

Erik besefte maar al te goed dat het rampzalige gevolgen zou hebben als hij zou zeggen dat hij had gezien hoe vader naar Romulus en Remus liep, om zich heen keek en vervolgens de honden losliet om ze voor zijn plezier te zien doden. Als hij dat zou zeggen, zou vader het aantal slagen verdubbelen onder verwijzing naar het feit dat hij loog. Vader zou hem dwingen tot een bekentenis dat hij had gelogen, waarna een nieuwe toeslag zou volgen. En ten slotte zou hij noodgedwongen zijn excuses moeten aanbieden voor het feit dat hij had gelogen en beloven dat hij het nooit meer zou doen. Er zat dus niets anders op dan meteen te bekennen. Hij had dus met de honden gespeeld en geknuffeld en was vervolgens vergeten ze aan de lijn te doen. En nu hij dat allemaal had bekend, kon hij vader recht in de ogen kijken en als een man zijn excuses aanbieden voor wat hij had gedaan. Maar het had geld gekost en dus was een pak slaag in een wat meer officiële vorm dan het routinematige pak slaag na het eten onvermijdelijk. Het werd het ritueel met de berkentakken.

Het ritueel met de berkentakken kon heel lang duren. Het kwam erop neer dat hij er zelf op uit moest om een geschikte tak te snijden. Maar bij aflevering bleek er altijd iets mis te zijn met de tak waar hij mee terugkwam. Of hij was te groot, waardoor hij niet te hanteren was vanwege de te grote luchtweerstand en het te grote oppervlak, of hij was te klein, waardoor hij te licht was en je er niet met voldoende kracht mee kon slaan. Ook kon de schacht te kort zijn, zodat er geen swing in de slagbeweging zat.

Maar hij kon evengoed te lang zijn, waardoor het zwaartepunt op de verkeerde plaats lag. En hoewel hij in de loop der tijd geleerd had een volkomen perfect slagwerktuig te maken van een berkentak, werd het ritueel altijd net zo vaak herhaald, als vader tevoren bepaald had. Het bieden begon dus bij twintig slagen. Daarmee waren de voorwaarden reeds geschapen, aangezien er natuurlijk geen sprake kon zijn van slechts twintig klappen als het ging om zoiets ernstigs als het veroorzaken van de dood van andermans tentoonstellingshond. Hij gokte dat de tak niet zou worden goedgekeurd en dat hij een paar keer een nieuwe moest maken, zodat het totaal uiteindelijk op zo'n veertig slagen zou uitkomen.

Maar juist deze keer, toen vader Romulus en Remus had opgehitst tegen die arme collie, die op Lassie leek en in drie, vier delen was gescheurd, eindigde het takkenritueel pas bij vijfenzeventig slagen.

Erik wist dat zijn huid niet tegen zoveel slagen bestand was en zou barsten. Het zou bloederig worden. Wellicht begreep vader zelf niet eens hoe bloederig het zou worden.

Om je te verweren tegen vijfenzeventig slagen – waarbij het na ongeveer vijftig slagen bloederig zou worden – moest je voordat het begon op een of andere manier veel blauwe haat in jezelf oproepen. Dat wist Erik.

Ze gingen naar de jongenskamer. Vader pakte Eriks broertje bij de hand, bracht hem naar buiten en sloot daarna voorzichtig de deur. Toen kwam vader naar hem toe, ging op de rand van het bed zitten en sloeg met de tak in de lucht, als het ware om hem uit te proberen. Alsof hij die tak niet reeds uit-en-ter-na had getest.

'Doe je broek omlaag,' zei vader toonloos.

'Ik zag dat u het deed, vader. Ik zat in de eikenboom bij de schommels en zag hoe u naar Romulus en Remus liep. U keek rond. Toen liet u eerst Remus en daarna Romulus los en u lachte toen u ze tegen die collie ophitste.'

Vader staarde hem aan met wijdopen ogen. Hij bleef staan, keek recht in de wijdopen ogen en besloot niet te knipperen en zijn blik niet af te wenden, ook al kreeg hij een draai om de oren. Hij concentreerde zich op zijn noodzakelijke haat.

Er ging een eeuwigheid voorbij.

Toen stond vader langzaam op en liep naar de deur. Hij opende de deur en pakte de sleutel, die aan de andere kant zat. Toen deed hij de deur op slot en draaide de sleutel tweemaal om. Daarna liep hij, nog steeds met die langzame bewegingen, terug naar het bed.

'Doe je broek omlaag,' zei vader met de tanden hard op elkaar geklemd.

Hij herinnerde zich bijna niets van het pak slaag. Alleen dat hij aan het einde als het ware droomde dat zijn moeder, halverwege in de blauwe droom, huilend op de deur stond te bonzen. Maar ook dat kon hij zich naderhand niet meer goed voor de geest halen.

Naderhand mocht hij een week lang niet naar school. 'Griep' schreef vader op het verzuimbriefje voor de klassenleraar. En lang daarna, toen het scherpe voorjaarslicht in de kamer scheen, ontdekte hij dat er rondom op het witte behang met de zeilboten en paarden en spelende honden kleine bruine spatjes zaten, helemaal tot aan het plafond.

~

Op 6 november was het weer perfect, net als in een film. De mist lag dicht over het schoolplein toen de knapen rond paradeerden met de vlaggen en vaandels voorop. Het schoolorkest speelde een mars met allesoverheersende trommels. De Kaper brulde orders over diverse formaties en iedere klas stelde zich op in vier afdelingen met de groepscommandanten voorop. Toen zongen de knapen 'Een vaste burcht is onze God' en marcheerden vervolgens op de maat van de trommels de school in naar de aula om de toespraak van de rector over het kwaad in de wereld aan te horen.

Rusland had Hongarije bezet en het communisme bedreigde de vrijheid. De rector vertelde over de grote oorlog toen hij oorlogscorrespondent was geweest. Het was niet helemaal duidelijk wat een oorlogscorrespondent deed tijdens de oorlog, maar afgaand op het verhaal waren de prestaties van de rector van grote betekenis geweest voor de afloop van de Tweede Wereldoorlog. Maar nu dreigde de maalstroom van het kwaad ons land en volk opnieuw mee te sleuren in een oorlog. Wij hadden evenwel trotse tradities en een dag als vandaag leende zich goed om daarbij stil te staan. Gustav II Adolf had vanuit een schijnbaar zwakke positie de Russen overwonnen en de Oostzee tot een Zweedse binnenzee gemaakt. Het waren onze discipline, onze eenvoudige gewoonten en de goede eigenschappen van ons ras die beslissend waren geweest. En wij, knapen, waren de toekomst van Zweden, wij waren het die Zweden zouden verdedigen. Als het niet tot een openlijke militaire confrontatie kwam, dan zou een ander soort oorlog ons een leven lang blijven achtervolgen, waarbij onze inspanningen om persoonlijke voorspoed te bereiken het land sterker en weerbaarder zouden maken. Dat was de kern van de democratie, die verdedigd moest worden. Ons slagveld op dit moment was dat van de basisopleiding. Daar kwam een nationale kracht uit voort in die zin, dat we later als administrateurs, technici, uitvinders, officieren, bedrijfsleiders en in andere nuttige beroepen aan de slag zouden gaan; beroepen waardoor ons land technisch en moreel superieur was ten opzichte van een barbaarse agressor, zelfs wanneer die agressor een overwicht had als het om troepen en wapens ging. Binnenkort zou ook Zweden een kernwapen hebben, waarmee we Leningrad zouden kunnen vernietigen als we werden aangevallen. Met die preek in gedachten was het 'ingerukt mars!' terug naar het klaslokaal om de strijd tegen het kwaad voort te zetten.

Eriks klas had daarna echter muziekles en de muziekleraar behoorde tot het slechte soort leraren. Erik verdeelde de leraren in goed en slecht volgens een heel eenvoudig patroon. Wie sloeg en donderpreken hield was slecht. Wie niet sloeg was goed. Tegen de slechte leraren kwam je in opstand. De goede liet je met rust. En de klas gehoorzaamde Erik.

De muziekleraar had een dun sikje en lang haar dat over zijn voorhoofd viel als hij met de aanwijsstok of het liniaal in de aanslag tussen de banken door stormde om een of ander onrecht neer te slaan.

Gegrepen door de opgewonden stemming van die ochtend hield hij een miniatuurherdenkingsrede over de Russen en gaf vervolgens opdracht om 'Een vaste burcht is onze God' te zingen.

'Dus de meester vindt dat we de Russen dood moeten zingen als ze komen?' vroeg Erik schamper, uiteraard gevolgd door een lachsalvo van de klas.

Het gelach stierf niet weg. De knapen verlengden het om een conflict uit te lokken en de muziekleraar liet zich provoceren, greep een aanwijsstok en stormde op Erik af.

Snel stond Erik op en ving de blik van de man. De man hief de aanwijsstok op, maar aarzelde omdat Erik roerloos bleef staan, alsof hij zich niet wilde verdedigen tegen de verwachte slag. Erik wachtte enkele seconden terwijl de man gaandeweg het toppunt van zijn twijfel bereikte, het punt waarop hij had moeten slaan.

'Als je slaat zul je daar de rest van de lessen van dit semester spijt van hebben,' zei Erik. Verbaasd liet de man de aanwijsstok enkele centimeters zakken. Erik hief voorzichtig zijn linkerhand op om de komende slag te kunnen opvangen, voordat de aanwijsstok zijn gezicht bereikte.

'Durf je mij te bedreigen?' hijgde de man met de geitenbaard.

'Je vindt het leuk om te slaan en dat zal ik je betaald zetten,' zei Erik en hief toen snel zijn linkerhand op, precies op tijd om de aanwijsstok een decimeter voor zijn gezicht op te vangen. Hij greep de aanwijsstok en hield hem stevig vast, terwijl hij opnieuw de blik van de man ving.

'Je denkt dat jij je zin kunt krijgen als je met aanwijsstokken en linialen slaat,' zei hij – hij tutoyeerde de man nog steeds – 'maar dan zul je merken dat slaan soms onmogelijk is. Eigenlijk zie je eruit als een geit. Je wordt de Schroef genoemd, maar vanaf nu noemen we je de Geit.'

Hij liet de aanwijsstok los en ging zitten. Hij begon ritmisch in zijn handen te klappen, terwijl hij tegelijk in de maat 'stomme geit, stomme geit, stomme geit' begon te roepen en naar de Vuurtoren en Göran knikte, waarna zij hetzelfde gingen doen. Zo groeide het spreekkoor voor de ogen van de verblufte man. Uiteindelijk zat de hele klas te roepen op de maat van Eriks geklap. De Geit, want zo heette hij vanaf nu, stormde weg.

De consequentie was onvermijdelijk. Na de middagpauze werd Erik voor verhoor bij de rector geroepen. Een verhoor bij de rector was een gevreesde seance, niet alleen vanwege de ernst van het moment met alle denkbare onaangename consequenties, maar ook omdat de rector een chagrijnige herdershond had die grommend onder zijn bureau lag.

Erik bereidde zich voor op het verhoor door de rector door tijdelijk zijn puntige blauwe suède schoenen te ruilen tegen Dikke Johans dixieschoenen met ronde neuzen en dikke zolen. Hij kamde de golven in zijn haar glad tot een wat meer jongensachtig kapsel met de scheiding opzij en liet het rode zijden jasje achter in de gang. Dat was het fysieke deel van de voorbereiding voor de confrontatie met de gezagsdrager. Het andere deel van de voorbereiding bestond uit het aanpassen van zijn taal. Erik kon moeiteloos het volwassen taalgebruik van de beschaafde middenklasse nadoen. Zoiets maakte altijd indruk op volwassenen. In dat taalgebruik meenden ze of zichzelf, of de overheid te herkennen en beschouwden het als een feilloos teken van onschuld, een goede opvoeding en domilicierecht op het lyceum. Die taal kon dus ook dienen als bescherming om niet van school te worden gestuurd.

Het ergste wat kon gebeuren was van school te worden gestuurd. Daardoor werd je afgesneden van een opleiding en moest je een gewone baan zoeken, in plaats van in de toekomst iets deftigs te kunnen worden.

De rector zat achter zijn bureau, onder het bureau gromde de herdershond en achter de rug van de rector stond de Geit. Erik begroette de rector met luide stem en de Geit met een afgemeten buiging en ging voor het bureau van de rector staan met de handen op de rug en de benen iets uit elkaar. Een dergelijke lichaamshouding, meende Erik, vormde een psychologische hindernis voor een volwassene die wilde slaan. Zo is het bijvoorbeeld moeilijk om iemand een draai om de oren te geven die met de handen op de rug staat en zich niet verdedigt.

'Je bent je bewust van de consequenties die dit waarschijnlijk zal hebben voor je cijfer voor orde?' begon de rector.

'Ja, rector,' antwoordde Erik, 'ik ben me er ten volle van bewust dat er sprake van kan zijn dat mijn cijfer voor orde naar aanleiding van dit incident wordt verlaagd.'

'Goed, en welke conclusies ben je bereid daaruit te trekken?'

'Ten eerste dat wie zich slecht gedraagt tegenover een leraar, wat ik ongetwijfeld gedaan heb, onvermijdelijk geconfronteerd zal worden met diverse represailles, waaronder bijvoorbeeld een lager cijfer voor orde of gedrag. Ten tweede dat er situaties kunnen ontstaan waarin men onvermijdelijk in een dergelijke confrontatie terechtkomt, zonder dat men een keuze heeft.'

'Hoe oud ben je, Erik?'

'Ik ben veertien jaar. Veertien en een half.'

De rector zweeg, keek omlaag naar zijn bureau en wreef met zijn ene hand over zijn kalende voorhoofd. Erik kon niet bepalen wat hij dacht of voelde.

'Juist ja,' ging hij na een tijdje verder, 'om te beginnen moet je meester Torsson je excuses aanbieden. Want ik neem aan dat je respect hebt voor een leraar?'

'Nee, rector, dat doe ik niet.'

De rector keek op. De kleur van zijn gezicht begon te veranderen en de aders bij zijn slapen leken op te zwellen. Maar zijn stem was nog steeds beheerst toen hij verderging: 'Of je neemt je woorden terug, of je verklaart je nader en wee je gebeente als je geen goede verklaring hebt.'

'Ik geef er de voorkeur aan de zaak te verklaren. Te zeggen dat men "een leraar" respecteert is zinloos, aangezien "leraar" alleen maar een titel is. De vraag is of men de mens achter de titel respecteert en dat kan ik in dit geval niet zeggen. Meester Torsson denkt dat hij ons, leerlingen, muziekkennis kan bijbrengen door ons af te ranselen met aanwijsstokken en linialen. Als hij mij zijn excuses aanbiedt, kan ik hem mijn excuses aanbieden, maar anders niet.'

De woede-uitbarsting van de rector was magnifiek als een natuurramp. Erik begreep niet zoveel van de inhoud van het gebulder, behalve dat hij als veertienjarige schooljongen – die niet eens in staat was een zak snoep bij elkaar te verdienen – maar niet over respect of geen respect moest spreken. Maar verder was het alsof er een storm rond Eriks hoofd raasde.

Midden in de storm wendde de rector zich tot de Geit en zei iets tegen hem, waarna de Geit verlegen de achterdeur uit glipte en vervolgens ging de storm weer verder. Eriks concentratie was onvoldoende om de inhoud van de uitbrander te vatten, omdat hij al moeite had om stil te blijven staan zonder te wiebelen, zijn ogen open en zijn blik op de rector gericht te houden, niet in nerveus gegiechel te vervallen enzovoorts. Ten slotte bedaarde de storm. De rector liep terug en ging zitten (tijdens het crescendo had hij rondgelopen in de kamer).

'Welnu,' zei de rector en wreef over zijn voorhoofd. 'Dat wordt een lager cijfer voor gedrag. En ik wil je uitdrukkelijk waarschuwen dat ik je niet nogmaals voor een soortgelijke kwestie hier wil zien, heb je dat begrepen?'

'Ja rector, dat heb ik begrepen.'

'Dan kun je nu gaan, lummel.'

'Dank u en vaarwel, rector.'

Toen Erik zijn hand op de deurklink had, bedacht de rector zich.

'Ja, dan nog iets, Erik, nu we dit hebben afgehandeld. Je hebt ook een paar goede eigenschappen. Je bent goedgebekt en je hebt moed. Ga daar goed mee om en zorg dat je niet weer in de problemen komt. Zo, nu kun je gaan.'

De rector had het geheel kennelijk verkeerd opgevat. 'Goedgebekt zijn' was geen talent, maar een eenvoudige manier om je te verdedigen, een van de vele manieren om je te verdedigen. En moed was misschien zoiets als een evenwichtsoefening op de nok van het dak van de school, 25 meter boven de grond. Maar niet om je te verdedigen. Ook een witte circusmuis zou volgens de rector moedig worden op het moment dat hij door een kat in de hoek was gejaagd, op het moment dat hij geen andere keus had. Wie bij zo iemand als zijn vader woonde, moest leren om moedig te zijn in de zin van de circusmuis.

Dat maakte het gemakkelijker om de kwestie van respect voor leraren op te lossen. De Geit bleef slaan en zijn lessen werden een puinhoop. De Baars, de wis- en natuurkundeleraar, sloeg en Erik deed er alles aan om zijn lessen zo chaotisch mogelijk te laten verlopen, totdat de Baars een radicale oplossing bedacht en iedere les begon met 'Goedendag knapen, ga zitten en Erik, ga op de gang staan!' Maar bij de Taart ging het heel anders toe. Geschiedenisleraar de Taart was een tengere gepensioneerde docent die zijn lessen veranderde in veldslagen en avonturen. Hij kon met de aanwijsstok als zwaard ('kort Romeins zwaard', nadat hij de aanwijsstok zomaar over zijn knie had gebroken) en het liniaal als schild op de tafel springen om te laten zien hoe de Macedonische falanx tot de aanval overging toen Alexander de Grote de wereld veroverde. De Taart zou nooit op de gedachte zijn gekomen om een knaap te bestraffen, laat staan te slaan. En de knaap die op het bizarre idee zou komen om een dergelijke les te verstoren, zou er in de volgende pauze van langs hebben gekregen van de klas.

Of de lerares Engels, Anna, die zo op het oog geen schijn van kans had tegenover vijfendertig knapen. Een tantetje met een handtas en een plastic mondkapje tegen bacillen voor haar gezicht op de momenten dat ze een bacillendrager was. Ze was korter van stuk dan de meeste knapen, maar kon hen met een dreigende blik aankijken als ook maar het minste verstorende gefluister aan een van de knapen ontglipte. Dan hield ze een lange, stellige tirade over respect voor kennis en arbeid en haar ernst was zo groot en zo door en door echt dat het alleen maar tot respect kon leiden.

Of de biologie- en aardrijkskundeleraar Ivar de Worstelaar (in zijn jeugd had hij inderdaad geworsteld) die nooit ofte nimmer een hand ophief naar een knaap. Om die reden verliepen zijn lessen totaal tegenovergesteld aan die van de lerares Zweeds, Dingetje, die zodra iemand fout antwoordde op haar eenvoudige vragen over interpunctie kwam aanrennen en de ontaarde leerling bij de kuif probeerde te grijpen of hem in zijn oor kneep.

Was het zo eenvoudig? Had het met de leraren te maken? Was het zo, dat wie sloeg met weerstand en herrie te maken kreeg en wie niet sloeg, knapen zo braaf als lammetjes kreeg? Of had het misschien met Erik zelf te maken, in die zin dat wie sloeg het beeld van zijn vader en de hele verzetsstrijd opriep? En was het misschien zo dat de anderen die bij zijn bende hoorden of de anderen die bang waren voor de bende meededen, zolang hij maar begon?

Erik kwam er niet goed uit. Maar datzelfde gold voor de leraren, wanneer ze tijdens de lerarenvergaderingen in een hevige discussie verzeild raakten, waarbij de helft van de leraren Erik als zacht, lief, aardig, plichtsgetrouw, bijzonder begaafd en ambitieus beschreef en de andere helft hem beschreef als een boosaardig gangsterjong dat niets op het lyceum te zoeken had en maar liever moest worden overgeplaatst naar een opvoedingsgesticht of een ambachtsschool of iets dergelijks. Erik kwam die twee verschillende indrukken beurtelings tegen in hun met haat vervulde scheldpartijen of hun lof na de les. Zelf was hij geneigd te geloven dat beide kanten in feite gelijk hadden.

Dat was niet zo mooi. Maar aan de ene kant moest hij immers tegenstand bieden aan degenen die sloegen. Bovendien was hij als leider van de bende verantwoordelijk voor het organiseren van het verzet. Als hij de Geit niet gebroken had, had niemand het gedaan.

Dus was er geen manier om eruit te komen, tenzij hij de bende opgaf, de leden aan zichzelf overliet of hoe dat ook maar in zijn werk zou gaan. Maar dat waren nu juist zijn enige vrienden.

Als je daar tenminste zeker van kon zijn. Misschien waren ze alleen maar bang voor hem, misschien hadden ze alleen iemand nodig die beslissingen nam en dingen regelde. Kon je wel echt vrienden zijn met iemand die over je beslist en dingen voor je regelt?

De administratieve organisatie van de bende was het afgelopen jaar toegenomen. Zo waren de woekeractiviteiten toegenomen, omdat Erik de rente had verlaagd. Dat betekende dat er meer geleend werd en dat er niet meer zoveel slaag nodig was voor inningsdoeleinden, maar het bracht ook de noodzaak van een boekhouding, orde en kennis met zich mee. Dikke Johan had zich aangeboden voor die taak en werd daarom tot de bende toegelaten. Dikke Johan hield alle schulden in de gaten en beheerde tegen een zekere beloning het leentegoed. Dankzij zijn lidmaatschap van de bende was Dikke Johan bevrijd van alle spot met betrekking tot zijn uiterlijk, aangezien een ieder die bij de bende behoorde altijd door de anderen moest worden verdedigd.

Dikke Johan voerde ook de administratie van de grammofoonplatendiefstallen toen die activiteit op gang kwam.

Het was heel eenvoudig begonnen. Göran, Kacke en de Vuurtoren waren naar een grammofoonplatenzaak in de buurt gegaan. Toen de winkelbediende met de rug naar hen toe stond, stopten ze een stapeltje platen van Elvis en Pat Boone in hun leren jacks en liepen naar buiten. Erik confisqueerde de grammofoonplaten en verkocht ze op het schoolplein met hulp van Dikke Johan en liet het geld in de gezamenlijke kas storten. Zo werd het idee geboren.

Een paar maanden later had het geheel hinderlijk grote proporties aangenomen. Het halve lyceum leek bij de bende te komen met bestellingen voor de nieuwste rockplaten. De prijs op het schoolplein was tot vijftig procent gereduceerd.

De tien dichtstbijzijnde grammofoonplatenwinkels werden systematisch bezocht volgens een schema dat Erik had opgesteld. De winkels werden in een volgorde, met de wijzers van de klok mee, bestolen. Je kon immers niet tweemaal met dezelfde truc bij dezelfde winkel komen.

De truc was heel eenvoudig. Knaap nummer één ging de winkel binnen en vroeg naar een of andere klassieke opname die hij wilde beluisteren. Tijdens de lunchpauze was er te weinig personeel in de platenwinkel en terwijl het aanwezige personeel mopperend in de rekken begon te zoeken, kwamen knaap nummer twee en knaap nummer drie binnen. Zij liepen naar de rekken met de meest aantrekkelijke platen, keken op hun boodschappenlijstje en pakten zo en zo veel *Rock 'n' Roll III* en zo en zo veel *Tutti Frutti* met Little Richard of wat er ook maar besteld was. Vervolgens gingen ze er vandoor met de platen. Knaap nummer één bleef achter en luisterde naar zijn klassieke opname. Daarna kocht hij de plaat en vertrok. (De gekochte plaat gooide hij in de dichtstbijzijnde afvalbak.)

Zo was het project opgezet en de bende deed uitstekende zaken. De winst werd eerlijk verdeeld of ging naar de collectieve inkoop van zijden jasjes met een drakenmotief en andere nuttige zaken. Het was natuurlijk een kwestie van tijd voordat de bom zou barsten.

Maar het waren immers zijn enige vrienden. En voor je vrienden moest je klaarstaan. Je kon je niet terugtrekken als je vrienden je nodig hadden en de bende zou het niet redden zonder zijn organisatie. In elk geval zou het niet dezelfde bende blijven, dacht hij. Je moest klaarstaan voor elkaar en hij stond altijd voor hen klaar. Hij had net vijf hechtingen schuin boven zijn linkerwenkbrauw gekregen als bewijs voor het feit dat hij altijd klaarstond voor een kameraad.

Hij en Göran kwamen met zijn tweeën terug van het jongerencentrum met de pingpongtafel. Op de terugweg naar het lyceum waren ze midden in een smal straatje een hele bende kwajongens van de middenschool tegengekomen. Normaal gesproken waren kwajongens van de middenschool niet iets om bang voor te zijn. Ze vochten middelmatig, waren heel laf, dachten traag en traden op met te veel agressiviteit en te weinig planning. Kwam je ze een voor een tegen, dan kon je ze omver *kijken.*

Maar nu kwam de hele bende er aan, bewapend met hun belachelijke fietskettingen en knuppels. Ze waren met z'n zevenen of achten. En dus was er niet veel tijd om te praten en kon je maar beter wegrennen.

Het probleem was dat Göran niet snel kon rennen. Toen Erik hem niet achter zich hoorde, keerde hij zich om en zag dat Göran was ingesloten. Ze stonden om hem heen, de vijf of zes voorste rouwdouwen van de middenschool. Ze hadden hem klemgezet tegen een huismuur en wilden er net op los slaan. Göran zou vermoedelijk een flink pak rammel krijgen.

Erik stond stil en dacht even na terwijl zijn borst snel op en neer ging. Hij was buiten adem en zijn hart bonsde vanwege het besluit dat hij moest nemen.

Versterking halen zou te lang duren.

Het zou niet lukken om die herrieschoppers in twee groepen te splitsen, of beter gezegd het zou nergens toe dienen, aangezien Göran het toch niet in zijn eentje tegen drie of vier man kon opnemen.

Ook had het geen zin om op een afstand te gaan staan dreigen met een verschrikkelijke vergelding, dan zouden ze Göran toch in elkaar slaan.

Maar hij kon ook niet gewoon weglopen of daar maar blijven staan, want Göran was zijn vriend. En voor je vrienden moest je klaarstaan.

Toen nam hij een besluit en rende in een boog om de groep die Göran tegen de muur gedrukt hield, zodat hij een van de kleinste jochies, die tijdens de achtervolging achterop was geraakt, de pas kon afsnijden. De kleine hief zijn knuppel houterig en onbeholpen naar hem op toen hij dichterbij kwam. Het hele middenrif van het jochie lag open.

Met de knuppel van de kleine in zijn hand stormde hij terug naar de bende die Göran tegen de muur gedrukt hield; hij begreep dat ze Göran nog niet geslagen hadden, vermoedelijk omdat ze hun triomf nog wat wilden rekken. Hij slaagde erin een paar fikse klappen uit te delen, waardoor de formatie rondom Göran uiteenviel en wist nog net tegen Göran te schreeuwen dat hij het op een lopen moest zetten. Uit zijn ooghoek zag hij hoe Göran uit de kring wegglipte en ontkwam.

Toen was alles plotseling zo goed als voorbij. Ze stonden om hem heen en hij had geen mogelijkheid om weg te komen.

Drie van hen bloedden uit verschillende wonden. Twee van de gewonden bleven op de grond zitten, maar Erik dacht dat ze er niet zo slecht aan toe waren. Hij had niet geslagen om hen schade toe te brengen, maar om ze in verwarring te brengen en uiteen te jagen. De herrieschoppers waren nog steeds een beetje bang voor hem, maar dat zou wel gauw overgaan en er was geen mogelijkheid om zich eruit te kletsen.

De zon scheen en op de straat naast het trottoir passeerde een vrachtwagen alsof er niets bijzonders aan de hand was. Hij bekeek de herrieschoppers. Ze hadden korte broeken en lompe schoenen en stonken vermoedelijk een uur in de wind naar petroleum. Ze haatten alle jongens die op het lyceum zaten, hoewel er op dit moment niet alleen haat en voorbijgaande angst en triomf over wat ze van plan waren in hun ogen stond te lezen. Er was ook iets dierlijks, alsof ze amper konden vatten welk enorm overwicht ze hadden. Het was net als met Romulus en Remus die vader in stukken hadden kunnen scheuren, net als ze met die collie hadden gedaan, in plaats van zich jankend te onderwerpen aan zijn zweepslagen.

Twee van de herrieschoppers snotterden en hoestten, buiten adem en opgewonden. Terwijl Erik hen bekeek, voelde hij zijn agressiviteit wegstromen. Er was immers geen enkele aanleiding voor die idiote oorlog tussen het lyceum en die kwajongens van de middenschool. In ieder geval niet voor degenen die op het lyceum zaten om in de volwassen wereld de gezagdragers en chefs te worden van de herrieschoppers van de middenschool.

Erik hield zijn knuppel in een stevige greep om de eerste slagen te kunnen pareren. Dat was in feite zinloos, want ze zouden hem toch wel raken. Iemand aan de zijkant zou van achteren op hem toe kunnen sluipen en hem in de nek raken, terwijl hij bezig was met degenen die hem van voren aanvielen. Hij voelde hoe zijn greep om de knuppel verslapte. Toen gooide hij met een voorzichtige beweging de knuppel op de grond voor zich. Het was doodstil toen het hout tegen het trottoir kletterde.

'Ik geef me over,' zei hij. 'Ik heb geen kans tegen jullie, want jullie zijn met z'n achten.'

Het kwam bij hem op dat dit precies was wat roofdieren ook deden. Als wolven vechten, komt het voor dat degene die onder ligt zijn keel bloot geeft om te worden gebeten en dan stroomt de agressie onmiddellijk weg uit degene die boven ligt.

Aanvankelijk leek het bijna te werken. De herrieschoppers waren verbaasd en aarzelden bij de mogelijkheid om in een gezicht te slaan dat niet eens door armen beschermd werd. Maar waarschijnlijk was hun haat ten opzichte van het lyceum te sterk.

Erik nam de eerste vier, vijf slagen staande in ontvangst, zonder zich te verweren en zonder opzij te gaan. Toen sloegen ze hem systematisch en zelfverzekerd in elkaar. Waarschijnlijk had hij al voordat hij op de grond zakte en het schoppen begon zijn bewustzijn verloren.

Binnen drie weken kon hij weer meedoen aan gymnastiek en debuteerde hij als rechtsbinnen in het schoolteam. Hij had hechtingen in zijn voorhoofd en zijn ene bovenarm en verder een paar relatief kleine ribfracturen. Maar er waren geen tanden uitgetrapt.

Aanvankelijk was de bende vooral bezig geweest met diverse plannen om wraak te nemen. Ze hadden besproken of ze zich op dezelfde manier zouden bewapenen als de herrieschoppers van de middenschool. Kacke had een stiletto aangeschaft.

Maar Erik verbood de voorgenomen oorlog. Als argument voerde hij aan dat ze dan veel minder tijd hadden om zaken te doen en dat het er erg bedreigend uitzag als ze met knuppels gingen rondlopen in de stad. Bovendien zou er nooit een eind aan komen. Telkens wanneer de herrieschoppers van de middenschool een pak slaag zouden krijgen, zouden ze terugkomen en proberen om de bendeleden een voor een te grazen te nemen. Uiteindelijk zouden ze al hun tijd kwijt zijn aan een voortdurende oorlog die geen enkel nut had.

Bovendien moest er een reden zijn om iemand te slaan. Het was smerig om alleen maar te vechten om het vechten.

Maar er waren andere redenen die Erik niet kon of wilde bespreken. Volgens hem had dat nog het meest te maken met de dierlijke blik in de ogen van de herrieschoppers, die keer. Als je een paar van dat soort herrieschoppers ving, zou je ze onmogelijk een aframmeling kunnen geven. Het zou hetzelfde zijn als Romulus en Remus er met de zweep van langs geven. Zij haatten het lyceum en dat kon je wellicht nog begrijpen.

Het was echter onmogelijk om ze terug te haten. Ze konden je nog niet eens een blijvend litteken geven, ook al waren ze met acht tegen een.

◀︎◀︎

Uiteindelijk gingen de zaken over de kop, ongeveer op de manier zoals Erik gevreesd had. De politie had een val gezet voor de Vuurtoren, Kacke en Göran en ze werden op heterdaad betrapt. Toen was het afgelopen.

Ze waren gepakt op een manier die je op je vingers had kunnen natellen, toen ze de fout maakten om drie dagen achtereen naar dezelfde winkels te gaan. De gedachte was dat de grammofoonplatenwinkels in een waaiervormig patroon rond het lyceum zouden worden bezocht, zodat er wel veertien dagen overheen kon gaan voor een winkel opnieuw bezocht werd. Erik had de winkels zelf uitgezocht en met hulp van Dikke Johan had hij een schema op papier gezet waaraan de bende zich moest houden. Maar nu vonden dus drie van hen dat het onnodig lang duurde om op die manier te werk te gaan en zij waren drie dagen achtereen naar dezelfde winkel gegaan. Op de derde dag werden ze door de politie opgewacht en op heterdaad betrapt terwijl ze de winkel uitliepen. Er volgde een eindeloze reeks verhoren door de politie, maatschappelijk werkers en de rector. Er werd beweerd dat men een jeugdbende had opgerold.

Het verhoor betekende voor Erik een moreel dilemma. Zijn ervaring met dergelijke verhoren was, dat de verhoorde al bij voorbaat schuldig was. Dat hoefde niet noodzakelijkerwijs waar te zijn, maar bij een verhoor was je altijd schuldig. Ontkennen maakte de zaak dan ook alleen maar erger, aangezien de straf hoger zou uitvallen. En dus was het beter om alles te bekennen wat men beweerde dat je gedaan had en je verontschuldigingen aan te bieden.

Op die manier had hij gemakkelijk overal onderuit kunnen komen, dacht hij. Hij had alleen maar hoeven omschakelen naar academische volwassenentaal en een beetje hoeven klagen dat zijn ouders in scheiding lagen, zijn moeder zwakke zenuwen had en dan nog wat kleinere bekentenissen en verontschuldigingen. Aangezien de anderen natuurlijk zouden ontkennen – de vrienden hadden immers beloofd elkaar nooit aan te geven – zou hij als een onschuldig slachtoffer van de grotere en meer schurkachtige jongens worden weggesorteerd. Zo zou hij kunnen voorkomen dat hij van school werd gestuurd. Ondertussen zou men tijdens de verhoren langzaam maar zeker, en gedeeltelijk op grond van zijn bekentenis, de anderen in de val proberen te lokken, waardoor hun positie veel slechter zou worden omdat ze ontkend hadden.

Daarom ontkende hij alles en wees op het feit dat er geen enkel bewijs tegen hem was. Geen van de winkelbedienden had hem met zekerheid kunnen aanwijzen, wat er enerzijds mee te maken had dat hij tijdens de verhoren andere kleding droeg en zijn haar in een ander model had gekamd. Anderzijds kwam het omdat hij de hoofdverantwoordelijkheid voor de distributie van de gestolen goederen had gehad en daardoor zelf weinig tijd had voor de eigenlijke basiswerkzaamheden.

Maar hij ontkende alles en na het verhoor vertelden de anderen dat zij natuurlijk ook alles ontkend hadden.

De maatschappelijk werkers hielden eigenaardige onderzoeken die gebaseerd waren op diepzinnige interviews over de vraag of je je ouders haatte ('natuurlijk niet, ik hou van mijn moeder en vader') en tests waarbij je een formulier met vragen van het meest kinderlijke soort moest invullen of in het donker stenen moest bevoelen om vervolgens, wanneer het licht aanging, te vertellen welke stenen je had gevoeld en in welke volgorde. Tijdens de onderzoeksperiode waren de knapen van de bende uitgesloten van het onderwijs op school.

Toen viel de beslissing. Ze werden allemaal bij de rector geroepen. Ze zaten in zijn wachtkamer met de twee palmen en het olieverfschilderij van Jezus aan het kruis en werden een voor een binnengeroepen. Wie bij de rector was geweest mocht via de achterdeur verdwijnen. Erik had een voorgevoel dat hij zelf als laatste zou worden binnengeroepen en dat hij zijn vrienden vermoedelijk nooit meer zou zien. Waarom wist hij niet, maar hij was er bijna zeker van dat hij hen nooit meer zou zien.

En zo ging het ook.

De Vuurtoren was als voorlaatste verdwenen en daarna duurde het nog maar tien minuten voordat de secretaresse van de rector in de deuropening verscheen en hem binnenriep alsof het de spreekkamer van de tandarts was.

Toen hij de kamer binnenkwam zat de man daar doodstil. Hij ging midden in de kamer staan met de armen op de rug en probeerde zijn gezicht te neutraliseren. De herdershond gromde en de staande klok in de hoek tikte zwaar alsof de tijd aarzelde. Het gezicht van de rector verried niets. De aders bij zijn slapen waren niet opgezwollen, de gelaatskleur was volkomen normaal en zelfs zijn ogen maakten een onheilspellend rustige indruk. Een van de maatschappelijk werkers zat daar met een gezichtsuitdrukking die alleen kon worden uitgelegd als slecht gecamoufleerde afschuw. Twee van zijn goede leraren zaten erbij en kleine juffrouw Anna had gehuild en hield een zakdoek in haar rechterhand geklemd. Het kostte Erik weinig moeite om de situatie te interpreteren. Maar het werd nog veel erger dan hij zich ooit had kunnen voorstellen. Toen de rector begon te spreken was hij aanvankelijk beheerst.

Demonstratief bundelde de rector een stapel papieren voor zich en verklaarde dat de school en de plaatselijke autoriteiten deze keer de zaak tot op de bodem hadden uitgezocht. Gebleken was dat Erik een aantal jaren lang op school een schrikbewind had gevoerd, waarbij mishandeling van kameraden, diefstal, woeker en heling aan de orde van de dag waren. Erik had al die diefstallen georganiseerd, nee, ontkennen had geen zin. Alle andere knapen waren oordeelkundig genoeg geweest om een volledige bekentenis af te leggen. Voor hen, tenminste voor een aantal van hen, was er nog enige hoop. Maar Erik had hen gedwongen te gaan stelen en ze hadden niet anders gedurfd uit angst voor vergelding. Arme Göran was bijna in tranen toen hij vertelde hoe het de hele tijd was toegegaan. Arme Göran had verteld hoe hij 's nachts lag te huilen van angst en hoeveel spijt hij had, maar hoe Erik hem desondanks gedwongen en geïntimideerd had om verder te gaan met die praktijken.

Wie zijn kameraden kwelde en bang maakte, was het niet waard om deel te nemen aan het onderwijs. Dit was op zich al reden genoeg.

Je kon je natuurlijk afvragen waarom juist Erik zo geworden was. Vermoedelijk had hij zijn leven lang nog nooit een flink pak slaag gehad.

Wat betreft het onderwijs was er door bepaalde leraren als een soort verzachtende omstandigheid aangevoerd dat Erik een bijzonder begaafde leerling was. Dat moest wellicht voor de goede orde even worden vermeld.

Maar zover de rector het had begrepen, was dit op geen enkele manier een verzachtende omstandigheid, eerder het tegendeel. Waar men nog een zeker begrip kon hebben voor het feit dat knapen die intellectueel minder bevoorrecht waren – neem Karlsson (de Vuurtoren) – zich lieten verleiden, moest het vonnis des te zwaarder zijn voor iemand die willens en wetens zijn kameraden op het slechte pad bracht. Daar kwam nog bij dat de psychologische deskundigen van de raad voor de kinderbescherming een zeer nauwkeurige studie hadden gemaakt van alle betrokken knapen. En wat Erik aanging, was het testresultaat regelrecht beangstigend. Niet omdat de tests een hoge intelligentie hadden aangetoond – daaraan had niemand getwijfeld – maar omdat het persoonlijkheidsgedeelte van de tests duidde op een vrijwel ongeneeslijk crimineel en meedogenloos karakter. De conclusie van dit alles liet zich tamelijk eenvoudig raden. (Op dit punt begon de rector eindelijk rood aan te lopen, terwijl slierten haar over zijn voorhoofd vielen.)

'Jij bent het kwaad zelve en lui zoals jij moeten vernietigd worden!' bulderde de rector.

De woorden fladderden kriskras door zijn hoofd, als gevangen vogeltjes. Hij hoorde niet meer duidelijk wat de rector schreeuwde. Het kwam erop neer dat hij gedwongen werd de school nog diezelfde dag te verlaten met een c voor gedrag en dat de rector persoonlijk zijn collega's op andere lycea in de stad zou waarschuwen, zodat niemand aan hetzelfde morele verderf zou worden blootgesteld als het lyceum.

Ongeveer op dat moment maakte Erik rechtsomkeert en liep naar buiten om niet nog meer te hoeven horen. Toen hij de deur achter zich sloot, merkte hij dat het daarbinnen doodstil was geworden.

Buiten op het schoolplein bleef hij een poosje staan en keek uit over de grote asfaltvlakte. In de buurt van de westelijke uitgang speelden ze kastie. Ze speelden een-tweetjes bij de muur van de gymnastiekzaal.

Daar in de verte onder de kastanjes waren ze aan het verspringen. Drie jochies uit de eerste klas kwamen terug van de bakkerij met elk hun koffiebroodje in wit papier. Onder de grote kastanjebomen begon de grond bezaaid te raken met bolsters. De zon scheen, geen wolkje aan de lucht en niemand die hem zag.

'Jij bent het kwaad zelve en lui zoals jij moeten vernietigd worden' dreunde het telkens opnieuw door zijn hoofd. Göran had alles bekend en hem de schuld gegeven. Ze hadden gelogen over wat ze tijdens het verhoor hadden gezegd. Ze waren zijn vrienden geweest.

Wie het lyceum niet kon afmaken, kon zijn eindexamen niet halen en wie zijn eindexamen niet haalde, ruïneerde zijn leven.

Wat hij nodig had was een flink pak slaag? Begrepen ze dan niets, begrepen ze er dan helemaal niets van wat slaag betekende?

Hij begon naar de uitgang te lopen. Maar toen veranderde hij van gedachten en ging naar het klaslokaal. Ze hadden godsdienstles en het werd muisstil toen hij binnenkwam. Zonder een woord te zeggen liep hij naar zijn schoolbank, smeet de schoolboeken in zijn tas en wurmde zich uit zijn zijden jasje met het drakenpatroon op de rug. Het jasje hing hij over zijn stoel. Het was nog steeds muisstil in het lokaal. Toen vertrok hij, zonder zich om te keren en zonder het jasje mee te nemen. *'Jij bent het kwaad zelve en lui zoals jij moeten vernietigd worden'* maalde het door zijn hoofd op de weg terug door de gang met de hoge witte ramen en de grijze, versleten marmervloer.

∼

Hij zat op een bank in het Vasapark en nam stukje bij beetje alles door wat onmogelijk zou blijken te zijn. Het was onmogelijk om zich onder een andere naam bij een ander lyceum aan te melden. Het was onmogelijk om zelf naar een andere stad te verhuizen, aangezien jongens van vijftien niet alleen naar een andere stad kunnen verhuizen. En het was heel zeker onmogelijk om zomaar naar zee te gaan. Het was überhaupt allemaal onmogelijk, als alle wegen naar een opleiding nu versperd waren.

Hij kon net zo goed naar huis gaan en dat pak rammel ondergaan. Hij kon toch niet helder denken met al die echo's uit het kantoor van de rector in zijn hoofd, dat hij een ongeneeslijke crimineel was omdat hij te weinig slaag had gehad. O, die simpele rectorslogica, dat verdomd kinderlijke geloof dat hun belachelijke tests de waarheid vertelden. Alsof hij niet meer wist over slaag dan de rector in zijn hele leven geleerd had, alsof hij niet, alsof hij niet...

Het had geen zin. Eerst naar huis en dat pak rammel ondergaan, dan zou hij helder kunnen denken. Wat een fenomenaal pak slaag zou het trouwens worden, als er zo'n serieuze aanleiding was. Hij schoot in de lach toen hij aan het aanstaande denkwerk van zijn vader dacht.

Midden in een stap bleef hij staan.

Was er nog langer een reden om een pak slaag te ondergaan? Als ze hem zijn hele toekomst hadden ontnomen, als hij moest gaan werken en zelf geld verdienen en misschien op kamers gaan, ja, zelfs als hij thuis zou blijven wonen zou hij niet langer een schooljongen zijn. Nooit meer, dus.

Hij liep verder.

Maar hoe zou vader dat kunnen begrijpen? Zou vader het kunnen begrijpen zonder gewelddadig verzet, zonder dat hij zelf een aframmeling kreeg? Waarschijnlijk niet. Vader beschouwde hem als een hond die hem niet kon, simpelweg niet kón bijten. En het was moeilijk te zeggen hoe vader zou reageren als hij voor de eerste keer zou worden gebeten. Voor de eerste en de laatste keer, meer dan één keer zou niet nodig zijn.

Maar het moest gebaseerd zijn op een soort verrassend schokeffect. Vergeleken met hem had vader een enorme reikwijdte en zijn zelfvertrouwen was ongebroken. Dat zelfvertrouwen moest snel gebroken worden, hij moest het gevoel krijgen dat hij zich had opgesloten met een hond die een wolf bleek te zijn. Er waren maar twee denkbare manieren om een tactiek uit te werken. Maar het belangrijkst was de haat onder controle te houden, het hoofd koel te houden en vast te houden aan het overwicht dat de eerste slag nu eenmaal oplevert. Hoe zou vader reageren op zijn eigen bloed? Zou hij verstommen of woedend en wanhopig worden? In de slaapkamer was er slechts één gevaarlijk wapen en dat was de pook naast de tegelkachel, dat was een risicomoment. Of hij kon zelf de pook gebruiken. Nee dat was niet goed, dat zou vader het idee geven dat hij bij de eerste de beste gelegenheid dat de hond niet over een pook beschikte wraak zou kunnen nemen. Als hij bij het begin van het ritueel snel de pook buiten zette en de deur op slot deed, dan bracht dat als nadeel met zich mee dat vader de tijd had om zich psychologisch voor te bereiden en daarmee was het schokeffect weg. Dat zou kunnen leiden tot een langdurig gevecht en het was niet zeker hoe zo'n gevecht zou aflopen. Als je daarentegen...

Toen hij een halfuur later thuiskwam, had hij twee rondjes door het park van het ziekenhuis gelopen om de details te perfectioneren. Hij was er zeker van dat het zou lukken, omdat hij er zeker van moest zijn dat het zou lukken. Zijn handen beefden toen hij de sleutel in het slot stak, maar hij probeerde zichzelf ervan te overtuigen dat het kwam doordat hij trilde van spanning en niet van angst. Wie bang was, zou nooit zijn vader een pak slaag kunnen geven, zoals hij van plan was.

Maar vader was niet thuis.

Hij hoorde het al aan de klanken. Ze speelde een wals van Chopin en er was een aarzelend gevoel in haar klank als vader niet thuis was; het was de aarzeling tussen melancholie, verdriet en een soort vreugde – een gevoel dat op slag verdwenen kon zijn zodra hij de kamer binnenstapte.

Erik liet zijn schooltas geluidloos op de grond in de hal vallen en sloop door de lange gang naar de salon waar moeder achter de zwarte vleugel zat met de witte vitrage dichtgetrokken. Hij bekeek haar zoals ze daar zat in het gedempte tegenlicht. Ze had haar haar opgestoken in een knoetje in de nek en was gekleed in een lichtblauwe jurk, waardoor hij het gevoel kreeg dat ze uit zou gaan, hoewel ze tegenwoordig nog maar zelden ergens naartoe ging. Hij stond achter haar te luisteren; ze kon hem onmogelijk hebben gehoord, ze speelde zonder ook maar één fout te maken, zonder enige herhaling tot het einde van het stuk. Toen zat ze roerloos met haar handen op schoot.

'Ga eens zitten, we hebben iets belangrijks te bespreken, jij en ik,' zei ze plotseling zonder zich om te keren en met een stem die zo zacht was, dat hij zich een ogenblik verbeeldde dat hij haar helemaal niets had horen zeggen. Toen begon ze aan een nieuw stuk, nog steeds melancholie en Chopin en hij liep zachtjes door de salon, ging zitten in een van de leren fauteuils en deed zijn ogen dicht en luisterde.

Wat speelde ze prachtig! Alsof het volkomen onmogelijk was dat zij zijn moeder was als vader zijn vader was, alsof alle gevoelens die zijn klasgenoten volgens hem hadden als ze thuis bij hun ouders waren, aanwezig waren in haar klanken, alsof het altijd zo als nu kon zijn, alsof het niet zo hoefde te zijn met gevoelens diep onder je huid, in plaats van dat eeuwige pak slaag na het eten, de eeuwige aframmeling, het eeuwige gevecht, het eeuwige verraad van vrienden die geen vrienden waren; de eeuwige angst dat plotseling iemand tevoorschijn zou springen die met volle kracht met een hamer op de toetsen zou slaan.

De muziek was opgehouden. Moeder liep naar hem toe en ging recht tegenover hem zitten in de andere leren fauteuil en hij zocht naar iets wat hij kon zeggen, in plaats van dat wat hij moest zeggen. Ze keek naar hem met haar bruine ogen en hij kreeg een flauw vermoeden dat ze misschien gehuild had.

'Ik weet het,' zei ze zacht, 'ik weet alles al.'

Toen pakte ze tot zijn verbazing een sigaret uit het zilveren doosje en stak hem op met een onwennig, wat beverig gebaar. Ze stak de sigaret te ver tussen haar lippen toen ze een eerste trekje nam, zodat de tabaksschilfers aan haar onderlip bleven zitten. Toen schoof ze het doosje naar hem toe.

'Ik neem aan dat je rookt,' zei ze.

Hij pakte een sigaret en het bleef een tijdje stil. Toen concentreerde ze zich en vertelde hoe ze al twee dagen geleden zijn klassenlerares had ontmoet.

'Het is een lief mensje, maar ik neem aan dat je daar zelf al achter gekomen was. Ze gelooft in je en... ik vertelde haar over je problemen met vader en...'

Moeder trilde alsof ze onvoldoende lucht kreeg en Erik dacht: als ze nu begint te huilen, houd ik het niet langer uit, ze mag niet gaan huilen. Maar ze beheerste zich en nam twee vreemde, onwennige trekjes van de sigaret voordat ze verderging.

'Er is zoveel wat ik voor je had moeten doen, Erik, en ik weet niet of je me kunt vergeven. Maar die twee jaar tot het gymnasium zullen we in ieder geval regelen. Ik wilde niets tegen je zeggen, voordat alles duidelijk was, maar... nu is het in elk geval duidelijk. Over twee uur vertrekt je trein en dan kun je op een nieuwe school beginnen. Alles komt in orde, je zult het zien. Alles komt in orde.'

Hij keek haar in de ogen. Ze bleven stil zitten en zeiden niets meer.

Twee uur later zat hij in de trein naar het zuiden en keek hoe het licht schitterde in het water van de Riddarfjärd.

Op zijn kamer hadden nieuwe kleren klaar gelegen: een blauw colbertje, een wit overhemd, een blauwe stropdas en zwarte schoenen. Het was het schooluniform dat volgens de gestencilde bepalingen op feestdagen en bij een aantal specifiek vermelde gelegenheden moest worden gedragen. In het borstzakje van het colbert zat een stoffen embleem met het symbool van de school, het sterrenbeeld Orion, dat op het borstzakje moest worden genaaid. Ze had alles in een koffer gepakt, behalve de spikes en de voetbalschoenen.

Hij had een poosje met het Orion-embleem in zijn hand gestaan. Toen had hij om geld voor de kapper gevraagd en als hij nu met zijn hand over zijn nek streek voelde hij zich net een egel. In plaats van golven had hij een korte kuif die hij opzij had gekamd. Niemand mocht iets over hem te weten komen en hij zou nooit meer een klasgenoot slaan. Omdat ze niets over hem zouden weten, zou hij nooit meer hoeven vechten; er zou nooit meer een reden voor zijn.

Hij keek naar zijn handen. Als je ze van dichtbij bekeek, kon je hier en daar kleine witte littekentjes ontwaren, voornamelijk van voortanden. Maar de nieuwe klasgenoten zouden niets te weten komen.

Telkens wanneer de wielen van de wagon tegen een raillas sloegen, was hij weer een stukje verder weg van vader, van de hondenzweep, van de schoenlepel, van de kleerborstel, van het etensritueel, van het pak slaag na het eten, van het gevoel als zijn vuist het gezicht van een ander raakte, van wraak, van haat, van vrienden die geen vrienden waren, van zijden jasjes met drakenpatronen, van herrieschoppers van de middenschool die op oorlogspad waren.

Hij ging naar het toilet om zichzelf in de spiegel te bekijken. De knoop in zijn stropdas zat een beetje scheef en zijn haar zag er idioot uit. Hij hield Orion voor het borstzakje en converseerde wellevend, met een paar onderzoekende gebaren. Het kon er mee door. Hij zag er niet uit als zichzelf, maar het kon ermee door. Nee, bij nader inzien was het dezelfde Erik, maar toch een ander, aangezien de jongens die daarginds zijn klasgenoten zouden worden nog nooit een ander beeld van hem hadden gehad. Hij lachte tegen zichzelf met al zijn niet uitgeslagen tanden en ging terug naar zijn plaats, sloeg zijn ene been over het andere en stak een sigaret op die hij vasthield tussen het uiterste puntje van zijn wijsvinger en zijn middelvinger, in plaats van op de gewone manier. Langzaam begon het tot hem door te dringen dat hij gelukkig zou moeten zijn.

Ze stapte in Södertälje in en had een rode jurk en blond haar dat in vlechten in de vorm van krakelingen boven haar oren was vastgezet. Toen hij ontdekte dat hij voor de tweede keer haar ogen ontmoette in de weerspiegeling in het raam zei hij iets, om maar iets gezegd te hebben, zodat de stilte niet nog gênanter zou worden. En even later zat ze vol vuur te vertellen dat ze op weg was naar Kalmar, naar een congres van de ssu, de Zweedse sociaal-democratische jongerenorganisatie, om het kernwapenvraagstuk te bespreken. Ze was namelijk tegen kernwapens en ze was pacifist. Eerst wilde Erik zeggen dat hij ook pacifist was, maar hij raakte de draad kwijt toen hij begon met de stelling dat Zweden volgens hem een eigen atoomwapen moest hebben dat Leningrad zou kunnen vernietigen voor het geval dat...

Het kostte haar twintig minuten om de discussie te winnen met als hoofdargument dat het gevaar voor een verdere verspreiding van kernwapens het doorslaggevende element was. (Want als een klein, neutraal land als Zweden, dat internationaal hoog in aanzien stond, kernwapens aanschafte, dan konden andere kleine landen in de wereld dat ook doen en als India en Pakistan, Israël en Egypte...)

'Je hebt gelijk,' zei hij, 'misschien ben ik ook een pacifist. In ieder geval diep vanbinnen. Ik verafschuw alle vormen van geweld.'

Hij luisterde verbijsterd naar zijn eigen woorden, die als het ware knarsend van schijnheiligheid in de lucht bleven hangen. Ze leek het echter niet vreemd te vinden en probeerde hem in plaats daarvan als nieuw lid te werven

Buiten gleed het landschap van Södermanland voorbij als in een film over twee mensen die elkaar in de trein ontmoeten.

Hij vergat bijna om op het juiste station uit te stappen en toen hij met de trein haar gezicht zag verdwijnen, realiseerde hij zich dat hij niet eens gevraagd had hoe ze heette. Hij had als bij toeval haar hand aangeraakt en ze had hem niet teruggetrokken en hij had niet eens gevraagd hoe ze heette of waar hij haar ooit weer tegen zou kunnen komen.

Solhov stond op het witte bordje op het station: 103 km van Stockholm, 46 meter boven zeeniveau. Er stond een taxi te wachten. De chauffeur kon zonder moeite een keuze maken uit de drie, vier personen die uitstapten.

'Jij bent zeker die nieuweling van Stjärnsberg, hè?' vroeg de chauffeur op een toon waarin een zweem van vijandigheid doorklonk. Bij de kiosk op het station stond een groepje jongens met brommers die hem een paar schampere opmerkingen toeriepen en hij onderdrukte haastig de impuls om naar hen toe te lopen en... zoals de oude Erik zou hebben gedaan.

'Ja, ja,' zei de chauffeur op een licht spottende toon, 'en wat doet je pa dan voor de kost?'

Hij antwoordde niet. De auto begon te rijden.

Het verband was niet zo moeilijk te begrijpen. Het was hetzelfde als met die herrieschoppers van de middenschool en hun haat ten opzichte van de bende van het lyceum. Het kostte een half arbeidersloon per jaar om naar internaat Stjärnsberg te kunnen gaan en dus moest iedereen die daar op school zat van rijke komaf zijn. Het zou ongeveer net zoiets zijn als toen hij op de lagere school zat in de knusse Rijke Voorstad.

Zijn moeder had het schilderij van Courbet verkocht en van het geld een soort fonds opgericht dat door advocaat Ekengren werd beheerd, zodat vader er niets aan zou kunnen veranderen. Schoolgeld en zakgeld zouden na een aparte toetsing door advocaat Ekengren rechtstreeks aan de school en de kantine van de school worden betaald. Thuis liet het Courbet-schilderij een klein gaatje in de muur achter, maar hij kon de twee jaar tot het gymnasium overbruggen, op voorwaarde dat hij zich goed zou gedragen en de toelatingspunten zou halen die nodig waren voor een gratis gymnasiumopleiding. Schilderijen die kostbaar genoeg waren om de hele opleiding tot het eindexamen op Stjärnsberg te betalen, waren er niet bij hem thuis.

'Daarginds ligt het,' mopperde de chauffeur.

Stjärnsberg verrees uit het groen aan de rand van een meer. De meeste gebouwen waren wit met rode pannendaken; een grote groep eiken in het midden, grindpaden, kortgeknipte gazons en rozenperken. Ze passeerden een groot voetbalveld en een overdekt zwembad. De auto stopte voor een kleiner bruin huis onder twee hoge iepen, waar het groene blad nog aan zat. Hij moest een bonnetje ondertekenen. De chauffeur wees met zijn duim over de schouder naar het kantoor van het bestuur en legde uit dat daar de nieuwelingen werden ontvangen.

Hij bleef staan voor de deur met zijn koffer in de hand. Onwennig trok hij zijn stropdas recht. Toen kwam Bernhard von Schrantz naar buiten.

Bernhard leek een jaar of twintig. Hij had een slank lijf en een stijve en gespannen houding van het type dat gewoonlijk 'kaarsrecht' werd genoemd. Hij gaf hem een hand op de manier waarop officieren en gymnastiekleraren dat doen: met de arm recht uitgestrekt en een onnodig harde greep van de hand. Hij was gekleed in een colbert met een visgraatmotief, met leer op de ellebogen, een rijbroek en zwarte rijlaarzen. Hij sprak met een onnatuurlijke mengeling van gewone en volwassenentaal. Hij zag aan Eriks blik dat de laarzen uitleg behoefden en hij begon te vertellen hoe moeilijk het was om in deze contreien rijpaarden te houden – er was geen stal op school. Maar verder waren de sportfaciliteiten geweldig, om niet te zeggen buitengewoon.

Bernhard was dus prefect, dat wil zeggen voorzitter van de leerlingenraad en de leerlingenrechtbank en het behoorde onder andere tot de plichten van zijn ambt – zei hij – om nieuwe leerlingen op school rond te leiden.

Eerst gingen ze naar het leerlingenhuis Cassiopeia, het saaiste gebouw, langwerpig, grijs en met het uiterlijk van een barak van twee verdiepingen. Daar woonden alleen maar leerlingen van de onderbouw. Naarmate je hogerop kwam in de klassen, kwam je terecht in de betere leerlingenhuizen, zo was het principe. Nadat je in de Poolster, de Wagen, de Grote en de Kleine Beer, de Leeuw en de Vissen had gewoond, kwam je uiteindelijk terecht op de Olympus. Op de Olympus woonden alleen vierdeklassers.

Erik zou dus in Cassiopeia wonen, maar zijn kamergenoot was niet aanwezig toen hij en Bernhard aankwamen met de koffers. Er waren twee bedden, een schrijftafel, een stoel, twee boekenrekken, twee bureaus, een hangkast en een wastafel. De muren waren wit en alle meubels waren grijs. De kamer bood uitzicht op de tennisbanen. Erik zette zijn bagage op het lege bed, waarna ze verdergingen met de introductie.

Het sportterrein was werkelijk schitterend aangelegd. De rode sintelbanen leken perfect onderhouden, de voetbalvelden waren zo vlak, alsof ze met een waterpas waren aangelegd en het gras was sappig en goed geknipt, zonder kale plekken. De ringen voor kogelstoten en discuswerpen, de verspringbak, de mat voor polsstokhoogspringen en alle andere voorzieningen waren zo perfect onderhouden dat het wel een sportcomplex voor officiële kampioenschappen leek. Alles wat hij zag leek wel nieuw.

In de hal van het zwembad stonden grote glazen vitrinekasten met de zilveren bokalen en andere prijzen die de school op diverse schooltoernooien had veroverd. Hier en daar liepen schoonmaaksters die Fins praatten.

Het zwembad had een 25-meterbaan. Er waren doelen voor waterpolo en grote stopwatches aan de korte zijden, net als bij een zwemclub. Maar er zwom niemand. Het groene wateroppervlak lag volkomen stil en het enige geluid dat te horen was, was het gorgelen van de reinigingsinstallatie.

Erik keek uit over het spiegelgladde wateroppervlak. De afgelopen jaren was hij vrijwel iedere avond naar zwemtraining gegaan; dat was een van de dingen die hij dacht verloren te hebben. Maar hier waren uitstekende faciliteiten en dus was er een ontsnappingsmogelijkheid als je om wat voor reden dan ook een hekel kreeg aan de school. In dat geval kon je gewoon gaan zwemmen, net als in de stad.

Alles leek bijna te mooi om waar te zijn. Hier zou waarschijnlijk niemand begrijpen wat het betekende dat hij zoveel kleine witte littekentjes op zijn knokkels had. Hier was niemand die hem gekend had in de tijd dat hij een zijden jasje met een drakenpatroon en lang, nat gekamd haar had. Hij streek met zijn hand over de stoppels in zijn kortgeknipte nek.

Prefect Bernhard zei dat de rondleiding nu afgelopen was en dat het tijd was om terug te gaan naar Cassiopeia, maar dat zowel Bernhard als de vice-prefect nieuwelingen graag met raad en daad wilde bijstaan. Hier op Stjärnsberg waren de leerlingen namelijk verantwoordelijk voor elkaars opvoeding, kameradenopvoeding werd dat genoemd. Op die manier hoefden de leraren niet te worden betrokken bij geruzie over cijfers voor orde en zo.

Alles leek bijna te mooi om waar te zijn.

Zijn kamergenoot Pierre lag op bed te lezen toen hij de kamer binnenkwam. Ze begroetten elkaar plechtig en terwijl Erik zijn bagage uitpakte, probeerden ze erachter te komen of ze gemeenschappelijke kennissen hadden, aangezien ook Pierre uit Stockholm kwam, hoewel hij eigenlijk in Genève woonde. Ze leken geen gemeenschappelijke kennissen te hebben.

Pierre zag Eriks spikes, zwembroek en voetbalschoenen.

'Aha, je bent zo'n sportfanaat,' zei Pierre, waarbij hij het woord sportfanaat weliswaar op een truttige manier uitsprak, maar zonder uitgesproken spot in zijn stem.

'Ja, en wat een mooie faciliteiten hebben jullie hier. En jij?'

Eigenlijk was de vraag overbodig. Pierre was niet alleen dik en brildragend, hij had ook die bijzondere manier om boeken vast te pakken en zich te kleden, waaruit direct bleek dat hij zo iemand was die slecht was in sport, zo iemand die met voetbal als laatste gekozen werd, zo iemand die waarschijnlijk in plaats daarvan goed kon leren.

En inderdaad vertelde Pierre, op net zo'n manier als Dikke Johan dat had kunnen doen, dat hij al dat gezweet maar niets vond en het belachelijk vond om achter een balletje aan te rennen... en dat het verdomd vervelend was aan het begin van het herfstsemester omdat dan de grote sportwedstrijden, met verplichte deelname, van start gingen. De volgende dag waren er atletiekwedstrijden en volgende week de zwemwedstrijden.

'Mmm,' zei Erik, 'je bent dus dik en dat vind je vervelend en je wilt niet meedoen, omdat je dan geplaagd wordt en als laatste eindigt, hè? Nee, ik zeg het niet om vervelend te zijn, want een aantal van mijn beste vrienden op m'n oude school was net zo. Van die boekenwurmen, dus. Ik bedoel, je moet niet denken dat ik op iemand neerkijk omdat hij niet goed in sport is, voor alle duidelijkheid.'

Pierre antwoordde snel, mogelijk ontwijkend snel, dat het oké was en dat hij zelf niets tegen sportfanaten had, waarna hij snel van onderwerp veranderde.

'Maar waarom ben jij eigenlijk naar dit vreselijke oord gekomen? Ben je van je vorige school getrapt, te dom om het te redden op een gewone school of te rijk en te deftig om naar een gewone school te gaan of ben je hier, zoals een aantal jongens beweren, omdat je ouders in het buitenland wonen?'

Erik aarzelde. Hij was van school getrapt en kennelijk was dat een goede reden. Maar dan moest hij waarschijnlijk uitleggen waarom en dat zou tot een reeks lastige leugens leiden, aangezien hij vanaf het moment dat hij zich dit belachelijke kapsel had laten aanmeten een nieuwe Erik was. Hij zei dat er thuis problemen waren geweest, waarna hij van onderwerp veranderde en vroeg of de leraren vervelend waren en veel sloegen. Maar tot zijn verbazing kreeg hij te horen dat de leraren helemaal niet sloegen, ze sloegen nooit.

Pierre leek de vraag belachelijk te vinden en het scheelde niet veel of Erik had zich vastgepraat door te stellen dat hij niet bang was voor leraren die sloegen en dat hij het niet daarom gevraagd had. Maar hij hield zich in. Het was de oude Erik die niet bang was voor leraren. In plaats daarvan vroeg hij of het mogelijk was om privé-les in wiskunde te regelen, want hij was wat achter met wiskunde (dankzij de Baars, die hem steeds uit de wiskundeles had gestuurd). Pierre zei dat hij Erik zelf wel kon helpen, tegen de halve prijs en met een bepaalde garantie: geld terug als het niet hielp. Pierres vader had als zakenman een fortuin verdiend en dit was een van zijn favoriete trucs, verduidelijkte Pierre.

Toen lachten ze allebei en Erik voelde zich volkomen gelukkig. Aan de andere kant begreep hij niet waarom hij bijna begon te huilen.

Pierre nam hem mee naar de eetzaal en wees hem een plaats aan het uiteinde van een van de twintig lange tafels. Er zaten twintig leerlingen in een soort rangorde aan iedere tafel. Aan het hoofd van de tafel zaten de tafelchef en de vice-tafelchef, kreeg hij te horen. Daarna volgden de gymnasiasten in een bepaalde volgorde, die iets te maken had met de volgorde waarmee ze zouden aanzitten aan banketten in besloten kring, met de hoogadellijke of zeer vermogende leerlingen eerst en vervolgens de laagadellijke of minder vermogende. Verderop aan de tafel werden de leerlingen van de onderbouw volgens ongeveer hetzelfde patroon gesorteerd, hoewel nieuwelingen aan het einde van de tafel moesten zitten. Het eten werd in rangorde geserveerd door Finse serveersters, die grote roestvrij-stalen schalen droegen. De maaltijd werd ingeleid en afgesloten met een tafelgebed.

Na het avondeten had je twee uur vrij voor sport en studie, waarna de leerlingen van de onderbouw op hun kamer moesten zijn. Pierre was niet in de kamer toen hij terugkwam. Erik ging op het bed liggen en gunde zichzelf even de tijd om helemaal vrij te zijn.

De volgende dag stonden er belangrijke wedstrijden op het program-ma. Hij moest zorgen dat hij zolang sliep dat hij goed uitgerust was, zodat hij zoveel mogelijk onderdelen kon winnen. Het betekende veel voor hem om op die manier bekend te worden. Het zou perfect passen in zijn nieu-we leven. Maar met een hart dat bonsde van vreugde en opwinding zou hij niet goed kunnen slapen. Hij zou naar het zwembad kunnen gaan en in een rustig tempo twintig tot dertig baantjes trekken. Dan zou hij moe genoeg worden, lekker slapen en de volgende dag goed uitgerust zijn.

Toen hij het zwembad binnenkwam met zijn handdoek over de schouder was het er bijna leeg. Het wateroppervlak lag er groen en stil bij. Verderop bij de springtoren stond een groepje jongens over een trai-ningsschema gebogen.

'Hallo,' zei hij, 'ik kan wel even een paar baantjes trekken, hè?'

Ze keken hem lachend aan.

'Een paar baantjes trekken,' deed de grootste van het stel hem na. 'Je bent hier nieuw, hè?'

'Ja, ik ben vandaag aangekomen.'

'Tja, dat verhindert niet dat je onze regels moet leren. 's Avonds is het zwembad alleen open voor vierdeklassers, raadsleden en het schoolteam, dus oprotten!'

'Ja, maar ik wilde alleen...'

'Wie nieuw en brutaal is, denkt niet na. Rot op!'

Ze keerden hem de rug toe en hij voelde de boosheid gorgelend opko-men, precies op de manier die hij tegen elke prijs wilde voorkomen. Hij aarzelde en bleef staan tot hij opnieuw werd 'ontdekt'.

'We zeiden toch dat je moest oprotten.'

'Nee, zei hij, dat ben ik niet van plan.'

Het werd stil. Verdorie, nu had hij de eerste steen gegooid. Nu kon hij er niet meer vandoor gaan.

'Welke tijd moet je halen op de 50 meter om mee te mogen doen met het schoolteam?' vroeg hij. (De andere mogelijkheid om uit dit lastige parket te komen zou precies tot datgene geleid hebben, wat niet mocht gebeuren.)

'Zo, zo,' zei een wat kleinere vierdeklasser. 'Je zwemt?'

'Ja, vier jaar bij Kappis. Welke tijd geldt er nu voor 50 meter vrije slag?'

'Red je het onder de 31 seconden?'

'Als je een stopwatch hebt, zal ik het onder de 29 seconden doen.'

Hij had natuurlijk geen warming-up gedaan, maar hij dacht dat het wel zou lukken omdat het een 25-meterbaan was en je minimaal een seconde won bij het keren. Ze waren niet langer vijandig.

'Oké,' zei de grootste, 'hier heb ik een stopwatch. Het schoolrecord staat op 29,6.'

Erik zwaaide zijn armen een paar keer in grote bogen over zijn hoofd om zijn longen een zuurstofimpuls te geven. Toen ging hij op het startblok staan. Nu, rotzak van een vader, dacht hij toen hij startte, nu, rotzak van een vader.

Zijn tijd was 29,1.

Ze trokken hem op uit het bad en sloegen hem op de rug. Hij verontschuldigde zich dat hij had gezegd dat hij onder de 29 seconden rond zou blijven, maar hij had immers geen warming-up gedaan en ... Ze wuifden die verontschuldiging weg en zeiden dat hij vanaf nu was opgenomen in het schoolteam en mocht trainen wanneer hij maar wilde. Ze stelden zich een voor een aan hem voor. Iedereen gaf hem een stevige hand en lachte.

Daarna zwom hij in een geluksroes zijn baantjes. Het lichtgroene water bruiste rond zijn ogen, net als altijd. Maar dit hier was niet zoals altijd, dit hier was niet zoals de afgelopen jaren al die avonden bij Kappis in het Sportpaleis, waar hij zwom om niet te denken, om ergens te zijn zonder ergens te zijn. Wanneer hij zwom in het Sportpaleis hoefde hij immers niet bij de bende te zijn – 's avonds bij hen zijn was niet hetzelfde als overdag – en als hij zwom was hij ook niet in de buurt van zijn vader. Als hij op die avonden thuiskwam, met rode ogen van alle chloor dat langs zijn gezicht was gespoeld, wanneer hij de wereld om zich heen door een waas zag met lichtkransen rond iedere straatlantaarn, dan had hij immers alleen maar gesport en wie alleen maar gesport had, had niets gedaan waarvoor hij slaag verdiende. En vermoeid als je was van 8000 meter beenslag, armslag en vrije slag sliep je droomloos, zonder bonzend hart, zonder haat, alsof de wereld alleen maar een stroom voorbij stromend lichtgroen water was en het tellen van de keerpunten en de zwarte tegelranden langs de bodem van het bassin het enige was waar je rekening mee moest houden.

Maar nu hij zijn eerste kilometers in dit 25-meterbad zwom, waar je extra kon profiteren van de nieuwe Amerikaanse *flip turn* die de trainer bij Kappis had ingevoerd vlak voordat hij moest vertrekken, was het als muziek, als de walsen van Chopin of een sonate van Beethoven die zijn moeder speelde op de zwarte vleugel, alsof het water geen weerstand bood, alsof hij moeiteloos zwom en steeds zag hoe de grote eiken van de nieuwe school voorbijgleden, hoe het gezicht van Pierre met de bril en het meisje met de opgebonden vlechten en de strijd tegen kernwapens voorbijgleden, alsof hij zelf piano speelde, alsof hij doorgegaan was met spelen vanaf zijn kindertijd toen vader de toonladders er met geweld wilde inslaan, alsof hij zelf kon spelen zoals moeder en zijn lichaam naar de kleinste aanwijzing luisterde en gewillig zou zijn doorgegaan, ver voorbij de eigenlijke moeheid die hij nodig had om te slapen, zodat hij de volgende dag kon winnen. Hij was Erik, lid van het zwemteam van de school. Alleen maar dat. Geen bende, geen geweld, niet eens leraren die sloegen. Hij was Erik de zwemmer en niets meer dan dat en morgen zou hij Erik de hardloper worden en daarna was hij alleen maar de hardloper en de zwemmer en niemand zou iets anders weten en niemand zou de littekens ontdekken, de witte littekens op zijn knokkels.

De sportdag was georganiseerd als een militaire oefening in het klein. 's Morgens moesten alle leerlingen deelnemen aan de kwalificatiewedstrijden in alle takken van sport en 's middags waren de finales. De zes besten in iedere tak gingen naar de finale. Tot Eriks verbazing waren de wedstrijden van de onderbouw en het gymnasium niet in verschillende klassen ingedeeld, aangezien het de bedoeling was dat de oudere leerlingen altijd de jongere leerlingen zouden verslaan. Hij kreeg een moeilijk te begrijpen verklaring hiervoor, die erop neerkwam dat het met de geest van Stjärnsberg te maken had: volgens de principes van kameradenopvoeding moesten de jongeren op die manier hun plaats leren.

Het kwalificatiesysteem bevoordeelde kennelijk alleen maar de besten, dat wil zeggen de gymnasiasten, want degene die na slechts één poging bij verspringen naar de finale ging, had alleen al daarom een voordeel ten opzichte van een jongere concurrent, die alle zes pogingen had moeten uitvoeren om beslag te leggen op een finaleplaats in de middag.

Het geheel vereiste nauwkeurige berekeningen. Je moest het rustig aan doen bij de onderdelen waarin je kansloos was. Dus liet Erik zijn beurt voorbijgaan bij hoogspringen, zodat hij zich al na drie pogingen uit de wedstrijd kon terugtrekken; bij polsstokhoogspringen deed hij hetzelfde. Bij speerwerpen maakte hij met opzet drie overtredingen en drie slechte worpen, om zijn arm te kunnen sparen voor discuswerpen en kogelstoten. Met de discus en de kogel had hij voldoende aan één poging om een finaleplaats zeker te stellen. Bij verspringen was het weer hetzelfde liedje: een verkeerde afzet bij de hink-stapsprong, waarna hij zachtjes joggend in de zandbak belandde.

De 5000 meter was meteen een finale, maar daar mochten alleen degenen aan meedoen die in een andere tak de finale hadden bereikt. Het lastigst waren de sprintafstanden, waar je niets anders kon doen dan op je hardst of bijna op je hardst lopen. Op de middelste afstand werden de eerste series gehouden met een verdeling in onderbouw en gymnasium, zodat je je krachten kon sparen en toch verder kon naar de tweede series.

Voor een geslaagde serie moest je echter zorgvuldig kiezen. Eerst moest je kiezen tussen 100 en 200 meter. Hij besloot in te zetten op de finale van de 100 meter en jogde rustig naar een veilige uitslag tijdens de kwalificatieronde van de 200 meter. Hetzelfde gold bij de 800 en 400 meter. Bij de kwalificaties van de 800 meter jogde hij rustig, zonder zich te vermoeien, waarna hij inzette op de finale van de 400 meter. De finale van de 800 meter zou hij niet vóór of na een 5000 meter kunnen lopen.

De finales waren pas rond een uur of zeven 's avonds afgewerkt. In eerste instantie vond Erik zijn resultaten teleurstellend. Hij had geen enkele finale gewonnen. Hij was tweede bij het verspringen, tweede bij het kogelstoten, derde op de 400 meter, tweede op de 100 meter en tweede op de 5000 meter. Een beter resultaat was niet mogelijk geweest, behalve bij de 100 meter. Daar was hij bij de start achterop geraakt, omdat hij aarzelde toen de jongen naast hem duidelijk een valse start maakte. Later had hij de voorsprong van de anderen niet meer helemaal kunnen inhalen en hij kwam bijna een halve meter tekort op de winnaar, terwijl hij die in de halve finale met gemak had verslagen. Maar in de andere finales hadden de winnaars resultaten behaald die beter waren dan zijn persoonlijke records, dus dat kon hij niet wegredeneren. Hij was echter wel de enige leerling uit de onderbouw die überhaupt een finale had gehaald. Maar wat nu? Hij had immers helemaal niets gewonnen.

Toen hij zijn spikes losmaakte na de 5000 meter, de laatste finale van de dag, kwamen de gymnastiekleraar en de trainer naar hem toe en klopten hem op de rug. De gymnastiekleraar, die Berg heette, had een klein zwart snorretje en zwart gemillimeterd haar. Hij gaf Erik een hand en wees met zijn hele handpalm, net als alle andere gymleraren en officieren.

'Hè,' mopperde Erik, 'ik heb het een beetje verkeerd ingeschat. Ik had de 400 meter moeten overslaan en in plaats daarvan voor een finaleplaats bij de 200 moeten gaan. De start van de 100 miste ik ook al...'

Berg keek hem tien seconden lang glimlachend aan.

'Je vindt het niet leuk om te verliezen, hè,' stelde hij vast.

'Ja, als er niets aan te doen is, dan... ik bedoel zoals bij verspringen, daar scheelde het vijfendertig centimeter met degene die won. Dat was geen resultaat om over naar huis te schrijven.'

'Ben je goed in voetbal?'

'Technisch niet, maar ik heb nog geen wedstrijd gespeeld zonder te scoren.'

'Dat is prima, Erik. Je zult hier goed passen op Stjärnsberg en over drie of vier jaar win je alles waar je aan meedoet. Begrijp je wel?'

'Ja, maar daar heb ik vandaag nog geen plezier van.'

Berg lachte en sloeg hem nogmaals en deze keer iets te hard op zijn rug.

'Je hebt een winnaarsmentaliteit en dat hebben we nodig, dat is goed voor de geest van Stjärnsberg.'

Pierre lag op zijn bed en las een dikke Engelse roman toen Erik de kamer binnenkwam om zich om te kleden voor het avondeten.

'Hoe ging het?' vroeg Pierre zonder uit zijn boek op te kijken.

'Matig. Ik had de finale op de 100 meter moeten winnen, maar ik heb een stommiteit begaan. Ben tweede en derde geworden bij een aantal andere wedstrijden, maar het is in feite een onrechtvaardig systeem.'

'Hoezo?'

(Pierre hield nog steeds zijn blik op het boek gevestigd.)

'Nou, omdat wij van de onderbouw het moeten opnemen tegen die lui van het gymnasium. Het is niet zo gemakkelijk om te winnen van iemand die drie, vier jaar langer heeft kunnen groeien. Als de onderbouw zijn eigen wedstrijden had gehad, had ik vijf of zes onderdelen gewonnen, maar nu... verdorie!'

Pierre pakte een boekenlegger van de schrijftafel, stopte die in het boek, sloeg het dicht en ging rechtop zitten.

'En waarom denk je dat de onderbouw het moet opnemen tegen het gymnasium?' vroeg hij op een licht ironische toon.

'Geen flauw idee. Het komt vreemd over.'

'Dat is natuurlijk omdat wij van de onderbouw een afstraffing moeten krijgen. Had je dat niet door?'

'Nee, maar wat is er nu voor geks aan dat jongens die negentien zijn sneller lopen dan de meeste jongens die veertien zijn? Wat bedoelen ze trouwens met kameradenopvoeding?'

'Dat betekent heel simpel dat wij altijd door hen worden afgestraft. Daarmee bedoel ik niet alleen een afstraffing bij sport, maar in het algemeen.'

'Vechten ze veel, bedoel je dat?'

'Precies. Meer dan je je kunt voorstellen, dat is dus die kameradenopvoeding. Het is niets anders dan tiranniseren.'

Toen Pierre het woord tiranniseren uitsprak zette hij zijn bril recht om de kunstmatige pauze voor dat volwassen woord te onderstrepen. Erik dacht even na over de consequenties daarvan, de denkbare of mogelijke consequenties van Pierres uitspraak.

'Krijg je veel slaag van de jongens die op het gymnasium zitten, bedoel je dat?'

'Ja, het is in elk geval belangrijk dat je je gedeisd houdt,' zei Pierre met gedempte stem.

'En wat doe jij om afzijdig te blijven?'

'Ik ben dik en goed op school en word als een boekenwurm beschouwd. Waarschijnlijk vinden ze me ook laf. En ze vinden het niet zo tof om een jongen te slaan die intellectueel en laf is. Maar voor jou zal het wel erger worden. Jij begrijpt waarschijnlijk niet wat het betekent als een knulletje uit de onderbouw hen bijna verslaat met sport. Je zult de komende tijd wel regelmatig een pepper krijgen.'

'Wat is een pepper voor iets?'

'Dat is als ze je op je kop slaan met het heft van een tafelmes. Of met de knokkel van de ringvinger, met een gebalde vuist – zo – en dan óf op je slaap óf midden op je kop.'

Erik stond stil met een van de spikes in de hand en het drong tot hem door dat het fout geweest was om tijdens de sportdag een poging te doen om op een of ander onderdeel te winnen. Hij was dus 'nieuw en brutaal'. Gymnasiasten van het type dat als chef aan tafel zat, zouden hem dus bevelen zijn hoofd te buigen om slaag te krijgen.

'Verdomme nog aan toe!' schreeuwde hij en smeet zijn schoen tegen de muur. 'Verdomme, nu kom ik er toch weer in terecht! Ik wil niet vechten, ik wil niet, ik ben het allemaal zat!'

'Hadden jullie op je vorige school ook raadsleden?' vroeg Pierre voorzichtig.

'Nee... eh, ik kan het niet uitleggen. Ik zal het je een andere keer vertellen, kom op, we gaan eten.'

Op weg naar de eetzaal vertelde Pierre dat als je een pak slaag onderging zonder te janken en zonder brutaal te zijn het ergste meestal na een paar weken wel was overgewaaid. Vooral als je nieuw was, moest de geest van Stjärnsberg erin geramd worden. Alle nieuwelingen hadden het daar moeilijk mee in het begin, maar wie zich verzette kreeg altijd meer slaag en werd langer 'nieuw-brutaal' genoemd dan wie er zonder tegenstand in berustte. Erik dacht dat het mogelijk moest zijn om zich zo te concentreren dat hij het pak slaag op ongeveer dezelfde manier zou kunnen doorstaan als bij zijn vader. Maar als hij zich goed hield, zouden ze dat misschien opvatten als een uitdaging om door te slaan tot hij zijn masker niet meer strak kon houden en stel je voor dat hij zich dan niet meer zou kunnen inhouden?

'Wat gebeurt er als je een vierdeklasser een pak rammel geeft?' vroeg hij Pierre.

Pierre bleef midden op het grindpad staan en zette zijn bril recht.

'Dat heeft nog nooit iemand uit de onderbouw gedaan. Ik heb er in elk geval nooit iets over gehoord. Waarschijnlijk is het niet verboden... nee, het is niet verboden, maar het gaat in elk geval niet.'

'Waarom niet?'

'Nou, ook al zou je een vierdeklasser een pak rammel geven, dan zou dat beschouwd worden als brutaliteit tegen een vierdeklasser en dat wordt een weekend niet naar huis. En dan gaan de vierdeklassers ook nog naar een raadslid en tegen een raadslid mag je je niet verzetten, want dan word je van school gestuurd.'

Tijdens de maaltijd kreeg een jongen uit de onderbouw die tegenover Erik zat een pepper omdat hij over het bord van een ander heen had gereikt om een zoutvaatje te pakken. Het voorval werd ontdekt door de tafelchef die een kort commando blafte. Toen stond de jongen op, ging in de houding staan voor de tafelchef en boog zijn hoofd met de handen gevouwen op de rug. De tafelchef veegde zijn mond af met het servet en draaide zich langzaam om naar de delinquent. Toen pakte de tafelchef een schoon mes en woog het keurend een paar keer in zijn hand voordat hij met het heft midden op het hoofd van de delinquent sloeg, die ineen kromp en onder een lachsalvo van de anderen aan tafel terugliep naar zijn plaats. De jongen had de tranen in zijn ogen staan.

Wat de klap zelf betrof, was een pepper dus niet zo moeilijk uit te houden. Erger was het staan wachten met gebogen hoofd en het gelach na afloop. Je moest dus op een of andere manier een compromis zien te vinden. Aan de ene kant leek het accepteren van de slag het eenvoudigst, maar aan de andere kant mocht je met geen spier in je gezicht laten merken dat het pijn deed. Op die manier zou je in elk geval dat gelach kunnen neutraliseren. Iedere andere manier zou in een gevecht eindigen of ertoe leiden dat je uitgelachen en bespot werd. En de nieuwe onbekende Erik met het idiote kapsel moest een compromis vinden. Het moest.

Net toen hij de zaak had doordacht, daverde de eetzaal van het gelach en het boegeroep. Wat er gebeurde, was dat een leerling uit de onderbouw, vier of vijf tafels verderop, het bevel kreeg om bij de lange muur met de fresco's met het gezicht naar de muur in de houding te gaan staan en zich te schamen. De onderbouwleerling naast Erik legde het systeem uit: wie drie peppers had gekregen moest zich gaan staan schamen en wie zich voor de tweede keer moest gaan schamen werd na de procedure bij de muur uit de eetzaal gezet en wie uit de eetzaal werd gezet mocht automatisch een weekend niet naar huis.

'En als je weigert een pepper in ontvangst te nemen?'

'Dan moet je in plaats daarvan je gaan staan schamen, maar dat telt immers voor drie peppers.'

'En als je weigert om je te gaan staan schamen?'

'Dan wordt het automatisch een weekend niet naar huis.'

'Kun je je verzetten tegen zo'n weekend niet naar huis?'

'Nee, want dan word je van school gestuurd.'

'Kun je een pepper weigeren als je tafelchef een raadslid is?'

'Ja, volgens de regels kan dat. Maar in dat geval kan het raadslid na het eten, buiten de eetzaal direct op je af stappen en in elk geval de opdracht voor een pepper geven. De tafelchef van onze tafel is echter geen raadslid, maar gewoon een vierdeklasser.'

Dat opende nieuwe perspectieven die hij zorgvuldig moest doordenken. Strafwerk of arrest in de weekenden betekende dat hij niet naar huis hoefde. Het was een mogelijk voordeel, omdat je op die manier nooit slaag kreeg, terwijl je je toch aan de regels hield, dus niet van school werd gestuurd. Maar die methode kende vast ook nadelen. Hij moest het probleem maar eens met Pierre bespreken, die klaarblijkelijk een lange ervaring had met de kunst van het afzijdig blijven, althans voorzover dat mogelijk was. Als je een pepper vergeleek met vaders klappen op de neus aan de eettafel was er in ieder geval een belangrijk verschil. Een pepper werd uitgedeeld aan iemand die op een of andere manier een stommiteit had begaan op het gebied van tafelmanieren, dus niet zonder aanleiding of alleen omdat een tafelchef er zin in had. Het moest vrij simpel zijn om te eten zonder de regels die aan tafel golden te overtreden, hij had immers goede tafelmanieren geleerd. Maar hij was nieuw-brutaal en dus was het duidelijk dat het moeilijk zou worden om zich in alle gevallen afzijdig te houden.

Het eerste probleem diende zich die middag al aan. Op weg naar zijn kamer in Cassiopeia werd hij ingehaald door een leerling uit de onderbouw die hem op de rug sloeg. Het was een klein ventje dat een of twee klassen lager zat dan hij en er bang en onzeker uitzag. Het ventje hapte naar adem voordat hij zijn boodschap overbracht.

'Je moet naar de Olympus om de schoenen van graaf Von Schenken te poetsen, dat is een order.'

Erik was meer verbaasd dan boos.

'Juist ja, en is hij een raadslid?'

'Nee, maar een vierdeklasser en... nou ja, op de Olympus dus.'

'Doe hem de groeten en zeg dat hij naar mijn kamer in Cassiopeia moet komen om dat soort diensten te vragen, dan zien we wel wat ervan komt,' zei Erik terwijl hij zich omdraaide om weg te lopen.

'Nee, dat kan niet...'

'Waarom niet?'

'Nou, als ik terugkom bij Von Schenken en zeg dat die nieuwe-brutale niet... dat je hebt geweigerd, dan mag ik ook een weekend niet naar huis.'

Erik overwoog de situatie. Het was niet goed om een stommiteit te begaan waardoor iemand die volkomen onschuldig was een weekend niet naar huis mocht. En schoenen poetsen was natuurlijk gewoon een verzinsel om zich ten koste van hem te vermaken. Was de zaak echter uit de wereld als hij die schoenen wel poetste? Als hij meteen begon met een weigering zouden er alleen maar allerlei represailles volgen, nog voor hij had kunnen bedenken wat je moest doen om er zo genadig mogelijk van af te komen.

'Oké,' zei hij, 'ik ga met je mee.'

Von Schenken bleek de winnaar van de finale op de 100 meter te zijn.

Hij had tien paar schoenen neergezet, waaronder een paar modderige voetbalschoenen, een paar nog modderiger legerkistjes en verder suède en leren schoenen in drie of vier verschillende kleuren. Toen Erik de rij schoenen zag, begreep hij dat al zijn voornemens om niet te weigeren naar de bliksem zouden gaan. Von Schenken had een stel kameraden uitgenodigd voor de voorstelling. De rij schoenen stond midden op de vloer in het grote dagverblijf op de Olympus opgesteld en de vierdeklassers zaten op banken en stoelen langs de muren.

'Nee maar, daar hebben we het konijntje uit de onderbouw, een ongewoon nieuw-brutaal konijn, vinden jullie ook niet, mannen?' begroette Von Schenken hem.

'Ik ben geen konijn,' zei Erik tussen zijn samengeklemde tanden door en met de handen gebald op de rug.

'Ik mag niet slaan, ik mag niet slaan,' dacht hij, maar hij kon niet voorkomen dat hij de tegenstander automatisch beoordeelde op gewicht, reikwijdte en musculatuur rond armen en middenrif. Mocht het ervan komen, dan zou het eenvoudig zijn, maar tegelijk een catastrofe betekenen.

'Je bent wel degelijk een konijntje, je rent in elk geval als een konijn. Of misschien als een haas,' zei Von Schenken en incasseerde het vanzelfsprekende gelach van zijn kameraden.

'In de volgende finale versla ik je net zo gemakkelijk als bij de series vandaag,' luidde Eriks repliek.

Dat bracht hem op een gelijkwaardig niveau en het was ontegenzeglijk waar, dat moest Von Schenken wel aanvoelen. Een sprinter in de vierde klas kon moeilijk een nog snellere sprinter uit de onderbouw bespotten.

De repliek had bijna dat effect. Het gelach stierf in elk geval weg en Von Schenken koos voor een gespeeld zakelijke in plaats van spottende toon.

'De schoenen moeten dus zo gepoetst worden dat alle paren de inspectie kunnen doorstaan. Vooral de voetbalschoenen moeten glimmen als een keutel in de maneschijn, begrepen?'

Nu moest hij kiezen. Het slechtste alternatief was Von Schenken onmiddellijk te mishandelen. Met een verrassingsaanval zou hij weliswaar heel ver komen, voordat de andere vierdeklassers tussenbeide zouden kunnen komen, maar de consequenties zouden moeilijk te hanteren zijn en verder was het nu juist de bedoeling om dat te voorkomen. Op zijn knieën voor hen gaan liggen en onder hun schampere opmerkingen aan het werk gaan met Von Schenkens schoenen zou er echter toe kunnen leiden dat hij zo razend werd, dat hij er toch een puinhoop van maakte. Er was dus maar één alternatief, een compromis. Het was duidelijk dat ze met een zekere spanning afwachtten wat hij zou doen en het was hun aan te zien dat ze zich niet helemaal zeker voelden.

'Nooit van mijn leven,' zei hij, maakte rechtsomkeert en liep snel de kamer uit, zodat hij weg was voor er herrie kwam.

Het was een compromis, maar desondanks draaide het op heibel uit. Het zou immers tot meer dan een weekend niet naar huis leiden. Maar zou hij het hebben klaargespeeld om een uur lang op zijn knieën voor die vierdeklassers te liggen en onder hun schimpscheuten en voortdurende schijninspecties schoenen te poetsen; dat was toch net zoiets als de berkentakken van zijn vader? Had hij dat niet kunnen klaren? Als je met je wil kunt besluiten om klappen op je kop te verdragen, dan moet je toch net zo gemakkelijk kunnen besluiten om schimpscheuten te verdragen? Wat was eigenlijk het verschil? Toch voelde het als een groot verschil.

Ze wisten immers alleen van hem dat hij goed was in sport en dat hij het schoolrecord op de 50 meter vrije slag gemakkelijk had gebroken. Was dat niet juist een reden geweest om hem eerder goed te keuren als nieuweling, dan wanneer hij zo iemand als Pierre was geweest?

'Nee,' zei Pierre, 'het gaat erom dat je zo min mogelijk opvalt als je afzijdig wilt blijven. Hoe meer je opvalt, hoe leuker ze het vinden om je orders te geven, zoals dingen voor hen halen bij de kiosk, schoenen poetsen en dat soort dingen. Je moet niet goed of slecht zijn, geen brillenjood zoals ik of een sporter zoals jij. Het beste is om heel gewoon en als het ware onzichtbaar te zijn.'

'Zou jij die schoenen hebben gepoetst, Pierre?'

Pierre lag stil na te denken, daar in het donker.

'Ja,' zei hij ten slotte, 'ik zou het wel gedaan hebben.'

Het bleef opnieuw een tijd stil.

'Zou je het gedaan hebben, omdat je bang bent voor een pak slaag?'

'Ja, misschien. In elk geval als het Von Schenken was, want hij is er zo eentje die het leuk vindt om een eensteeksslag te slaan. Ja, je weet natuurlijk niet wat een eensteeksslag is – dat vergat ik je te vertellen toen je wilde weten wat een pepper was. Een pepper slaan ze meestal met de knokkel, zoals ik je heb laten zien. Soms slaan ze met het heft van een tafelmes. Maar lui zoals Von Schenken slaan soms met de stop van de azijnkaraf, je weet wel, zo'n kristallen azijnkarafje dat midden op iedere tafel staat. Die stop is puntig geslepen. Ze nemen de stop in de hand en slaan met de punt tegen je hoofd, zodat er een bloedend gat ontstaat. En dan moet je naar de zuster, die het vervolgens met één steek hecht. Lui zoals Von

Schenken zijn niet goed snik. En dan is hij ook nog eens mijn tafelchef, dus als ik dat met die schoenen zou hebben geweigerd, zou ik niet alleen een weekend niet naar huis hebben gemogen, maar zou hij me ook nog een eensteeksslag hebben gegeven, zo gauw hij de kans kreeg.'

Erik vroeg niets meer en na een poosje hoorde hij dat Pierre in slaap was gevallen. Als Von Schenken Pierre op die manier sloeg, wat zou je daar dan tegen kunnen doen? Als je dat zag gebeuren, zou het enige juiste zijn om de stop van je eigen tafel te pakken, van achteren op Von Schenken toe te lopen en hem zo hard te slaan, dat er een gat in zijn hoofdhuid zou ontstaan, liefst nog voordat hij Pierre had kunnen slaan. Nee, trouwens, het was niet zeker waar dat toe zou leiden. Misschien zou Von Schenken dan wel moreel verplicht zijn om Pierre in elk geval te slaan, om zo te laten blijken dat hij zich niet liet afschrikken door een nieuwbrutaaltje. Zou je Von Schenken als niemand het hoorde apart kunnen nemen en hem vertellen dat hij, als hij ook maar één haar op Pierres hoofd krenkte, een pak slaag zou krijgen dat zijn voorstellingsvermogen te boven ging? Nee, dat kon niet. Voorwaarde voor een dergelijk dreigement was dat de bedreigde terdege besefte dat het dreigement werkelijkheid zou kunnen worden. Op het lyceum was het geen enkel probleem geweest, maar hier wisten ze immers niets en hier mochten ze ook niets te weten komen. Het moest mogelijk zijn om geweld uit de weg te gaan. Gaf je een van hen een aframmeling, dan zou dat alleen maar leiden tot een eindeloze reeks gevechten, totdat ze op een of andere manier zouden winnen.

Hoeveel keer weekenden niet naar huis kon je krijgen in één semester? Ongeveer vijftien keer. Als je dergelijke orders vijftien keer weigerde, was het dan over? Het schoenen poetsen van vandaag zou immers leiden tot nieuwe orders van hetzelfde type, totdat hij of zij het opgaven.

Hij moest in ieder geval de raad gehoorzamen, want wie de raad niet gehoorzaamde of leden van de raad sloeg, werd van school gestuurd. Weggestuurd worden van Stjärnsberg betekende het definitieve einde van alle onderwijs. Hij had nog twee jaar te gaan om op het gymnasium in Stockholm te komen en dus moest hij twee jaar lang de raad gehoorzamen. Kon hij het niet beter maar zo snel mogelijk opgeven en de hele zaak uit de wereld helpen? Hij kon Pierre dus niet eens verdedigen?

Het was hem begonnen te dagen, voordat hij in slaap viel in dat zweterige bed, waarvan de lakens als touwen in elkaar gedraaid langs de matras hingen. De volgende dag zou hij blozen van schaamte voor Pierre.

De dag begon met een geschiedenisles en de geschiedenisleraar – de oudste leraar op school – weidde uit over de grote volksverhuizing. De Germaanse stammen waren kriskras door Europa getrokken, bepaalde Slavische stammen waren uit het oosten gekomen en het verschil tussen de diverse stammen was dat de Germaanse stammen het mooist en het best waren. Dit had lange sporen nagelaten, tot in de moderne tijd; sporen die je vandaag de dag nog kon terugvinden in de diverse rassen in Europa. Zelfs in het klaslokaal was dit nog gemakkelijk aan te tonen.

'Erik, wil jij naar voren komen en hier gaan staan, zodat iedereen je goed kan zien,' zei de oude man. Vervolgens pakte hij een aanwijsstok en wees stukje bij beetje Eriks hele lichaam aan, alsof het om een wandplaat van mensapen of de organen van het lichaam in doorsnee ging.

'Kijk eens even hier. We kunnen beginnen met blauwe ogen en een vaste blik (aanwijsstok). Vervolgens een rechte neus, draai je eens even en profil, zo ja. Een krachtige kinpartij en brede kaken, maar gelijkmatige harmonie in het gezicht, niet van die hoge jukbeenderen, zoals bij Finnen en Lappen en bepaalde Slavische volken. Krachtige schouderpartij en rechte schouders. Kijk eens naar die goedontwikkelde musculatuur rond de armen (aanwijsstok). Krachtige borstkas en goed ontwikkelde buikspieren, de heupen aanzienlijk smaller dan de borstkas. Vervolgens komen we bij de dijspieren, kijk eens hoe het hier als het ware naar buiten loopt en breder wordt in vergelijking met de taille. Dit zie je bij bepaalde ruitervolken, zo moeten bijvoorbeeld veel van de soldaten uit het leger van Karel XII eruit hebben gezien. De kuiten moeten in een flinke ronding uitlopen zoals hier (aanwijsstok) en niet gewoon maar een soort versmald verlengstuk van de benen zijn. Zo, bedankt, je mag weer gaan zitten.'

Erik ging zitten met het gevoel dat hij bijna verdoofd was. Zijn klasgenoten hadden niet eens gelachen, maar het hele schouwspel volkomen ernstig aangezien. Maar toen kwam het ergste.

'Tja, als we dan eens een tegenovergesteld type nemen... Tanguy, wil jij naar voren komen.'

Pierre werd dus gedwongen plaats te nemen waar Erik zojuist had gestaan en toen begon de tocht van de aanwijsstok over Pierres lichaam.

'Hier hebben we om te beginnen een paar trekken die karakteristiek zijn voor het zuidelijke type. Bruine diepliggende ogen en een slecht gezichtsvermogen, vandaar de bril. De neus is niet recht, maar kan op diverse manieren gebogen zijn, van de joodse haviksneus tot deze meer normale vorm, de zuidelijke gebogen variant. De wangen een beetje paf-ferig en een slappe kin (aanwijsstok). Vervolgens hebben we de schuin aflopende schouderpartij van het flessentype. Zo ontstaat een soort ke-gelvormig lichaam, waardoor niet dezelfde harmonie ontstaat als bij het Germaanse type. Kijk hoe de buik hier uitloopt en als het ware de basis van de kegel vormt. Dat komt voor een deel door de ongezonde eetge-woonten van de zuiderling, maar is in de loop der tijd vermoedelijk ook een erfelijk trekje geworden. En dan komen de benen, die doen denken aan luciferstokjes die in een sparappel zijn gestoken, zoals je als kind koe-tjes maakte, ha, ha. (Pierre zette zijn bril recht, maar vertrok verder geen spier.) Tja, en dan komen we bij de voeten, de tenen naar binnen en ge-woonlijk de neiging tot platvoeten. Ja, dank je wel, Tanguy, je kunt weer gaan zitten. We zien dus tot op de dag van vandaag duidelijke verschillen tussen het Germaanse en het zuidelijke type.'

Gegeneerd ging Erik in de pauze naar Pierre toe.

'Hoi,' zei hij, 'je denkt toch niet... ik bedoel die flauwekul interesseert me niet.'

'Ach,' zei Pierre, 'die ouwe zak is ten eerste een nazi, een nationaal-so-cialist dus, en ten tweede weet hij niet waar hij het over heeft. Zuidelijk ras, aan mijn reet!'

'Zijn er meer van dat soort leraren?'

'Nee, hij is de enige die nog over is. Vroeger was het hier veel erger. Denk alleen maar eens aan de muurschilderingen in de eetzaal.'

'Hoe bedoel je?'

'Ja verdorie... grote mollige blonde vrouwen met kolossale tieten die vlechten in het haar hebben en grote broodmanden dragen, nou? En ke-rels met wit haar en een bloempotkapsel, die met een bijl over de schou-der lopen te loeren met hun blauwe Germaanse ogen en wat dacht je van die rechte snufferds, hè? En krijgers met speren en witte snorren en een "grimmige blik" dat is toch om je dood te lachen.'

'Maar daar geloven ze toch niet meer in, ik bedoel die andere leraren?'

'Nou nee, dat is wel overgegaan. Nu laten ze ook joden toe op school, dus het zal wel een jaar of twintig geleden zijn dat het hier op z'n ergst was. Kalle uit onze klas is een jood, maar hij is zo blond als die lui op de muur en heeft minstens zo'n "rechte neus" als jij. Daar heeft die ouwe zak vast niet aan gedacht. Verdomde flauwekul.'

De lessen waren verder prettig ontspannen vergeleken met het lyce-um. Je mocht blijven zitten als je antwoord moest geven. De leraren dreigden niet met allerlei straffen, slechte aantekeningen leken niet voor te komen, de stemming was over het algemeen goed en bijna kameraadschappelijk. Het werk leek heel gelijkmatig en soepel te verlopen, er werd geen herrie geschopt tijdens de lessen en daar leek ook geen echte aanleiding toe te zijn. De leraren kwamen prettig over. Geen van de leraren leek geweld te willen gebruiken.

Op weg naar het avondeten merkte Erik dat er om hem heen een eigenaardige stemming heerste, alsof hij in een luchtbel liep met een zekere afstand tot iedereen in zijn omgeving. Hij hoorde wat sneren over 'nieuw-brutaal' en hij merkte hoe er achter zijn rug werd gefluisterd.

Toen de serveersters bezig waren de borden af te ruimen na het hoofdgerecht, stond Bernhard, de voorzitter van de raad op, liep naar de lange muur en brulde 'luisteruhhhhh!'.

Het verwachtingsvolle geroezemoes verstomde snel.

'De raad komt vanavond, direct na het eten bijeen in lokaal zes. De volgende personen dienen te verschijnen...'

Bij iedere naam die werd opgenoemd, volgde gelach en boegeroep, in wisselende omvang. Erik meende dat het boegeroep bij zijn naam iets luider was dan bij de andere namen. Hij moest dus terechtstaan omdat hij geweigerd had de schoenen van Von Schenken te poetsen.

Lokaal zes bevond zich in het hoofdgebouw van de school. Voor het lokaal, op de donkere en glimmend geboende eiken vloer zaten degenen die berecht moesten worden beurtelings zich te beklagen en grappen te maken. Het waren uitsluitend leerlingen uit de onderbouw die in aanmerking kwamen. Naar het gepraat te oordelen moesten de meesten verschijnen omdat ze een eerste, tweede of derde keer stiekem hadden gerookt. Een enkeling was net als hij brutaal geweest tegen een raadslid of een vierdeklasser. De boete voor brutaal zijn tegen vierdeklassers was een weekend niet naar huis.

Een voor een werden ze binnengeroepen, om na enkele minuten weer naar buiten te komen en hun vonnis mee te delen. Sommigen kregen meer, anderen minder dan ze verwacht hadden. Slechts een van hen vertoonde tekenen van vertwijfeling. Het had er iets mee te maken dat hij op zijn verjaardag niet naar huis kon gaan. De secretaris van de raad stond in de deuropening en riep de naam van de aangeklaagde af, die vervolgens naar binnen ging en de deur achter zich sloot.

Toen Erik in het lokaal kwam, begreep hij dat dit iets anders was dan hij had verwacht. Hij had verwacht dat ze in een hoek van het lokaal zouden zitten, 'hoi' zouden zeggen en een grapje maken, een paar vermanende woorden spreken en vervolgens de straf opschrijven.

Maar ze hadden de banken in het klaslokaal anders neergezet. Voorzitter Bernhard zat achter de katheder en de elf anderen hadden hun banken aan beide kanten haaks op de katheder geplaatst, in een hoefijzervorm. Waar de rij banken van de leden van de rechtbank ophield, stond een bank zonder stoel. Dat was dus de beklaagdenbank. De raadsleden droegen hun schoolcolbert met een gouden koord rond het schoolembleem, waaruit hun rang en positie bleek. Ze droegen stropdassen en witte overhemden, hadden hun haar glad gekamd en gedroegen zich volkomen serieus. Ze zaten in rangorde, natuurlijk. Het dichtst bij de beklaagdenbank zaten de twee raadsleden die gekozen waren uit de eerste klas, dan een plaats dichter bij de voorzitter degenen die gekozen waren uit de tweede klas enzovoorts.

Erik ging bij de beklaagdenbank staan met de handen op de rug en probeerde een onverschillig gezicht te trekken.

De secretaris van de raad had de taak om volgens het protocol de aanklacht in te dienen. Erik had dus op die en die datum op dat en dat tijdstip geweigerd een order van vierdeklasser Von Schenken uit te voeren. Was de aanklacht in wezen juist?

'Ja,' antwoordde Erik, 'in wezen is dat een juiste beschrijving.'

'Ga behoorlijk staan!' bulderde Bernhard.

'Ik sta op de manier die ik prettig vind, dat kan toch nauwelijks enige betekenis voor de rechtszaak hebben,' antwoordde Erik.

'Je hebt geen grote mond tegen de raad, begrijp je wel! De raad veroordeelt je tot een weekend dwangarbeid wegens een grote mond tegen de raad. Wil de secretaris dit vonnis noteren.'

De secretaris noteerde. De raadsleden hielden hun gezicht strak en zagen er ernstig uit. Erik corrigeerde zijn lichaamshouding enigszins.

'Hm,' zei Bernhard, 'dat was het. Maar wat wil je tot je verweer aanvoeren met betrekking tot je weigering om orders van vierdeklassers op te volgen? Wist je niet dat leerlingen uit de onderbouw orders moeten opvolgen?'

'Jawel, dat was me uitgelegd, dat wist ik. Maar ik wilde de schoenen niet poetsen omdat Von Schenken gewoon maar iets verzonnen had om mij voor schut te zetten. Jij zou ook mijn schoenen niet poetsen als ik een berg modderige voetbalschoenen neerlegde en met een pak slaag dreigde als je ze niet zou laten glimmen als een keutel in de maneschijn.'

'Let op je taalgebruik tegen de leerlingenraad!'

'Ik citeerde hem alleen maar. De order die ik kreeg was dus bovendien geformuleerd in ongepaste bewoordingen. Hij zei dat ik vooral de voetbalschoenen moest poetsen tot ze glommen "als een keutel in de maneschijn".'

'Ja, ja,' zei Bernhard, 'heeft de raad behoefte aan een aparte beraadslaging in deze zaak of kunnen we een besluit nemen?'

De raadsleden gebaarden afwijzend dat er geen verdere discussie over de schuldvraag nodig was.

'Welnu,' zei Bernhard, 'je hebt dus een eenvoudig type insubordinatie gepleegd en een grote mond gehad tegenover de raad. De raad veroordeelt je daarom tot in totaal twee weekenden niet naar huis en spoort je dringend aan je te vermannen, zodat wij je in het vervolg hier niet meer hoeven te zien. Ik mag ervan uitgaan dat je onze orders zult opvolgen?'

'Nee, niet die van vierdeklassers. Orders van raadsleden moet je opvolgen, anders word je blijkbaar van school gestuurd. Maar jullie kunnen er donder op zeggen dat ik de schoenen van Von Schenken niet ga poetsen.'

Korte stilte.

'Dat is de tweede keer dat je ongepaste taal bezigt tegenover de raad. De raad veroordeelt je daarom tot een weekend arrest wegens een grote mond tegen de raad. Verder eisen wij dat je je verontschuldigingen aanbiedt.'

'Nee.'

'Je weigert je verontschuldigingen aan te bieden?'

'Ja, jullie hebben mij immers al veroordeeld. Kennelijk moet ik voor de overtreding van grof taalgebruik tegen de raad boeten met arrest, dan is er toch geen aanleiding om verontschuldigingen aan te bieden.'

'Heeft de raad behoefte aan een aparte beraadslaging?' vroeg Bernhard. Sommige leden knikten instemmend, waarop Bernhard verklaarde dat de zitting tot nader order werd geschorst wegens aparte beraadslagingen en dat Erik buiten moest wachten.

Toen Erik in de gang bij de wachtende aangeklaagden kwam en vertelde dat hij drie keer een weekend niet naar huis had gekregen en dat ze nu aan het beraadslagen waren, kreeg hij een stortvloed van goede raad over zich heen. Als je brutaal was geweest tegenover de raad, bleven ze net zolang doorgaan tot je je excuses had aangeboden. Wat hij moest doen als hij binnenkwam, was onmiddellijk zijn verontschuldigingen aanbieden, anders zouden ze hem tot nog een weekend niet naar huis veroordelen en vervolgens de eis alleen maar herhalen. Slechts een paar minuten later werd hij binnengeroepen, waarna hij bij de beklaagdenbank ging staan.

'Zo, Erik, heb je over je situatie nagedacht?'

'Ja, en grondig ook.'

'Was je nu van plan je verontschuldigingen aan te bieden, zodat we de zaak uit de wereld kunnen helpen?'

'Nee.'

'Dan veroordeelt de raad je tot vier weekenden niet naar huis, waarvan twee in arrest. Wil je nu je verontschuldigingen aanbieden?'

'Nee, wacht maar even voordat je dat zinnetje weer opdreunt. Jullie hebben me al veroordeeld omdat ik grove taal heb gebezigd en omdat ik niet mijn verontschuldigingen heb aangeboden omdat ik grove taal heb gebezigd. Ik ben niet van plan mijn verontschuldigingen aan te bieden, ongeacht wat jullie zeggen en ik beloof dat ik er niet op terugkom. We kunnen de hele nacht doorgaan met deze flauwekul van nogmaals geen verontschuldigingen aanbieden en dan nogmaals een weekend niet naar huis als jullie daar zin in hebben.'

Er werd opnieuw apart beraadslaagd. Vijf minuten later stond hij weer voor de rechter.

'De raad heeft een besluit genomen. Wij veroordelen je tot twee weekenden dwangarbeid en acht weekenden arrest voor een grote mond en onbeschaamd gedrag tegenover de raad. In dat opzicht zijn de onderhandelingen afgesloten. Maar de vice-voorzitter heeft kenbaar gemaakt dat hij het besluit, dat voor het overige unaniem genomen is, afkeurt. Dan kun je nu gaan.'

Net toen Erik op weg naar buiten was, werd hem de weg versperd door een van de raadsleden uit de derde klas, die hem beval zijn handen omhoog te doen. Erik aarzelde maar gehoorzaamde. Het raadslid doorzocht zijn zakken en vond een pakje sigaretten in het borstzakje dat hij aan de rechtbank toonde.

'Aha,' zei de voorzitter, 'kom maar weer terug. De strafmaat voor stiekem roken begint met één weekend niet naar huis voor de eerste keer en wordt vervolgens telkens hoger. Na de vijfde keer word je van school gestuurd. Om te mogen roken moet je zeventien jaar zijn en schriftelijke toestemming van een ouder of voogd hebben.'

'Ik heb niet stiekem gerookt, ik heb niet gerookt sinds ik hier ben.'

'Maar hoe verklaar je dan dat je tabak in je bezit hebt?'

'Dat had ik meegenomen uit de stad, ik heb voor het laatst gerookt in de trein hierheen. En daarna ben ik dat pakje vergeten. Jullie denken toch niet dat ik echt zo stom ben dat ik met opzet een pakje sigaretten meeneem naar een bijeenkomst van de raad?'

'Bezit van tabak wordt gelijkgesteld aan stiekem roken. De sigaretten zijn hierbij in beslag genomen en je kunt kiezen tussen ze aan het raadslid overhandigen dat ze in beslag neemt of ze voor de ogen van de raadsleden vernietigen. Wat wordt het?'

'In dat geval verzoek ik de sigaretten te mogen vernietigen. Jullie doen alsof je een rechtbank bent, maar toch veroordelen jullie mij voor stiekem roken, hoewel jullie allemaal begrijpen dat ik onschuldig ben of in elk geval zou kunnen zijn. Jullie oordelen zonder bewijs en vervolgens vinden jullie dat men je moet respecteren, wat in feite bespottelijk is.'

'Behalve je eerdere tien weekenden niet naar huis krijg je er nu dus een weekend bij voor de eerste keer roken en nog één voor grof taalgebruik tegen de raad. Begrepen?'

'Nee, jullie vergeten een zaak. Waarschijnlijk leggen jullie een te lichte straf op.'

'Hoezo?'

'Nou, nu moet ik natuurlijk weer mijn verontschuldigingen aanbieden voor grof taalgebruik en omdat ik dat niet doe, zal het hele circus nog wel een tijdje doorgaan. Jullie kunnen maar beter toeslaan, want ik ga toch geen schoenen poetsen en zo en Von Schenken en anderen zijn waarschijnlijk van plan om nog meer van dat soort orders te geven.'

De rechtbank ging opnieuw apart beraadslagen. Na de aparte beraadslaging, die ditmaal twintig minuten duurde, werd hij binnengeroepen en kreeg te horen dat het vonnis vooralsnog was vastgesteld op twaalf weekenden niet naar huis, maar dat de zaak met betrekking tot voortdurend ongepast gedrag tegenover de raad werd aangehouden en opnieuw behandeld zou worden zodra de raad dit gepast achtte.

Erik was opgelucht toen hij terugliep naar zijn kamer, maar hij was er niet zeker van of hij het goed had aangepakt. Aan de ene kant hield het vonnis in dat hij rustig alle nieuwe orders naast zich neer kon leggen en alle peppers van de tafelchef in de eetzaal kon weigeren, maar aan de andere kant had hij voor een sensatie gezorgd, hetgeen overduidelijk bleek uit de reactie van de andere veroordeelden toen hij in de gang buiten lokaal zes kwam. Nog nooit was iemand die voor het eerst voor de raad verscheen zo zwaar gestraft. Het was überhaupt nog nooit voorgekomen dat iemand in één keer zoveel straf had gekregen.

En je kon op je vingers natellen dat die aandacht de autoriteit van de rechtbank op de proef stelde. De raadsleden waren nu bijna gedwongen een manier te vinden om hem te laten gehoorzamen. En tegenover de raadsleden mocht je je niet verdedigen. De vierdeklassers zouden niet langer een probleem zijn, maar twaalf raadsleden die je onvoorwaardelijk moest gehoorzamen? Dat zou nog heel wat schoenen poetsen worden. Was alles eigenlijk niet nog erger geworden?

'Ik zag al aankomen dat het zo zou gaan,' zei Pierre. 'Misschien niet meteen in een keer twaalf weekenden niet naar huis, maar iets in die richting. Dat je hen altijd moet gehoorzamen hebt je echter verkeerd begrepen; je kunt in plaats daarvan voor straf kiezen, dat ligt eraan.'

De regels bleken enigszins onduidelijk te zijn. Het hoofdprincipe was dat je een raadslid nooit mocht terugslaan. Dat leidde er onvoorwaardelijk en onmiddellijk toe dat je van school werd gestuurd. Maar als een raadslid je vroeg om schoenen te poetsen, naar de kiosk te gaan en dergelijke, dan kon het weigeren van een order alleen maar net zo behandeld worden als het weigeren van een order van een vierdeklasser. Wat Erik in dat geval bereikte was een positie waarin hij alle klusjes kon ontlopen, maar wel veel slaag zou krijgen.

Nadat het commando 'lichten uit' op de gang had geklonken, beken ze in het donker het probleem van alle kanten.

'Het is een verdomde zooi, Pierre, dat is het. Toen ik hier kwam had ik me heilig voorgenomen om trammelant te vermijden. Jij weet het niet en ik weet niet of ik zin heb om het jou te vertellen, maar op mijn oude school had ik veel te veel trammelant. Ik ben niet zoals jij, er is een verschil tussen ons – dat zal ik je uitleggen, maar je moet beloven dat je het aan niemand vertelt. Ik kan vechten. En dan bedoel ik niet een beetje, ik kan zo hard vechten, daar kun jij je geen voorstelling van maken. Nee, geloof maar niet dat het opschepperij is, ik ben er niet zo trots op als jij misschien denkt. Het is zo, dat ik mijn hele leven slaag, slaag en nog eens slaag heb gehad, althans zolang ik me kan herinneren. En als dat het geval is, dan weet je beter dan wie ook dat daar nooit een einde aan komt. Het begint ermee dat je de sterkste van de klas wordt. Als je dan de sterkste van de klas bent, moet je af en toe worden uitgedaagd door anderen die de titel willen overnemen. Vervolgens komen er lui uit andere klassen die willen uitproberen wie het sterkst is

van iedereen die in de vierde zit en dan moet je uitproberen wie het sterkst is van de onderbouw en vervolgens is het einde zoek. Ik dacht dat het mogelijk was om daar vanaf te komen. Ik ben niet bang voor een pak slaag, zoals jij, ik kan veel slaag verduren, veel meer dan anderen. Maar ik ben bang om in zo'n situatie te belanden, waarin ik steeds moet terugslaan. In zekere zin ben ik net als jij. Ik geloof ook dat wat je met je hoofd doet het belangrijkst is in de wereld en dat slaag alleen maar schadelijk is. Daarmee beschadig je ook jezelf, geloof ik. Dat je anderen beschadigt spreekt immers vanzelf, maar een gescheurde lip heelt weer en een blauw oog gaat wel over. Maar je maakt er geen vrienden mee en je beschadigt jezelf. Iedereen wordt bang voor je en gaat vals spelen.'

'Maar Erik, dat kun jij gemakkelijk zeggen – jij die terug kunt slaan, jij die bijna even groot bent als de tweedeklassers. Maar denk je eens in dat jij zoals mij was – zoals ik, bedoel ik – en nooit zou kunnen terugslaan. Natuurlijk is het niet moeilijk om in te zien dat de school en de toekomstige studie het belangrijkst zijn, ik bedoel dat het intellectuele leven pas echt waarde heeft. Maar geloof je niet dat ik heel vaak zou willen dat ik zoals jij was? Stel je voor dat je kon terugslaan, stel je voor dat je hun verdomd gemene orders om hun bed op te maken, sigaretten voor hen te kopen en dat soort dingen zou durven weigeren. Maar als je niet kunt vechten, wat moet je dan? Dan kun je doen zoals Arne in onze klas, die de clown uithangt en zich aanstelt en een prachtig circusnummer ten beste geeft zodra hij een pepper krijgt, zodat iedereen in de eetzaal in een deuk ligt. Dat doet hij om zich te verdedigen, dat is begrijpelijk. Je moet je op een of andere manier verdedigen, hoewel ik daar altijd moeite mee heb. En wanneer je je niet kunt verdedigen, word je zo iemand die door iedereen wordt uitgelachen en trek je nog meer geweld aan. Het is alsof je een magneet voor geweld bent geworden. En als je zegt dat je er geen vrienden mee maakt, dan klinkt dat in zekere zin niet normaal. Wie denk je dat er bevriend wil zijn met iemand die dik en belachelijk is en jankt als een klein kind bij het minste of geringste pak slaag? Hoe vaak dacht je dat iemand zoals ik wenste dat hij met jou kon ruilen, dat ik op een of andere manier jou kon zijn, terwijl ik natuurlijk toch mezelf blijf.'

'Maar Pierre, het is toch op zijn minst goed om weerstand te bieden?'

'Jawel, dat is duidelijk. Hun systeem is wreed en zij zijn gemeen en als we volwassen zijn, zullen jij en ik die lui waarschijnlijk met heel andere middelen bestrijden. Natuurlijk is het goed.'

'Denk je dat je zonder geweld verzet zou kunnen bieden?'

'Ik geloof het wel. Of in elk geval wil ik dat geloven.'

'Ik wil het ook geloven. Zullen we gaan slapen?'

'Ja, welterusten.'

'Slaap je, Pierre?'

'Ja, bijna.'

'Ik wilde alleen maar zeggen dat jij mijn kameraad bent.'

'Jij bent ook mijn kameraad, Erik. Jij bent de enige kameraad die ik ooit hier op school heb gehad.'

~

Het gerucht over het zware vonnis verspreidde zich in minder dan een dag over de hele school. Het was op zowel verwachte als onverwachte manieren te merken. Dat af en toe een vierdeklasser een halfhartige order voor een boodschap of klusje zou schreeuwen en daarna zou dreigen met aangifte bij de raad wegens insubordinatie sprak bijna vanzelf. Maar het verbaasde hem dat hij ook van lui uit de onderbouw schimpscheuten en gefoeter over nieuw-brutaal hoorde. Normaal gesproken zouden leerlingen die zelf peppers en spottend uitgedeelde opdrachten kregen het toch weten te waarderen als iemand weigerde. Maar op Stjärnsberg was er veel dat niet normaal functioneerde. Stjärnsberg was een soort wereld naast de wereld, waar je niet precies wist wat je eigenlijk zag. Stjärnsberg had zijn eigen wetten en zijn eigen regels en zijn eigen moraal.

Moraal was in elk geval een woord dat zowel de oude predikant als de rector vaak in de ochtendpreek verwerkte. Een knaap van Stjärnsberg werd zo opgevoed dat hij de wereld aankon en harder en meer gedisciplineerd was dan anderen. Je moest orders kunnen geven en in ontvangst nemen.

Dat was nodig voor de toekomst, wanneer knapen van Stjärnsberg de industrie en de krijgsmacht van het land zouden leiden.

Erik was op weg naar de eetzaal, lopend in de stroom leerlingen die de brede trap opging. Vlak bij het bordes waar de trap een kwartslag draaide, wrongen twee gymnasiasten zich aan beide kanten naast hem en gaven hem gelijktijdig een elleboogstoot. Hij smoorde snel zijn reflex om terug te slaan en stopte zodat ze zonder gedoe verder konden lopen. Maar toen ze zich omdraaiden, bleek dat ze eropuit waren om stennis te trappen.

'Zit je nu ook nog te duwen, brutale klootzak,' zei een van hen.

'Nee,' zei hij, 'jullie duwden mij opzij.'

'Mijn excuses,' zei de andere.

Iedereen die op de trap liep bleef staan, in stille afwachting van de gevolgen van deze aanvaring. Erik nam het tweetal in zich op. Ze waren geen van beiden raadsleden, dus hij hoefde hun orders niet op te volgen en ook zou hij niet veroordeeld kunnen worden tot dwangarbeid omdat hij weigerde zijn verontschuldigingen aan te bieden. Maar het was natuurlijk hun bedoeling dat hij zou weigeren zijn excuses aan te bieden.

'Jullie stootten mij aan, dus als er iemand zijn verontschuldigingen moet aanbieden, dan zijn jullie het,' antwoordde hij en deed alsof hij zich langs hen wilde wringen om door te lopen naar de eetzaal.

Een van hen pakte hem bij de arm, maar haalde vreemd genoeg niet naar hem uit. Uit de gespannen stilte rondom hem bleek dat er toch iets gaande was.

'Je bent bij dezen uitgedaagd. We zien elkaar om acht uur in de ruit, stipt een uur na het avondeten,' zei de langste.

De omstanders juichten en lachten.

'Heb je dat begrepen, kleine rat, om acht uur zien we elkaar in de ruit,' zei de andere plechtig.

'Oké,' zei Erik en wrong zich verder de trap op naar de eetzaal, waar hij ging zitten op zijn plaats aan het uiteinde van de derde lange tafel.

Er heerste een vreemde stemming tijdens het eten. Aan de verste tafel in de eetzaal werd een liedje gezongen, waarvan hij de rijmwoorden 'rat, een uur of acht, ruitje pets, geen geklets' verstond.

Hij zat tussen vier of vijf andere onderbouwleerlingen, maar geen van hen zat bij hem in de klas. Ze fluisterden opgewonden over de ruit en loerden naar hem tot een van hen vroeg of hij misschien naar de ruit moest.

'Mmm,' zei hij, 'twee snuiters uit de derde klas stootten me aan op de trap en zeiden vervolgens dat we om acht uur bij de ruit moesten zijn. Kunnen jullie me uitleggen wat dat inhoudt, dat met die ruit? Ik ben immers nieuw hier, dus ik heb geen idee.'

Opgewonden begonnen ze het uit te leggen, terwijl ze allemaal door elkaar praatten.

De ruit was een plek achter de keuken, waar je dingen kon uitvechten. Als twee kerels absoluut wilden vechten, dan konden ze dat daar doen, aangezien de ruit de enige plaats was waar ook anderen dan alleen raadsleden en vierdeklassers mochten vechten. Maar derdeklassers die geen raadslid waren hadden de speciale traditie om nieuwe en brutale leerlingen in de ruit in elkaar te slaan. Het ging zo: de nieuwe-brutale kreeg een uitdaging en een tijdstip, gewoonlijk om acht uur na het avondeten. Dan kreeg hij een pak rammel tot hij op zijn knieën uit de ruit kroop en om genade smeekte. In de ruit was alles toegestaan en in dergelijke gevallen ging het altijd om twee gymnasiasten tegen één onderbouwleerling. Aangezien niemand in de onderbouw een schijn van kans had tegen twee derdeklassers eindigde het altijd op dezelfde manier. Maar de vraag was hoe lang de nieuwe-brutale zich kon handhaven voordat hij uit de ruit kroop. Sommigen kropen vrijwel meteen naar buiten, anderen konden vrij veel slaag verduren voordat ze eruit kropen. Maar als je er meteen uit kroop, werd je uitgejouwd en nog maanden lang gepest. Een paar jaar geleden was er een jongen – hij zat nu in de tweede klas – die het had uitgehouden tot hij niets meer kon zien, omdat zijn beide ogen dichtgetimmerd waren. Iets dergelijks moest je respecteren, dat was een jongen die heel wat aankon.

'Wat gebeurt er als je niet deelneemt?' vroeg Erik zich af.

Ze werden bijna schamper. Je móest deelnemen. Hoeveel slaag je ook zou krijgen, je moest deelnemen. Anders werd je de rest van je schooltijd voor 'rat' uitgemaakt. Iedereen zou je 'rat' noemen en uiteindelijk deden zelfs de leraren daaraan mee. Een jongen uit de vierde klas werd nog steeds 'rat' genoemd, hoewel hij ten tijde van het voorval in de onderbouw had gezeten. Maar hij was de enige 'rat' op de hele school.

'Aha, maar je mag dus terugslaan?'

Ja, natuurlijk mocht dat. In de ruit was alles toegestaan, daar golden geen regels. En zolang degenen die iets uit te vechten hadden zich in de ruit bevonden, mocht niemand uit het publiek – gewoonlijk kwam vrijwel de hele school kijken als er een nieuw-brutaaltje in elkaar werd geslagen – mocht dus niemand uit het publiek ingrijpen. Niemand mocht een voet binnen de ruit zetten zolang het gevecht gaande was, ongeacht wat er gebeurde.

'Maar dan kunnen de jongens elkaar toch ernstig toetakelen?'

Ja, ja, dat was wel duidelijk, ha, ha. Zijn gezicht zou er na afloop niet al te fraai uitzien. De ziekenzuster werd altijd vooraf geïnformeerd. Dan ging ze naar de ziekenzaal en wachtte of er iets gehecht moest worden.

'Met andere woorden: de leraren grijpen ook niet in?'

Nee hoor. Als het gerucht zich door de eetzaal verspreidde dat een nieuw-brutaaltje in de ruit in elkaar moest worden geslagen, zorgden alle leraren ervoor dat ze op tijd thuis waren. Dan deden ze de deur dicht en zetten de radio aan of wat ze ook maar deden. Ze mochten zich er absoluut niet mee bemoeien, dat zou immers in strijd zijn met de traditie van de school op het gebied van de kameradenopvoeding.

'Is het wel eens gebeurd dat iemand uit de onderbouw zo'n gevecht heeft gewonnen?'

Nee, natuurlijk niet. Die derdeklassers waren veel groter en bovendien was het twee tegen een. Het was niet de bedoeling dat je zou winnen, het was de bedoeling om zoveel mogelijk slaag te verduren, zodat je niet de rest van je schooltijd voor 'rat' zou worden uitgemaakt.

'En als iemand nu zo ernstig gewond raakt dat de zuster het niet meer aan elkaar kan naaien?'

Ja, het was wel voorgekomen dat er een taxi moest worden geregeld om iemand naar het ziekenhuis van een van de steden in de buurt te brengen. En daarna waren er nog wat tanden en zo geweest, die naderhand gerepareerd moesten worden. Maar de zuster kon goed hechten, dus meestal redde ze het wel.

'Wat gebeurt er als je niet uit de ruit kruipt? Ik bedoel als ze slaan tot je bewusteloos bent of zo, maar weigert uit de ruit te kruipen?'

Daar hadden ze niet direct een antwoord op. Het was dan ook nog nooit voorgekomen. Deze twee jongens waren al in de tweede klas begonnen met die sport en op dit moment hadden ze al zo'n zeven of acht man in elkaar geslagen. Ze sloegen om beurten tot het allemaal voorbij was.

'Om beurten? Vallen ze je niet gelijktijdig aan?'

Nee, ze deden het om beurten. Ze gingen zachtjes van start en gaandeweg lieten ze de kracht van de slagen toenemen. Dat vonden ze leuk en het publiek moest toch ook waar voor zijn geld krijgen. Gewoonlijk werd het tegen het einde pas echt menens.

Zwijgend nam Erik de situatie in overweging. Niet deelnemen hield in dat hij twee jaar lang door iedereen veracht zou worden en die afschuwelijke scheldnaam zou krijgen. De scheldnaam, die voorgoed aan hem zou blijven kleven, wat hij ook zou doen om er vanaf te komen. Hij moest deelnemen.

Na het tafelgebed en de afmars zocht hij Pierre op.

'Kom, Pierre, ik wil dat je me de ruit laat zien.'

'Verdomme, Erik, ik dacht al dat het om jou ging. Je had moeten horen waar het gesprek over ging bij mij aan tafel. Wat een rotsysteem is het ook...'

'Ja, ja, maar het komende halfuur heb ik je hulp nodig, ik heb echt je hulp nodig, Pierre, kom op, laat me die ruit zien.'

Ze liepen achter de keuken langs. Op de binnenplaats bevonden zich de ingegraven olietanks, vijf bij zes meter groot en bedekt met een cementdak. Het cementdak van de olietanks stak ongeveer drie decimeter boven de grond uit. Dat was de ruit.

Aan de ene kant van de ruit was een vlakte met grind tot aan het keukengebouw. Dat waren de eersterangs plaatsen waar de raad en de vierdeklassers moesten staan. Erboven was een rij ramen. Daar woonden de Finse serveersters, die gewoonlijk uit de ramen hingen en applaudisseerden en degene die onder lag aanmoedigden. Aan de andere kant van de ruit was een talud met gras dat zo'n tien meter omhoogliep. Daar moest de onderbouw staan. De gymnasiasten moesten op gelijke hoogte met de ruit staan aan de kant die uitkeek op de enige weg van en naar het plein. Op weg naar de ruit moest je dus tussen de gymnasiasten doorlopen.

Erik ging naar de ruit en liep een paar rondjes. De ondergrond was stabiel en egaal, maar in een van de hoeken was een rond cementdeksel met twee stalen handvatten die omhoogstaken. Dat deksel werd kennelijk opgetild wanneer er olie moest worden bijgevuld. Het was een gevaarlijke hoek, want je zou gemakkelijk over zowel het deksel als de stalen handvatten kunnen struikelen. Erik likte aan zijn hand, boog zich vooraver en streek over de ondergrond. Die was hard en ruw, maar er bleef een groot aantal losse cementkorrels aan zijn handpalm kleven. Het was een zeer onaangename ondergrond, schaafwonden aan ellebogen en wangen zouden ernstig ontstoken raken en nog weken lang zweren en etteren.

'Oké, Pierre, ik heb het gezien. Kom, we gaan terug naar onze kamer, dan kun je mij vertellen hoe het er gewoonlijk aan toe gaat.'

Pierre huilde bijna toen ze samen terugliepen naar de kamer in Cassiopeia.

'Verdomme, Erik, je hebt geen idee wat ze van plan zijn.'

'Tja, ik vermoed het wel, maar ik *weet* het niet. Je moet me vertellen hoe die twee knullen vechten, dat heb je vast wel eens gezien.'

Pierre vertelde aarzelend en met weinig details. Het begon allemaal als een spelletje. De hele school stond leuzen te roepen en te lachen. Maar daarna werd het steeds harder en degenen die uit de ruit kropen bloedden altijd, bijna altijd.

'Maar, Pierre, dit is ernst, je *moet* mij helpen. *Hoe* vechten ze? Schoppen ze, slaan ze met hun vuisten of met de zijkant van de hand, vallen ze allebei tegelijk aan of doen ze dat op een of andere manier om beurten, richten ze op je gezicht of je lijf, schoppen ze in je kruis? Vertel op, dat is belangrijk, Pierre!'

Ze zaten op hun kamer en Erik koos kleren uit, terwijl hij het ene na het andere detail uit Pierre probeerde te trekken. Pierres mededelingen waren echter niet concreet. Hij bleef maar stug doorpraten over de gevoelsmatige beleving, omdat hij kennelijk te weinig van geweld af wist om het verloop van het gevecht te kunnen analyseren.

Erik woog zijn voetbalschoenen op de hand. Hij zou een tang kunnen pakken en de noppen eraf kunnen knippen. Dan zou hij hard kunnen trappen en bovendien zouden zijn enkels beschermd zijn tegen schaven over de cementlaag als hij onder kwam te liggen. Maar de gladde zool van hard plastic zou geen goede grip geven. De losse zandkorrels op de cementondergrond zouden als wieltjes fungeren, waardoor je voeten bij een snelle beweging alle kanten op zouden schieten. En mocht je uitglijden en onder de twee zwaardere jongens terechtkomen, dan was het ten eerste al een ramp om je überhaupt aan hun greep te ontworstelen en weer op de been te komen en als je daar al in slaagde, zou je schaafwonden over je hele gezicht hebben. En als je te hevig bloedde, bijvoorbeeld uit je wenkbrauwen, dan zou ook nog eens je zicht rampzalig slecht worden. De voetbalschoenen waren dus niet bruikbaar. Hij koos voor zijn gymschoenen.

En voor zijn spijkerbroek. Die spijkerbroek was soepel en zat als gegoten, zodat hij veel bewegingsvrijheid had. Niet zoveel als met een trainingsbroek, maar het zachte, slappe materiaal van een trainingsbroek was niet goed omdat het houvast gaf. Om dezelfde reden trok hij de riem uit zijn spijkerbroek. Als je tegen twee tegenstanders tegelijk vecht, is het heel belangrijk dat de een geen houvast kan krijgen, waardoor de ander vrij spel krijgt om te slaan of te trappen. Spijkerbroek en gymschoenen, de schoenveters moesten goed vastgeknoopt worden. Geen losse eindjes.

Het lastigste probleem was de kleding voor je bovenlijf. Het beste zou een shirt met lange mouwen zijn, dat voldoende strak zat om geen houvast te bieden, maar je tegelijkertijd niet in je bewegingsvrijheid belemmerde. Een slap trainingsjack zou je ellebogen beschermen als je op het cement viel of die jongens bovenop je kreeg, maar het zou tegelijk houvast bieden. Pierres maat was niet aan de orde en zelf had hij geen jack dat paste. Het werd een strak wit T-shirt met korte mouwen. Een rood T-shirt was nog beter geweest, omdat bloed zo goed zichtbaar is op wit. Maar hij had alleen een wit shirt. Wel riskeerde hij nu verwondingen aan zijn ellebogen, maar aan de andere kant had hij zo volledige bewegings-vrijheid voor zijn armen en geen losse kleding waaraan iemand hem vast kon grijpen. Toen was hij aangekleed.

Hij liep naar de spiegel en keek zichzelf diep in de ogen. Trok zijn lippen op en bekeek zijn tanden. Pierre zat stil op zijn bed met zijn benen onder zich getrokken.

'Trappen ze degene die onder ligt in hun gezicht,' vroeg Erik zonder zijn blik af te wenden van het spiegelbeeld van zijn tanden.

'Ik weet het niet, ik geloof het niet. Hoewel er vorig jaar een jongen was die naar de tandarts moest om een stifttand te laten plaatsen.'

'Eén stifttand. Of twee stifttanden?'

Hij liep naar zijn bed en zat zwijgend voorovergebogen en bekeek zijn handen met de nog steeds zichtbare witte littekens. Was het zijn straf die hij tegemoet ging? Zou hij nu en de komende jaren alles terugbetaald krijgen wat hij anderen had aangedaan? Hij keek op de klok. Nog een halfuur. Pierre zat doodstil met een strakke gezichtsuitdrukking alsof hij zich met veel moeite beheerste.

'Pierre, mijn zuidelijke vriendje van het niet-Germaanse neustype... Trouwens, misschien ziet mijn neus er over een uur net zo uit als de jouwe. En weet je, je hebt het misschien niet begrepen, maar het is helemaal niet zeker dat ik ga verliezen. Ik zou ook kunnen winnen.'

'Hoe groot is die kans?'

'Ik weet het niet. Eerlijk gezegd weet ik helemaal niets. Ik heb die jongens niet zien vechten en jij kon hun techniek niet precies voor mij beschrijven. Als ik ze een keer had zien vechten, dan zou ik het exact weten. Nu weet ik alleen maar dat ze met z'n tweeën zijn, dat een van hen iets minder lijkt te wegen dan ikzelf en dat de ander meer weegt. Dat is alles wat ik weet.'

'Maar zelfs als je wint zul je keer op keer door nieuwe derdeklassers worden uitgedaagd, net zolang tot zij winnen. En hoe meer je er daarvoor hebt verslagen, hoe erger het wordt als je dan verliest.'

'Jij bent nog niet zo dom, Pierre. Hoewel je weinig van vechten afweet, begrijp je andere dingen, omdat je intelligent bent.'

'Jij bent ook intelligent en toch ben je met dit soort dingen bezig.'

'Wat moet ik dan doen? Wat zou jij doen?'

'Ik zou erheen gaan en verliezen en uitgescholden worden en hopelijk daarna de dans ontspringen. Ze nemen niet twee keer achter elkaar dezelfde te pakken.'

'Nee, maar er is iets wat je niet weet, iets wat je niet kunt weten. Verlies ik, dan zie ik er verschrikkelijk uit en niet meer dan dat. Ik weet alleen zeker dat ik niet uit de ruit zal kruipen, dat is het enige wat ik weet. Maar als ik win, kan ik dat doen op een manier dat ze me nooit meer te pakken nemen.'

'Dat geloof ik niet. Ze zullen net zolang revanche proberen te nemen tot ze daarin slagen.'

'Dat ligt eraan. Ik zou ze zo kunnen bezeren dat het publiek bijna over zijn nek gaat. Dat wil zeggen als ik win, dan kan ik dat doen. Verlies ik, dan zullen ze gedwongen zijn me te slaan tot ik me niet meer kan bewegen. Er zitten twee kanten aan pijn: enerzijds is het belangrijk te begrijpen dat het het pijn doet, en anderzijds is er de angst. Daar weet ik meer van dan de jongens met wie ik moet vechten. Dat is bijna het enige wat ik van hen weet.'

'Je bent niet goed wijs, Erik, hoe ben je zo geworden?'

'In de ruit, Pierre, in die rotruit waarvan je zei dat zelfs jij genoodzaakt zou zijn erheen te gaan, daar is geweld immers het enige wat telt. Daar kun je jezelf niet vrijpleiten, daar kom je er niet met een A-beoordeling voor vier vakken of wat voor cijfers jij ook maar hebt.'

'Maar het is in elk geval akelig. Ik hoop voor je dat het goed gaat.'

'Ik wil dat je komt kijken, Pierre.'

'Dat wil ik niet.'

'Omdat je bang bent dat ik zal verliezen?'

'Eerlijk gezegd, ja.'

'Misschien verlies ik, Pierre, maar ik wil in elk geval dat je komt, want ik wil weten dat er ten minste één gozer bij zit die voor mij is. Begrijp je?'

'Nee. Ik ben voor jou, maar ik wil niet toekijken.'

'Je bent mijn enige vriend hier, je bent misschien de enige op de hele school die wil dat ik win. Beloof me dat je komt, beloof me dat.'

'Ik beloof het.'

'Erewoord?'

'Erewoord.'

'Dan zien we elkaar over een kwartier. Ik ga even een stukje lopen om me goed te kunnen concentreren. Tot zo.'

'Tot ziens, Erik. En veel succes.'

Hij jogde zachtjes over de grindweg die van Stjärnsberg naar een paar dorpjes leidde en verder naar Stockholm. Af en toe stopte hij en strekte zijn armen boven zijn hoofd en naar de grond, maakte een paar zijwaartse sprongetjes en trok zijn knieën een paar maal hoog op. Nog zeven minuten.

Was alles al vanaf het begin onmogelijk geweest? Was het zijn eigen schuld, had hij het kunnen voorkomen, had hij zo iemand als Pierre kunnen zijn, die naar de ruit was gegaan om zo snel mogelijk te verliezen, zo iemand die een loopjongen van de vierdeklassers was en trammelant uit de weg ging? Nu was alles mislukt, al zijn mooie plannen waren de mist ingegaan, want zo meteen moest hij vechten en niet zomaar een beetje, niet zomaar een draai om de oren en daarmee was het opgelost. Hij zou vechten op volle kracht en hij was niet eens kwaad. Het was absoluut geen nachtmerrie; hij voelde zijn hart kloppen, zijn polsslag was verhoogd en hij zoog veel lucht in zijn longen. Hij balde zijn vuisten en hield ze voor zijn ogen. Het was allemaal werkelijkheid. Er was geen weg terug, over vier minuten moest hij bij de ruit zijn. Hij kon niet vluchten van Stjärnsberg aangezien dit de enige school voor hem was. Het was alsof dit zijn land was en er oorlog was en er geen andere uitweg was dan vechten tegen de bezetters.

Hij moest. Niet alleen omdat het noodzakelijk was, maar toch zeker ook omdat het goed was? Was het niet goed dat die fatjes eens op verzet stuitten? Zouden ze er niet mee ophouden als ze een pak slaag kregen? Het was immers toch heel goed mogelijk dat hij won? En zou de onderbouw daar niet mee gediend zijn? Oké, hij zou niet alleen de ruit binnenstappen om te laten zien dat hij veel slaag kon verduren. Hij ging om te winnen.

Hij jogde naar het gebouw van de eetzaal en toen hij nog zo'n honderd meter te gaan had, ging hij gewoon lopen. Vanuit de kuil achter de eetzaal waar de ruit was, klonk geschreeuw en gezang. Er leken veel mensen te zijn.

Toen hij aankwam zag alles eruit zoals Pierre had beschreven. De serveersters hingen uit de ramen. De vierdeklassers en de raadsleden stonden op de mooiste plaatsen en de grashelling aan de andere kant werd vrijwel geheel in beslag genomen door de onderbouw. Hij zocht Pierres gezicht en ontdekte hem helemaal achteraan. In een opwelling baande hij zich een weg omhoog door het boe roepende en honende onderbouwpubliek tot hij voor Pierre stond.

'Hier,' zei hij, en deed zijn horloge af, 'wil jij dit voor mij bewaren?'

Toen draaide hij zich om en liep de helling af naar de ruit. Toen hij daar bijna was, kwam een van de raadsleden hem tegemoet met een staf met zilveren beslag.

'Hallo,' zei het raadslid, 'je bent in elk geval op tijd. Ik ben de ceremoniemeester en geef het startsein voor de wedstrijd. Blijf hier maar even wachten.'

Toen joeg hij Erik naar de rand van de betonplaat, zodat Erik met zijn rug naar het onderbouwpubliek stond. Zijn twee tegenstanders stonden pal tegenover hem met hun rug naar de gymnasiasten.

De ceremoniemeester stapte op de plaat en verzocht om stilte door zijn staf op te heffen. Het geschreeuw stierf bijna onmiddellijk weg en veranderde in een opgewonden geroezemoes.

'Ja,' schreeuwde de ceremoniemeester, 'we zijn hier voor een gevecht om de eer en ik zal de regels uitleggen. Geen van de toeschouwers heeft het recht de ruit te betreden, onder geen beding. Kom maar hier, Erik!'

Erik klom op de plaat en het hele publiek begroette hem met boegeroep en begon leuzen te roepen.

'Erik, ik sla je nu tot rat van Stjärnsberg,' ging de ceremoniemeester verder, en sloeg tweemaal met de zilveren staf op Eriks schouders.

Het gejuich zwol aan en een halve minuut lang klonken spreekkoren over de rat. Ondertussen bekeek Erik met leedvermaak en verbazing zijn twee tegenstanders. Beiden droegen ringen en horloges. Een van hen droeg zelfs een colbertje. Dacht hij werkelijk dat hij dat colbertje heel kon houden? Ze droegen lage schoenen en ten minste een van hen, die met het colbertje, had leren zolen. De jongen zonder colbert had een riem, een overhemd met lange mouwen, die met colbert had een pijp in de borstzak. Namen ze het geheel wel serieus?

'En dan hebben we nog onze twee strafprefecten!' brulde de ceremoniemeester en de tegenstanders klommen op de cementplaat, hieven als boksers hun armen op in een overwinningsgebaar en slingerden een paar vrolijke opmerkingen het publiek in, terwijl het gejuich aanzwol en de spreekkoren dat ze de rat op zijn bek moesten slaan een paar maal herhaald werden.

'Ik sla jullie hierbij tot strafprefecten,' ging de ceremoniemeester verder en sloeg met de zilveren staf op hun schouders, 'en ik moedig jullie aan om je van je opvoedingstaak te kwijten in de ware geest van Stjärnsberg. Wanneer ik de ruit verlaat, mag niemand die meer betreden en het gevecht duurt voort tot een van beide partijen er op zijn knieën uit kruipt. De strijd kan beginnen!'

Opnieuw zwol het gejuich aan en de ceremoniemeester stapte van de plaat af en ging vooraan tussen de vierdeklassers en raadsleden staan.

Eriks twee tegenstanders hieven hun handen in de verdedigingshouding en begonnen op hem toe te lopen. Erik hield zijn handen in de zakken en nam zijn tegenstanders in zich op. De langste en smalste zonder colbertje had een lange neus, waarvan het bot vlak onder de huid leek te liggen. De jongen in het colbertje was een beetje te dik rond zijn middel om zich snel te kunnen bewegen. Ze hielden hun handen in de verdedigingshouding alsof ze boksfoto's uit de jaren dertig waren, met de rechtervuist helemaal voor hun mond en de linkervuist recht vooruit gestrekt op dezelfde hoogte. Het zag er bespottelijk uit. Ze konden dus niet vechten. Dan moest het dus mogelijk zijn om hen bang te maken en te winnen. Hun angst lag waarschijnlijk vlak onder het oppervlak, dus je hoefde maar een klein laagje weg te schrapen. Natuurlijk werden ze een beetje onzeker van het feit dat Erik zich niet bewoog, maar met de handen in de zakken bleef staan. Ze kwamen iets dichterbij, maar waren nog steeds niet binnen bereik voor een slagenwisseling. Erik wachtte tot ze bijna binnen handbereik waren voordat hij zijn plan ten uitvoer bracht.

'Wacht eens even,' zei hij, 'ik heb recht op een toelichting van de regels door de ceremoniemeester voor we beginnen, dat is toch wel oké?'

Ja, dat was natuurlijk goed en de ceremoniemeester deed een paar stappen naar voren om toelichting te geven. Erik wachtte tot het geroezemoes wat verstomde.

'Moet ik deze jongens blijven slaan tot ze allebei de ruit uit kruipen of is het voldoende dat één van hen eruit kruipt?' vroeg hij. Het werd bijna stil, terwijl de ceremoniemeester aarzelde wat hij zou antwoorden.

'Eh... het gevecht duurt tot jij eruit kruipt of tot de beide strafprefecten dat doen.'

'Goed, dan heb ik nog een vraag,' vervolgde Erik en ging vervolgens steeds zachter praten om absolute stilte onder de toeschouwers te bewerkstelligen.

'Mag ik ze net zoveel bezeren als ik maar wil? Een arm breken of een neusbeen scheef slaan, bijvoorbeeld?'

Vanaf nu hield Erik zijn blik scherp op de strafprefecten gericht. Toen de ceremoniemeester zoals verwacht had herhaald dat alles was toegestaan en niemand in de ruit mocht komen, nam Erik snel het initiatief. Hij ging nog zachter praten en sprak met zijn tanden hard op elkaar geklemd, maar met duidelijke lipbewegingen, zodat zijn tanden zichtbaar zouden zijn.

'Jij daar, met die neus. Ik ga je neus zo ongeveer in het midden kapot slaan. Je kunt rekenen op een gescheurd overhemd en een kapotte broek en bovendien zul je snel met een taxi naar het ziekenhuis moeten.'

'En jij daar, dikkerdje, ben je links- of rechtshandig?'

'Rechtshandig,' antwoordde de strafprefect met precies de toenemende onzekerheid in zijn stem die Erik verwacht had.

'Mooi zo. Dan zal ik je linkerarm breken bij de elleboog. Begrijpen jullie wat ik zeg?'

Ze grijnsden een beetje nerveus en bewogen hun belachelijke dekking, terwijl ze tegelijk een aarzelende stap naar voren deden zodat ze binnen handbereik kwamen. Erik overwoog of hij de tactiek nog verder zou doorvoeren en de strafprefecten eventueel eerst zou aanbieden dat ze op hun knieën konden gaan liggen om weg te kruipen, nog voor het gevecht was begonnen. Maar dat zou natuurlijk een onzinnig voorstel zijn en als het tot zwijgen gebrachte publiek te hard lachte, zou de stemming kunnen omslaan en het was niet goed als de stemming omsloeg.

Het rechtshandige dikkerdje stond rechts, een stukje achter de lange met de neus. Na een snelle stap vooruit zou hij de lange gemakkelijk met een linkse hoek kunnen raken, maar hij zou er amper in slagen om hem een zuivere treffer op de neus te geven, dus dat zou nergens goed voor zijn. Erik boorde zijn blik in de jongen met de neus en trok langzaam zijn handen uit de zakken, zo langzaam dat ze gefascineerd zouden raken door de beweging in plaats van in de aanval te gaan, aangezien ze niet konden vechten. Nu had hij ze klem gezet. Nu moest het lukken.

Tijdens die langzame handbeweging deed hij plotseling een dubbele stap naar voren en trof de dikkerd met een lange schop in het onderlijf – hij voelde dat de treffer vrijwel perfect was – en in het vervolg van de voorwaartse beweging draaide hij net als bij discuswerpen om kracht te kunnen zetten wanneer hij zijn rechterelleboog naar voren zou laten schieten, om met een opwaartse stoot het gezicht van de lange te raken. (Hij hield zijn linkerhand rond zijn rechtervuist om met maximale kracht te kunnen treffen.) De kracht van de treffer sloeg natuurlijk de oubollige bescherming weg en met de rug schuin naar de lange toe voelde hij hoe het kraakte tegen zijn elleboog toen hij de roterende beweging afsloot.

Toen stapte hij terug in zijn uitgangspositie om het vervolg te beoordelen. De dikke stond kermend voorovergebogen en de lange was in zijn volle lengte achterover geslingerd. Maar Erik had hem te laag geraakt met zijn elleboog, op de mond in plaats van op de neus. Zijn el-

94

leboog gloeide en hij begreep dat er tandafdrukken in zaten. Het enige wat hoorbaar was uit het publiek was wat gejuich en applaus van boven-af, van de Finse serveersters op de eerste rij.

Het was dus maar voor de helft gelukt. Hij moest snel verdergaan. De lange zou niet zo snel weer op de been zijn, hij was bij bewustzijn, maar verkeerde duidelijk in shocktoestand en voelde met zijn ene hand over zijn mond. De dikke daarentegen was bezig op verhaal te komen. De dikke was dus het eerst aan de beurt.

Hij rende naar voren en sloeg een paar slagen van onderaf tegen het gezicht van de dikke om de tegenstander op te richten en een wat groter raakvlak te krijgen. Toen een paar slagen tegen de buik, zodat hij terug-deinsde en ineenkromp en er tijd over zou zijn om de neus van de lange, die inmiddels bezig was overeind te komen, aan gruzelementen te slaan. Het zou het snelst en gemakkelijkst zijn om tegen de neus te schoppen, maar dat was uit psychologisch oogpunt niet juist als hij werkelijk wil-de dat dit zijn laatste gevecht met strafprefecten in de ruit zou zijn. Het moest gebeuren op een manier die eigenlijk nog erger was.

Hij liep op de lange toe, greep hem bij zijn haar en sloeg hem met vol-doende kracht achterover om zijn achterhoofd tegen de cementvloer te laten slaan. Toen ging hij zitten met zijn knie op de linkerarm van de lan-ge en keek een ogenblik in de verschrikte ogen. De bovenlip was bijna tot aan de neusgaten opengesprongen. Het bloed stroomde eruit.

'We zeiden toch neus, dat was toch wat ik je beloofde,' zei hij zo hard dat zelfs de achterste onderbouwleerling het kon horen. Toen sloeg hij met de zijkant van zijn hand met volle kracht precies op de neuswortel van de liggende jongen. Het voelde bijna alsof de zijkant van zijn hand tot op het jukbeen door het knersende kraakbeen sneed. Daarna liep er natuurlijk een stroom bloed over het gezicht van de lange.

Erik liep terug naar het midden van de plaat en wachtte tot de lange opkrabbelde in de houding waarin hij redelijkerwijs zou moeten opkrab-belen. Op zijn knieën.

'Het is goed dat je al op je knieën zit. Nu wil ik dat je hiervandaan kruipt, voordat er iets ergers gebeurt.'

Erik voelde dat er bloed langs zijn rechteronderarm liep. Hij moest een diepe jaap van de voortanden van die kerel hebben gekregen. De pijn en de stijfheid zouden in elk geval nog een tijdje op zich laten wachten, dus hij kon zich voorlopig als ongedeerd beschouwen.

'Kruip! Hoorde je niet dat je moet kruipen!'

Erik kwam langzaam, bewust langzaam, dichterbij de knielende, ge-schokt snotterende strafprefect. (Wat zou hij in godsnaam moeten doen als de kerel niet het benul had om de ruit uit te kruipen?) Hij kwam nog een stap dichterbij en zag tegelijkertijd uit zijn ooghoek dat de dikke weer bijna op de been was. Nu was er haast geboden.

'Kruip! Voor de laatste keer: kruip, voordat ik ook jouw arm breek!'

Toen kroop de jongen weg en liet zich omlaag glijden op de grond buiten de ruit. Hij huilde omdat de shock wellicht begon weg te trek-ken, vanwege de vernedering en misschien omdat het hem begon te da-gen dat hij zowel een aantal tanden als een neusbeen miste. Enkele klas-genoten kwamen naar voren, trokken hem overeind en begonnen hem weg te slepen van het plein.

Erik draaide zich om naar de dikke en stak de handen in de zakken, terwijl hij het resultaat van zijn treffer bestudeerde. Tot dusver zou hij er met een blauw oog vanaf komen. Maar nu was het de vraag of hij wer-kelijk de arm van de jongen moest breken. Het ellebooggewricht is taai en hard en bovendien zou de pijn zo ondraaglijk worden dat de jongen waarschijnlijk brullend van z'n stokje zou gaan. Was het echt waar dat ze zelfs dan niet zouden ingrijpen? Je kon je voorstellen dat je deed alsof je het dreigement uitvoerde en hem net zolang liet brullen en janken tot ze het niet meer uithielden en de ruit in renden om het gevecht te beëindi-gen. Maar de jongen was zo bang dat hij bijna beefde, dus misschien was er een betere manier.

'Hm,' zei Erik met gespeelde zachtheid, 'nu ben jij aan de beurt. Die arm zouden we breken bij het linkerellebooggewricht, hè, dat hadden we toch afgesproken?'

Hij wachtte een ogenblik voor hij verder ging. Er was ongeveer drie meter tussen hen, een goede afstand voor het vervolg.

'Antwoord eens, dat hadden we toch afgesproken? Linkerarm, omdat je rechtshandig bent?'

Geen antwoord. De schrik sloeg toe, je kon het zien in de ogen van de strafprefect; zijn blik dwaalde wat af naar de raadsleden en vierdeklas-sers. Erik wilde hem in de ogen blijven kijken, maar zover hij het uit zijn ooghoek kon zien, stonden alle raadsleden doodstil. Waren ze zo wreed dat ze dit echt wilden zien?

'Antwoord me, ben je rechtshandig? Ga trouwens eerst eens gewoon staan. Nou!'

'Jaa...' antwoordde de jongen met een stem die brak.

Dat was uitstekend.

'Het gaat pijn doen, zoveel pijn dat je je er niet eens een voorstelling van kunt maken. Je zult gillen als een speenvarken, de hele school zal het horen en denken dat we hier een varken aan het slachten zijn. Je begrijpt misschien niet hoeveel pijn het zal doen?'

Erik kwam een stap dichterbij, nog steeds met de handen in de zakken. Nog altijd zelfs geen poging tot ingrijpen door het volkomen stille, ontzettend stille publiek.

'Maar als je naar het ziekenhuis wordt gebracht ben je buiten bewustzijn en daarna verdoven ze je voordat ze gaan opereren.'

Langzaam kwam Erik nog een stapje dichterbij. De afstand was twee meter. Spoedig zou hij zich binnen handbereik bevinden. Met de handen in de zakken nodigde hij uit tot een stierengevecht. Dat moest hij met één schop kunnen stoppen en dan kon je opnieuw beginnen. Maar liever geen stierengevecht, de jongen moest uitgeschakeld blijven.

'Misschien zul je die arm nooit meer goed kunnen gebruiken, ik weet niet hoe goed de chirurgen in Katrineholm zijn. Weet jij dat? Antwoord jochie, hebben ze goede of slechte chirurgen in Katrineholm!'

De schrik in zijn ogen nam toe. Geen aanwijzing, niet het minste trekje dat erop duidde dat hij in de aanval zou gaan. Het was tijd om de curve naar beneden om te buigen, hij zou niet meer verdragen zonder te gaan vechten en dan werd het allemaal onvermijdelijk.

'Maar je krijgt een kans, een laatste kans. Wil je die hebben?'

Nu moest die rotzak in elk geval antwoorden.

'Wil je een laatste kans hebben, hoor je wat ik zeg?!'

Hierop moest het antwoord wel 'ja' zijn.

'Jaa...'

'Oké, we kunnen het volgende doen.'

Erik zette nog een stap. Nu was hij binnen aanvalsbereik. Hij moest omhoogkijken.

'Ga op je knieën liggen en kruip weg.'

Gemompel onder het publiek dat muisstil was geweest, in bloeddorstige afwachting of het ongehoorde werkelijk zou gebeuren.

'Ga op je knieën liggen en kruip weg, ik tel tot...'

Erik dacht na. Drie zou te kort zijn.

'... ik tel tot tien. Voor ik bij tien ben moet je uit de ruit zijn, dit is absoluut je laatste kans. Begrijp je wat ik zeg?'

'Jaa... klootzak...'

Het huilen stond hem nader dan het lachen. Niet goed. Het betekende dat de temperatuur van de angst aan het dalen was, zodat er in elk geval een wanhopige tegenaanval zou komen. Wat moest hij in dat geval doen? Langzame systematische mishandeling van een strafprefect was niet langer verdedigbaar en dan ook nog een 'laatste kans'. Maar als hij niet...

'Ik begin nu te tellen. *Een...*'

Toen begonnen die verdomde spreekkoren. Het publiek spoorde de strafprefect aan om niet laf te zijn, om zich niet als een rat te gedragen, ze hoonden hem en dreigden hem rat te noemen. Vermoedelijk omdat ze wilden zien hoe zijn arm werd gebroken.

'*Twee...*'

De opwinding nam toe. Er was toch niemand die dacht dat de dikkerd nu zou winnen? Hoe zou de dikkerd zich in zijn eentje kunnen wreken voor wat er gebeurd was, hoe zou hij alleen een lang, hard gevecht kunnen winnen tegen iemand die kleiner maar sterker en sneller was en bovendien alles kon wat hij niet kon?

'*Drie...*'

De dikkerd weifelde en keek om zich heen. Erik strekte met een tergend langzaam gebaar zijn handen voor zich uit, vlocht de vingers in elkaar en rekte zich als het ware slaapdronken uit, zodat zijn vingers kraakten.

'*Vier...*'

Het gescheld onder de gymnasiasten werd luider, dat van de onderbouw was weggestorven. De vierdeklassers en raadsleden stonden doodstil.

'*Vijf...*'

Moest hij de jongen blijven bedreigen? Die idioot maakte nog niet eens aanstalten om op zijn knieën te gaan. Tegelijkertijd viel er geen enkel teken te bespeuren dat hij van plan was in de aanval te gaan.

'*Zes...*'

Wat zou hij in godsnaam moeten doen als hij bij tien was gekomen? De jongen neerslaan met een rechtse en een linkse tegen het gezicht, zodat hij achterwaarts uit de ruit wankelde? Wat gebeurde er als iemand uit de ruit viel? Nee, dat telde vermoedelijk niet.

'*Zeven...*'

Waarom was hij aan zoiets heftigs begonnen? Goed, dit soort intimidatie was nodig om vaart te krijgen in de angst, maar het was ook nodig om het dreigement tot in de puntjes uit te voeren als hij wilde bereiken dat dit de laatste keer was dat hij in de ruit stond. Of was het niet zo, waren ze al bang genoeg om het nooit meer te proberen?

'Acht...'

Hij keek in de ogen van de dikkerd. De tranen lagen op de loer en met zijn ogen zocht hij hulp die kennelijk niet zou komen. Misschien zou het toch lukken.

'Negen...'

Een kleine beweging, een soort rukje in de heup van de strafprefect. Of het zou lukken na tien, óf hij moest met een langdurige mishandeling beginnen. Liever een langdurige mishandeling dan dat hij werkelijk zijn arm brak. Hoe zou dat trouwens in zijn werk gaan, een arm breken? Goed, nadat hij hem op de grond had gekregen, moest hij zijn knie op de nek van de jongen zetten, zodat de wang stevig op het harde cement rustte, zodat bij iedere beweging de huid zou schaven. De andere knie zou als steun dienen wanneer hij de linkerarm in een rechte hoek naar de knie boog. Vervolgens moest hij zo hard drukken, dat het geschreeuw en gejank er uiteindelijk toe zouden leiden dat ze niet meer konden verdragen. Maar als ze het wel konden verdragen?

'Tien!'

Langzaam hief hij zijn handen op. Nu moest hij die klootzak aan het schrikken maken en met zijn blik op de knieën dwingen. Hij keek diep in de bange ogen van de jongen voor hem en vervolgde de langzame beweging met zijn handen.

'Nee... nee... nee...' snotterde de strafprefect, 'ik wil niet... je ben niet goed wijs als je...'

'Op je knieën!'

De jongen zakte op zijn knieën en begon te huilen. Nu had hij bijna gewonnen, het moest lukken.

'En nu kruip je eruit. Kruipen!'

De strafprefect lag als het ware verlamd op zijn knieën en huilde geluidloos. Zo kon het niet doorgaan. Een schop tegen zijn achterwerk, niet te hard, was misschien een oplossing? Erik schopte zachtjes tegen het achterwerk van de strafprefect.

'Kruipen, zei ik!'

Het geschreeuw onder de gymnasiasten nam toe, maar ze riepen zo hard en allemaal door elkaar, dat alle aansporingen om op te staan en te vechten in het lawaai verloren gingen.

Eindelijk, eindelijk, eindelijk kroop de jongen de ruit uit! Daarna ging hij op zijn knieën onder aan de cementplaat zitten en liet zijn tranen de vrije loop.

Op het gesnik na, was het volkomen stil. Erik stond nog in de ruit en overwoog of hij zich snel een weg zou banen door de gymnasiasten, die zich nooit meer in de ruit zouden wagen. Toen kreeg hij een idee. Er zat een klein risico aan, maar als het zou lukken was het dat risico waard.

Hij keerde zich langzaam om naar de vierdeklassers en de raadsleden, liep vervolgens naar de rand van de cementplaat en nam hen een tijdje zwijgend in zich op. Het werd muisstil in het hele publiek.

Zou het lukken? Waarschijnlijk wel.

'Jullie als vierdeklassers en raadsleden vinden het leuk, hè, om ons uit de onderbouw in elkaar te slaan.'

Hij laste de noodzakelijke kunstmatige pauze in.

'Zijn er vandaag nog nieuwe strafprefecten onder jullie? Het liefst twee vastberaden raadsleden.'

Erik bekeek de vierdeklassers en raadsleden met gespeelde haat. Dit moest niet te lang duren. Als hij te lang bleef staan, zou hij ze praktisch dwingen om twee nieuwe te sturen. Maar als hij lang genoeg bleef staan en vervolgens wegliep zou het perfect werken. Wie zou zich iets aantrekken van alle praatjes achteraf dat je 'eigenlijk' eropaf had moeten gaan en die klootzak zijn verdiende loon had moeten geven?

Hij telde zachtjes tot tien terwijl hij zich concentreerde op het instandhouden van het masker van intense haat.

Toen draaide hij zich om, haalde minachtend zijn neus op en liep snel weg. Achter zich hoorde hij hoe de stilte begon om te slaan in geroezemoes.

Er liep nog steeds bloed langs zijn rechterarm en de pijn bij zijn elleboog was gaan kloppen. Het was kennelijk een vrij diepe jaap; de jongen moest zijn mond op een of andere manier halfopen hebben gehad. Misschien stond hij nog te grijnzen op het moment dat zijn tanden en bovenlip werden stukgeslagen.

Erik liep snel naar huis en haalde zijn zwembroek en een handdoek. Toen hij in het zwembad kwam, was het daar helemaal uitgestorven. Natuurlijk. Alle zwemgerechtigde raadsleden, vierdeklassers en leden van het schoolteam waren uitgelopen om te zien hoe hij zou worden mishandeld door die twee, die nog nooit op verzet waren gestuit.

Het groene wateroppervlak lag volkomen stil. Erik stond op het startblok in het midden en nam het beeld in zich op. Van de pink van zijn rechterhand viel een druppel bloed in het heldere water, loste zich op en verdween. Hij voelde nadenkend met zijn linkerhand aan de wond. Die was vrij diep en moest misschien gehecht worden. Er zat trouwens ook wat rommel in. Met zijn wijsvinger en duim trok hij een klein voorwerp uit de wond en keek er verbaasd naar. Geen twijfel mogelijk, het was bijna een hele voortand. Hij hield de tand een paar tellen in de palm van zijn hand. Toen liet hij hem snel in het zwembad vallen en zag hoe hij naar de bodem dwarrelde in het heldere, stille water. Hij startte met een schreeuw en zwom de eerste honderden meters in een waanzinnig tempo.

Het was of hij weer in het Sportpaleis zwom, om ergens te zijn, om nergens anders te zijn. Hij had geen plezier in het zwemmen, het was een training en hij werd al snel moe.

Toen hij naar boven ging en zich afdroogde, bloedde zijn elleboog nog steeds. Ze hadden toch gezegd dat de zuster na ieder gevecht in de ruit spreekuur hield. Hij kon er in elk geval heen gaan en kijken of het gefikst kon worden. Een wond moet zo snel mogelijk gehecht worden, voordat hij te veel opzwelt.

De zuster hield spreekuur in hetzelfde gebouw als waar het zwembad was en daarbinnen brandde licht. Ze had de anderen kennelijk nog niet naar het ziekenhuis gestuurd. Misschien moest hij naar binnen gaan en... nou ja, enige uitleg geven. Niet zozeer zijn verontschuldigingen aanbieden, maar uitleg geven.

Op het moment dat hij de deur naar de spreekkamer van de zuster opende, vervloekte hij zijn idee. De strafprefecten waren niet alleen, maar hadden drie, vier van hun kameraden meegenomen naar de zuster en het werd doodstil in de kamer toen Erik binnenkwam. Een van de strafprefecten, de dikke met het colbertje, zat op een stoel en had kennelijk een jaap boven zijn ene wenkbrauw laten hechten. Hij leunde achterover op de stoel en hield een ijszak tegen de andere helft van zijn wang. (Was ze zelfs voorbereid met ijszakken als ze wist dat er een gevecht zou zijn?) De jongen met de kapotgeslagen neus lag op een groene brancard met een bebloede witte doek over zijn gezicht. Het klonk alsof hij huilde. Het was waarschijnlijk de shock die wegtrok.

Er lag nog behoorlijk wat bloed hier en daar op de vloer, hoewel een van de derdeklassers bezig was dat weg te poetsen.

'Aha,' zei de zuster met een harde stem, maar zonder vijandigheid, 'hier hebben we degene die vindt dat mijn jongens naar het hospitaal in Flen moeten worden verwezen.'

Erik keek naar de grond zonder antwoord te geven. Er was geen reden om schertsend te antwoorden en er was geen reden om ontwijkend te antwoorden. De derdeklassers loerden strak naar hem, het liet zich raden waar ze over gepraat hadden voordat hij binnenkwam.

'Nou,' ging de zuster verder – met nog steeds dat merkwaardige gebrek aan boosheid – 'wat wil je van mij?'

'Dit hier,' zei Erik en hield zijn elleboog omhoog, 'dit moet met een paar steken gehecht worden.'

'Laat eens zien,' zei de zuster en pakte met een pincet een in alcohol gedoopt kompres.

Toen zette ze haar bril recht en begon de wond schoon te maken.

'Zoooo, dat zullen we eens even hechten. Maar daar hebben we geen chirurg voor nodig, als meneer mij toestaat.'

'Nee hoor, een paar hechtingen en een pleister zijn voldoende.'

'Helaas heb ik wat meer verdovingsmiddel gebruikt dan ik gedacht had,' ging de ziekenzuster op bijna vrolijke toon verder.

'Hecht die klootzak zonder verdoving,' siste een van de derdeklassers.

'Prima,' zei Erik en richtte zijn blik op degene die dat gezegd had, 'hecht het maar zonder verdoving.'

'Dat doen we,' zei de zuster en reeg een draad in haar tang, 'kom maar hier met dat armpje.'

Erik keek diep in de ogen van de derdeklasser en toverde een zorgvuldig gedisciplineerd glimlachje tevoorschijn toen de tang door het vlees van de elleboog sneed voor de eerste hechting.

'Jij bent een flinke vent,' zei de zuster, 'hier komt de volgende hechting, zijn we er klaar voor?'

Bij de tweede hechting wendde de derdeklasser zijn blik af en Erik constateerde dat het effect onder de toeschouwers precies zo was als hij gedacht had, hetgeen ook de bedoeling was.

'Zo, dat was het, het was prettig om je te leren kennen. Mijn gevoel zegt me dat we elkaar nog wel eens vaker zullen zien,' zei de oude dame en plakte een brede pleister over de wond.

'Kom over een paar dagen maar terug, dan kijken we hoelang de hechtingen moeten blijven zitten.'

'Hoe is het met hem daar?' vroeg Erik en knikte naar de jongen die op de groene brancard lag.

'Ik dacht dat je dat wel wist,' zei de zuster voor het eerst met enige scherpte in haar stem, 'drie tanden, een lip waar ik niets anders mee kon doen dan verdoven en dan die neus... Het wordt nog een hele klus om die weer op te knappen. Ben je tevreden?'

'Nee, dat ben ik niet. Dat met die tanden en die lip was niet de bedoeling, de eerste keer sloeg ik mis. Maar aan de andere kant is zijn arm nog heel en daar ben ik in elk geval niet ontevreden over. Bedankt voor de hulp en tot ziens, zuster.'

Het was idioot wat hij gezegd had en toen hij de deur uit liep had hij er al spijt van. Als die drie derdeklassers niet in de kamer waren geweest, had hij het kunnen zeggen zoals het was: dat hij het vervelend vond, maar dat dit de prijs was om nooit meer in de ruit te worden gehaald en dat het al met al minder oplapwerk en minder taxiritjes naar het ziekenhuis zou betekenen. Maar nu waren die anderen daar en dus had hij het toneelstuk verder gespeeld alsof alles op rolletjes liep, ook al was wat hij zei in zekere zin volkomen waar.

Toen hij uit het zwembadgebouw naar buiten liep naar Cassiopeia, begon het donker te worden. Hij kwam een taxi tegen die vermoedelijk het transport naar het ziekenhuis in Flen zou verzorgen.

Pierre lag al in bed toen hij de kamer binnenkwam en Eriks horloge lag midden op de schrijftafel. Maar natuurlijk was Pierre wakker, klaarwakker, hetgeen bleek toen Erik het lampje boven de wasbak aandeed en zijn zwembroek ophing.

'Zou je het echt gedaan hebben?' vroeg Pierre zacht.

'Je bedoelt of ik zijn arm zou hebben gebroken?'

'Mmm.'

'Ik weet het niet. Ik weet het echt niet. Wat vonden ze ervan, de mensen die je er naderhand over hebt horen praten?'

'Ze waren er rotsvast van overtuigd dat je het gedaan zou hebben. Iedereen die ik erover heb horen praten.'

'Dat is mooi, want dan wordt het wat mij betreft geen gedoe meer in die ruit, denk je wel?'

'Nee, misschien niet. Maar eh...?'

'Hm.'

'Zou je het werkelijk gedaan hebben?'

'Ik weet het niet, dat zeg ik toch.'

'Maar ik begrijp niet hoe je andere mensen op die manier kunt slaan. Het lijkt zo berekenend, bijna intelligent. Hoe kun je...?'

Verder kwam Pierre niet in zijn overweging.

Op de gang klonk hard gestamp, deuren werden opengerukt en er werden orders gebruld.

'We krijgen weer eens een razzia,' constateerde Pierre.

Op dat moment werd de deur opengerukt en de lamp aan het plafond ging aan. Daar stond de vice-prefect.

'Razzia! Iedereen naar het dagverblijf!' brulde hij.

Ze tuimelden het dagverblijf binnen, samen met alle andere onderbouwleerlingen met wie ze de gang deelden. Vervolgens ging de raad van kamer naar kamer. Ze rukten bureauladen open en gooiden de inhoud op de grond, haalden bedden overhoop, doorzochten hangkasten en andere denkbare bergplaatsen. Verderop in de gang hadden ze kennelijk bij iemand pijptabak aangetroffen, bij een ander een apparaatje om sigaretten te rollen, terwijl een derde tabaksschilfers in zijn zak had. De schuldigen werden terzijde genomen om te worden geregistreerd. In de kamer van Pierre en Erik werd niets gevonden, maar alle kleren lagen op een hoop midden in de kamer en op de kledingberg werden vervolgens alle boeken van de boekenplanken gesmeten. Boven op de hoop werden de bureauladen leeg gekieperd en ten slotte pakte een raadslid de tubes tandpasta en kneep ze als een slagroomspuit leeg, kriskras over boeken en beddengoed.

Vervolgens werd iedereen naar binnen gecommandeerd om de kamers op te ruimen en trok de razzia verder.

'Waarom hebben ze dat met die tandpasta gedaan?' vroeg Erik zich af toen ze weer in hun kamer waren en aan het opruimen sloegen.

'Om te pesten, natuurlijk. In de verschillende kamers houden ze op verschillende manieren huis, afhankelijk van hoe brutaal de bewoner is. We kunnen er dus op rekenen dat wij nog wel eens een razzia zullen krijgen.'

Ze veegden zo goed en zo kwaad als het ging de tandpasta van hun boeken, maakten met moeite de boekenplanken en de hangkast schoon en gingen slapen

Na een poosje werd de deur weer opengerukt. Deze keer was het de schoonmaakinspectie. Natuurlijk kregen ze een onvoldoende voor hun schoonmaakwerk en werden ze opnieuw uit bed gecommandeerd. En opnieuw belandde alles op een hoop midden in de kamer. Zo ging het nog een paar keer.

Ten slotte trok de razzia verder. In de verte klonk geschreeuw uit een ander leerlingenverblijf.

'Je ziet wat er gebeurt, Erik. Als ze willen, kunnen de raadsleden dit iedere avond met iedere kamer doen. Raadsleden hoeven immers niet bang te zijn voor jou. Je kunt ze niets maken, want dan word je van school gestuurd. Er is geen enkele manier om je tegen raadsleden te verdedigen, behalve wellicht

in de ruit en zoals je al begrepen hebt zal geen enkel raadslid je meer naar de ruit slepen, zo stom zijn ze niet. Maar hoe denk je dat jij je kunt verdedigen tegen geweld, zonder dat je geweld mag gebruiken? Je moet je aan de regels houden en dat zijn hun regels. Hun regels gelden van hier tot Gnesta, zover reikt de wet van de school en tegen die wet kun jij niets beginnen, ook al dreig je om ze op die bestialistische manier, ik bedoel bestiale – dat betekent beestachtige – manier te mishandelen. Je kunt toch nooit meer geweld gebruiken dan de hele raad, aangezien zij de macht en de wet aan hun kant hebben en het helpt niet dat je zegt dat het een stomme wet is. Wij in de onderbouw kunnen daar niets aan veranderen. Ik moet trouwens mijn sigaretten op een betere plek gaan verstoppen. Nee, ik rook niet zoveel, ik rook voornamelijk omdat het verboden is om te roken. Uit protest, zou je kunnen zeggen. In elk geval heb ik de sigaretten met plakband onder de schrijftafel geplakt, maar als ze zo doorgaan met hun razzia's zullen ze het pakje binnenkort wel vinden. Ik moet maar hetzelfde doen als degenen die al drie of vier keer op stiekem roken zijn betrapt en de sigaretten samen met lucifers en Vademecum in een plastic zak in het bos verstoppen. Ja, Vademecum gebruik je naderhand, zodat je niet naar rook ruikt als je uit het bos komt. Maar je moet dus een betere manier vinden om tegenstand te bieden dan met geweld. Er moet een intellectuele manier zijn om dat te doen, in plaats van andere mensen te mishandelen, heb je daar nog nooit over nagedacht?'

'Maar, Pierre, je lijkt te denken dat ik een soort sadist ben. Dat moet je niet denken, ik vind het niet bepaald leuk om andere jongens zo toe te takelen dat ze er de rest van hun leven littekens in hun gezicht aan overhouden. Toen ik hier op school kwam, was ik zo dom te denken dat ik voor de laatste keer in mijn leven gevochten had, nee, misschien niet voor de laatste keer, maar toch. Nou, en toen gebeurde dit. Maar wat had ik dan moeten doen? Wat had ik moeten doen, daar in de ruit? Had ik moeten doen alsof ik verloren had, nadat ik voldoende slaag had gehad? Had ik vervolgens onder hoongelach van de menigte eruit moeten kruipen en daarna gewoon maar moeten wachten op de volgende keer dat een paar idioten uit de derde klas mij daar wilden zien? En wat had ik dan de volgende keer moeten doen? Begrijp je niet dat ik in ieder geval vanaf nu aan de peppers en de ruit en de slaag van de vierdeklassers ontkom? Je zegt dat de raadsleden er altijd nog zijn en daar heb je misschien gelijk in, maar als je kunt kiezen tussen raadsleden en tafelchefs en vierdeklassers aan de ene kant en alleen raadsleden aan de andere kant, dan is dat laatste toch beter? Daarna wordt het *een andere kwestie. Misschien begrijp je dat niet zo goed omdat je zo wei-nig van geweld weet. Ook voor de raadsleden kan het niet zo gemakkelijk zijn, zelfs al hebben ze bepaalde rechten. Wat ze in de ruit hebben gezien zit nog in hun hoofd. Het is alsof je van plan bent een vastgebonden hond met de zweep te geven. Dat kun je natuurlijk doen zolang de hond vastge-bonden is, maar wat gebeurt er als hij zich losrukt? Begrijp je wat ik bedoel? Het geweld zit in het hoofd van mensen en niet zozeer in de vuisten, zoals jij denkt. En weet je wat ik denk? Ik denk dat ik geen enkele jongen meer in elkaar zal slaan zolang ik hier nog op school zit. Wat ik probeer uit te leg-gen, is dat je geweld kunt gebruiken om te ontsnappen aan geweld. Soms is dat misschien wel de enige manier.'*

'Dat klinkt allemaal goed, Erik, maar ik geloof er niet zo in. Je probeert je-zelf buiten het hele systeem op Stjärnsberg te plaatsen. Je denkt dat het mo-gelijk is om alle wetten inzake peppers en klusjes voor vierdeklassers ongeldig te verklaren. Maar dat kan er toch alleen maar toe leiden dat de raadsleden alles in het werk zullen stellen om je weer in het gareel te krijgen. Want stel je voor dat het zich over de onderbouw zou verspreiden, stel je voor dat nog meer jongens opeens zouden weigeren om klusjes voor de vierdeklassers op te knappen en om peppers te accepteren. Dan zou het in de weekenden overvol worden met arrestanten en dwangarbeiders, er zouden niet voldoende arrest-lokalen zijn en alle raadsleden zouden in de weekenden hier moeten blijven. Dat zouden ze niet echt leuk vinden. En als er zoveel leerlingen zijn die zo-veel weekenden niet naar huis in het zwarte boek hebben staan dat ze niet langer een prijs hoeven te betalen voor brutaal zijn of weigeren, dan zou het hele systeem naar de knoppen gaan. Het is net als toen India zelfstan-dig werd. Gandhi, weet je wel. Aha, je hebt nog niets over Gandhi gelezen? Dan moet je zeker een boek van me lenen, dan begrijp je wat ik bedoel. Dus als meerdere mensen tegelijk protesteren kan het werken, maar een eenzame prins Valiant kan zich alleen maar een heleboel slaag van de raadsleden op de hals halen, wat misschien helemaal nergens toe leidt, noch voor jou, noch voor die raadsleden. Je zou met die lui van de vakbond kunnen praten, dat zijn de gekozen vertegenwoordigers van de onderbouw. Hoewel ze niet echt gekozen zijn, eigenlijk zijn ze gewoon benoemd door de raad. In ieder ge-val moet de vakbond de belangen van de onderbouw behartigen tegenover de raad. Het begon allemaal een paar jaar geleden, toen een paar jongens uit de onderbouw anonieme klachtenbrieven in een vakje op de kapstok bij lokaal zes legden, waar de raad bijeenkomt.

Daarna werd het een systeem en nu zijn er vijf, zes jongens in de onder-
bouw die onze klachten over onrechtvaardige vonnissen en dergelijke moeten
overbrengen. Als je de vakbondsleden zover zou kunnen krijgen dat ze zich
sterk maken voor bijvoorbeeld het afschaffen van peppers, dan zou het mis-
schien lukken. Je begrijpt wat ik bedoel, hè? Je moet andere methoden dan
geweld gebruiken als je boosaardigheid wilt bestrijden en je moet met veel lil-
liputters tegelijk zijn, wil je kans van slagen hebben. United we stand – di-
vided we fall, *zoals in het Amerikaanse wapen staat.'*

'Alles wat je zegt, Pierre, klinkt juist, maar wel op een vreemde manier. Net
zoals wanneer je vragen beantwoordt bij geschiedenis en maatschappijleer. Je
geeft het antwoord waarvan je weet dat het goed gerekend wordt, hoewel je
je bewust bent dat het op een of andere manier niet klopt. In zekere zin kan
het ook doen denken aan een voetbaltrainer die bezig is met een lang theo-
rieverhaal over plaatsingen hier en passes daar en het klinkt bijna goed, hoe-
wel je weet dat het eigenlijk niet zo toegaat. Je weet dat het in werkelijkheid
een kwestie is van naar voren doordringen, de bal in het doel schieten en een
beetje geluk hebben, zodat je voldoende kansen krijgt om te schieten. Ach,
het is natuurlijk een slechte vergelijking, want jij speelt geen voetbal. Maar
wat je zegt is alleen maar theorie, Pierre. Het klinkt mooi en het klinkt juist,
maar het werkt alleen als mensen in verzet komen en dat vereist onder an-
dere dat ze niet laf zijn en niet denken dat ze de zaak maar beter zo kunnen
laten. Daar zal het volgens mij op stuklopen. In de bende waar ik bij hoor-
de, dacht ik dat iedereen vrienden van elkaar was en we allemaal voor el-
kaar zouden opkomen, juist omdat we vrienden waren. Maar toen het er-
op aan kwam, liet iedereen elkaar in de steek. Ze gaven de ander de schuld
en probeerden alleen hun eigen hachje te redden. Er is moed voor nodig om
te vechten, Pierre, en dan bedoel ik niet alleen dat je de ruit in durft te stap-
pen. Het heeft er ook mee te maken dat je er honderd procent zeker van moet
zijn dat je gelijk hebt. Ach, dit wordt allemaal zo ingewikkeld, dat ik niet
weet of ik kan uitleggen wat ik bedoel. Maar in elk geval zijn de meeste jon-
gens heel laf en scharen ze zich zonder een spier te vertrekken achter de sterk-
ste om slaag te vermijden. Ook smeren ze je graag stroop om de mond en be-
weren ze je beste kameraad te zijn.'

De volgende schooldag begon met een blokuur gymnastiek. Het eerste uur oefende de klas de sprintstart en estafettewisselingen. De training was methodisch en gedisciplineerd. Iedereen werd gedwongen evenveel oefeningen te doen en Berg stond geen grapjes toe over Pierre en de anderen die het slechtst waren. Iedereen moest het keer op keer overdoen. Dat was een groot verschil ten opzichte van het lyceum, waar bij iedere oefening snel een selectie werd gemaakt tussen de besten en de slechtsten. Erik kreeg ongeveer evenveel technische correcties als de anderen.

In het tweede uur mocht de hele klas voetballen, buiten op het grote grasveld in plaats van op het trainingsveld. Dat leidde tot gejuich en verbazing. Het kwam niet vaak voor dat de onderbouw daar mocht spelen. Tosse Berg verdeelde de groep in twee teams (hier waren het niet de twee besten die mochten kiezen) en speelde zelf in de aanvalslinie in hetzelfde team als Erik. Het was een heerlijk veld met zacht, goed gemaaid gras en een groot oppervlak dat perfect paste bij Eriks gewicht en snelheid. Na een poosje merkte hij dat Berg een een-tweetje wilde spelen om door de verdediging van de tegenstander te breken en graag de laatste pass zou krijgen, zodat hij zelf het doelpunt kon maken. Een keer toen Erik ver naar voren was gekomen aan de rechterkant en net zijn achterhoedespeler was gepasseerd, maakte hij een kapitale blunder bij zijn voorzet op Berg. Het werd een harde effectbal naar binnen, in plaats van een boog naar buiten. De bal belandde echter in de achterste kruising en het was een doelpunt. Te oordelen naar de verbaasde reacties begrepen de anderen niet dat het om een grove misser ging die toevallig een vreemd doelpunt werd. Erik ging snel terug naar het midden van het veld zonder een spier te vertrekken. Het vervolg verliep wat normaler. Hij schoot drie of vier harde ballen van dichtbij in het doel.

Naderhand, toen hij op de tribune zat en zijn voetbalschoenen uittrok, kwam Tosse Berg naar hem toe en praatte wat over alledaagse dingen totdat de anderen weg waren. Toen vroeg hij naar dat doelpunt. Of Erik vaker van dat soort doelpunten maakte?

'Ach,' zei Erik, 'het was een misser. Ik wilde een effectbal met de binnenkant maken om de bal bij meneer te krijgen, omdat meneer vrij stond. Maar nu werd het een misser die er heel fraai uitzag. Maar het was dus een misser.'

'Ja, ik was ook al verbaasd,' zei Berg. 'Maar je kunt doelpunten maken, dat hebben we wel gemerkt.'

'Ik heb misschien een slechte techniek vergeleken met anderen, maar ik weet gewoonlijk door de verdediging te breken, zodat ik dicht genoeg bij het doel kom om niet te missen en dan hoef ik alleen nog maar een loei te geven. Het geeft immers niet dat het schot niet in de kruising zit, als de bal er maar in gaat. Een doelpunt is het altijd.'

'Ja, het schoolteam traint op zondagmiddag. Zoals je begrijpt ben je daar van harte welkom. Een doelpuntenmaker is precies wat we missen in ons team.'

'Gaat niet, denk ik. Ik bedoel... op zondagmiddag kan ik niet komen. In elk geval niet dit semester, zoals het er nu uitziet.'

'Dwangarbeid en arrest?'

'Mmm.'

'Verdomd vervelend. Ik bedoel... verdomd vervelend dat spelers zoals jij, nee, het hele systeem is stom. Maar ja, niets aan te doen. Trouwens... als je zin hebt, we hebben op woensdagavond bokstraining.'

'Nooit van mijn leven.'

'Hé, dat is vreemd. Volgens de geruchten sla je zoals een paard schopt en daarom dacht ik dat je wel geschikt was...?'

'Nee, ik zou het niet in mijn hoofd halen om in een boksring te stappen. Het heeft niets met sport te maken. Ik zou het gewoon niet kunnen.'

'Ja, maar voorzover ik gehoord heb...'

'Ik geloof dat ik weet wat meneer gehoord heeft, maar dat heeft niets met sport te maken. Als meneer dat gezien had, zou meneer wel beter weten.'

'Nee... ja, iedereen heeft recht op zijn eigen mening. Waar wil je je in de toekomst op richten: atletiek, zwemmen of voetbal?'

'Tja, ik ben het best in zwemmen, maar ik woon niet meer in Stockholm en het wordt allemaal anders als je niet meer bij een zwemclub traint. Je traint immers om de beste te worden en dat had ik misschien kunnen worden op een of twee sprintafstanden als ik nog een paar jaar bij Kappis was gebleven. Maar nu weet ik het niet, ik ben immers nog een paar jaar in de groei, dus het is moeilijk te zeggen.'

'Mmm. We hebben komende week een schoolkampioenschap zwemmen. Was je van plan om mee te doen aan de sprintafstanden?'

'Weet ik niet. Het heeft niet veel zin om te winnen zonder tegenstand. Dat is eigenlijk alleen maar gênant.'

Tosse Berg zuchtte en ging naast Erik zitten. Hij tuurde tegen de zon in en het leek of hij nadacht voordat hij weer iets zei. Ze waren alleen op het sportveld.

'Weet je, Erik... ik heb hier vier of vijf jaar lang atleten en voetballers getraind en net als iedereen denk je dat je het goed doet of in elk geval probeert te doen. Maar je kunt niet ontkennen dat er soms van die momenten zijn waarop je wenst dat je op een dag het grote talent ziet opduiken. Tja, en dan kom jij dus met een aanleg, waarvan je volgens mij zelf niet eens de omvang begrijpt. Het is dat vreemde explosieve dat je in je temperament lijkt te hebben, waardoor je precies in de laatste meters wint. Goed, we moeten er een andere keer nog maar eens over doorpraten. Onthoud één ding, en dat is dat je altijd bij mij terecht kunt als er iets is. Als je wilt praten en zo. Hier heb je mijn hand. Als we met z'n tweeën zijn dan heet ik Tosse, anders ben ik "meneer" zoals gebruikelijk. Is dat oké?'

Ze gaven elkaar een hand. Twee stormmeeuwen gleden over het voetbalveld.

'O, nog één ding, Erik. Doe mee met de zwemwedstrijden. En win! Dat hebben die fatjes nodig, zie je. Beloof je me dat?'

'Oké, ik beloof het. In elk geval twee afstanden, misschien drie.'

'Niet misschien drie, doe mee aan drie afstanden, dan win je ook het totaalklassement. Beloof je dat?'

'Ik beloof het.'

~

Dwangarbeiders en arrestanten dienden op zaterdag om 06.00 uur aanwezig te zijn bij Kaxis, in het bijzijn van de twee wachtdoende raadsleden. Kaxis was de rookplek van de school die in twee etages was ingedeeld. Midden in de ruimte was een platform, dat drie decimeter hoger was. Dat was voor de vierdeklassers en de raadsleden, de overige rookgerechtigden rookten op het lagere gedeelte.

Een van de wachtdoende bevelhebbers ontfermde zich over de vijf à zes arrestanten en marcheerde weg naar het schoolgebouw, waar de arrestanten elk in een klaslokaal zouden worden opgesloten, nadat ze gefouilleerd waren en alle ongepaste literatuur hen was afgenomen en nadat het lokaal grondig was onderzocht op eventueel verstopt amusement. Tot de goedgekeurde literatuur behoorden naast de bijbel schoolboeken of boeken die een aantoonbare samenhang met het lopende onderwijs hadden. Het was verboden om tijdens het arrest te slapen. Af en toe werd een steekproef gehouden en slapende arrestanten werden opnieuw tot een weekend niet naar huis veroordeeld.

Onder de achterblijvende dwangarbeiders bij Kaxis heerste een kruiperige stemming. De truc was om door te vleien een zo goed mogelijk baantje te krijgen. Goede baantjes waren bijvoorbeeld paden aanharken of gazons maaien. Dat was niet inspannend en bovendien kon je er tijd mee rekken. Slechte baantjes waren bijvoorbeeld het graven van afwateringsgoten rond het oefenveld voor voetbal of werken aan de loopgraven bij het kantoor van de burgerbescherming of de afbakening op de schietbaan verbreden. Dat waren allemaal zware klussen, die bovendien in een exact aantal meters konden worden uitgedrukt. Je kon weliswaar een dergelijke klus als taak krijgen, maar het hing helemaal af van het wachtdoende raadslid of je een taak kreeg die je kon klaren, of gewoon een onmogelijke opdracht die je in het weekend niet af zou krijgen. Doorslaggevend voor welke taak je kreeg, was hoe je in de markt lag. Wie slijmde en de pias uithing voor de raadsleden kreeg de lichte baantjes. Degenen die als brutaal werden beschouwd kregen de zware of hopeloze baantjes.

Het systeem was al duidelijk nadat de eerste taken waren verdeeld. Erik maakte zich geen enkele illusie en precies zoals hij verwacht had, mochten de anderen aan de slag gaan met hun diverse klusjes, voordat de vice-prefect zich naar hem toekeerde en hem beval mee te gaan. Ze liepen naar de zandpartij achter de schietbaan.

Het raadslid tekende een vierkant op de grond en legde uit dat de kuil precies twee meter bij twee meter moest worden en precies twee meter diep moest zijn. 's Middags zou hij inspectie krijgen.

Meetlint en spade kon hij in het magazijn vinden. Dus precies twee bij twee bij twee meter, niets anders, niet één komma vijfentachtig bij twee bij twee komma nul vijf meter. Begrepen?

Het zand was heel poreus, maar het zou toch wel vier uur in beslag nemen met slechts een enkele korte pauze. Ondertussen bedacht hij dat je dit ook als een kracht- en een conditietraining kon beschouwen. Maar het was wel belangrijk om zo nu en dan van kant te wisselen, zodat je de volgende dagen niet te stijf zou zijn door een vreemde verrekking of spierpijn. De zwemwedstrijden waren op woensdag. Hij moest een bijl halen om een paar dennenwortels af te kappen en een koevoet om de grotere stenen los te wrikken. Om de stenen die hij niet kon tillen omhoog te krijgen, moest hij eerst de kuil aan de ene kant vergroten, zodat die schuin omhoogliep en hij de stenen met behulp van de koevoet omhoog kon halen. Daarna moest hij die kant weer opvullen en meten en bijwerken zodat de maten klopten.

Eerst werd hem de toegang tot de lunch geweigerd, omdat hij te zweterig en te zanderig was, maar hij wist in elk geval binnen te komen voordat de bel voor de tweede keer ging en de deuren dichtgingen. Na de lunch nam hij het boek over Gandhi mee naar de kuil om wat te lezen terwijl hij op de inspectie wachtte. Hij had nog maar een paar bladzijden gelezen toen de vice-prefect eraan kwam, in gezelschap van prefect Bernhard, de secretaris van de raad en nog twee raadsleden. Erik stond op, verzamelde zijn gereedschap en zette dat tegen een boom. Hij had de spade nog in de hand toen de inspectie begon.

'Ja, ja,' zei de vice-prefect toen hij uit de kuil sprong, 'het lijkt te kloppen, Erik. Goed gewerkt.'

De vice-prefect liep naar hem toe, klopte hem op de schouder en lachte vriendelijk. Maar er klopte iets niet met die vriendelijkheid, want de anderen stonden achter de rug van hun kameraad te grijnzen.

'En weet je wat voor taak je nu krijgt?'

'Nee, dat weet ik natuurlijk niet,' antwoordde Erik nietsvermoedend.

'Je moet de kuil "natuurlijk" weer opvullen. Die stenen daar moeten er ook weer in, zodat ze hier niet rondslingeren. Inspectie over twee uur.'

Het was alsof Erik in een film zag hoe hij de spade optilde en schuin op het oor en de nek van de vice-prefect ramde. Het was hetzelfde doffe geluid en hetzelfde gevoel als wanneer je een spade in een dennenstam met een dikke bast slaat. In de film viel de vice-prefect achterover opzij. De verbrijzelde bril dwarrelde door de lucht. In de gapende wond in het hoofd waren vaag het wit van onderhuids vet en het schedelbot zichtbaar en er was een grote golf bloed onderweg; de eerste bloedspatten raakten ongeveer gelijktijdig met de vice-prefect de grond.

Erik klemde de spade in zijn handen en tastte als het ware vóór zich met zijn blik. In werkelijkheid had hij zich niet bewogen, geen vin verroerd. Hij stond roerloos, terwijl de grijnzende raadsleden wachtten tot hij iets zou zeggen. Hij zei niets, hij kon geen woord uitbrengen. Ten slotte gingen ze weg.

Erik ging zitten en hield zijn handen voor zich met de vingers ge-spreid. De lichte trilling was duidelijk te zien. Was er een soort kortslui-ting bij hem ontstaan? Had hij het kunnen doen, was hij zo dicht bij het punt geweest, dat hij uit pure idiotie een mens had kunnen doden? Wat waren dat voor remmingen, ergens daarbinnen, die ervoor zorgden dat het lichaam niet volgde wanneer de hersenen de spade optilden en met volle kracht toesloegen?

Een paar uur later was de kuil gevuld en kreeg hij opnieuw inspectie. Deze keer had Erik het spelletje door en hij had besloten om niets te zeg-gen en op geen enkele manier te laten zien wat volgens hem de volgende vanzelfsprekende order zou zijn.

'Er moet hier een kuil komen, waarom niet op dezelfde plaats. En die moet twee bij twee meter zijn en twee meter diep...'

Het lukte hem om voor de avond aanbrak de kuil te vullen, te graven en nogmaals te vullen. Toen had hij de fut niet meer om naar het zwem-bad te gaan. Hij douchte en viel in slaap, zonder dat hij met Pierre over Gandhi had gepraat.

～

§ 6

Rookgerechtigd zijn leerlingen die 17 jaar oud zijn en een bewijs van toestemming van hun ouder of voogd kunnen tonen dat ze mogen ro-ken. De attestatie van de ouder of voogd moet ter registratie worden ingeleverd bij de vice-prefect van de leerlingenraad en dient aan het be-gin van ieder semester te worden vernieuwd. Leerlingen zonder geldi-ge attestatie van hun ouder of voogd die betrapt worden op roken, wor-den veroordeeld voor stiekem roken, ook al hebben ze de leeftijd van 17 jaar bereikt.

§ 7

Roken met toestemming mag alleen plaatsvinden op specifiek daartoe aangewezen plaatsen buiten de eetzaal van de school. De bovenste ver-dieping van de rookplek is bestemd voor leerlingen van de vierde klas en leden van de raad.

Roken binnenshuis is reden voor onmiddellijke schorsing.

Roken door rookgerechtigden kan verder plaatsvinden op een afstand van 300 meter van het schoolterrein. Voorzichtigheid met vuur in de natuur is geboden.

§ 8

Iedere niet-rookgerechtigde leerling die hetzij op heterdaad betrapt wordt door een raadslid, hetzij bij visitatie tabakswaren of instrumenten die klaarblijkelijk in samenhang met roken worden gebruikt (pijp, vloei, rolapparaatje e.d.) in zijn bezit blijkt te hebben, of anders onmiddellijk voor visitatie of controle door de raad klaarblijkelijk gerookt heeft, wordt veroordeeld voor stiekem roken.

Stiekem roken wordt door de raad als volgt bestraft. De eerste keer wordt bestraft met een weekend dwangarbeid. De tweede keer wordt bestraft met een weekend dwangarbeid en een weekend arrest. De derde keer wordt bestraft met vier weekenden arrest. De vierde keer wordt bestraft met zeven weekenden arrest.

Bij de vijfde keer wordt de kwestie aan de rector overgelaten. Voorzover geen sprake is van bijzondere omstandigheden besluit de rector daarbij tot onmiddellijke schorsing.

§ 9

De raad legt voor stiekem roken straffen op, net als voor andere disciplinaire kwesties. De raad zal daarbij onpartijdig optreden bij de beoordeling van het bewijs en een ieder die zich voor de raad moet verantwoorden zijn zaak in volle omvang laten toelichten.

In uitzonderingsgevallen kan de rector de uitspraak van de raad toetsen. Na een dergelijke toetsing kan de rector zonder de raad te horen het vonnis van de raad bekrachtigen, vernietigen of wijzigen. Ook kan de rector de zaak terugverwijzen naar de raad.

§ 10

Overeenkomstig de principes van de school inzake de kameradenopvoeding is het de plicht van de jongere leerlingen zich behoorlijk en gepast te gedragen tegenover oudere leerlingen. Orders van leden van de raad of leerlingen uit de vierde klas dienen onvoorwaardelijk door de jongere leerlingen te worden opgevolgd.

De raad heeft het recht om na vrije toetsing een straf op te leggen voor insubordinatie.

§ 11

De leerlingen van de school mogen zich niet verbroederen met het bedienend personeel. Het is streng verboden voor leerlingen om het onderkomen van het bedienend personeel te bezoeken. Vindt een dergelijk bezoek 's nachts plaats of nadat de lichten zijn uitgedaan, dan wordt de kwestie doorverwezen naar de rector voor een besluit.

In een dergelijk geval heeft de rector het recht de vraag van onmiddellijke schorsing te toetsen.

§ 12

De leden van de raad worden door middel van algemene verkiezingen met gesloten stembiljetten gekozen. Daarbij zullen de prefect, de viceprefect en de secretaris apart worden gekozen.

De rector wijst de leerlingen aan die verkiesbaar zijn.

Nieuwe verkiezingen zullen ieder schooljaar in de maand oktober plaatsvinden. De leden van de raad kunnen herkozen worden.

'Er zitten twee grote hiaten in die wet,' zei Erik.

Ze hadden een paar uur besteed aan het oplossen van vergelijkingen, aangezien de eerste rekentoets van het semester naderde. Wat Erik betrof zag het er niet hopeloos uit, misschien zou hij voor het eerst in anderhalf jaar voor een rekentoets slagen.

Daarna lagen ze elk op hun bed de gestencilde paragrafen door te lezen waarin de werkzaamheden van de raad geregeld waren.

'Tja, ze oordelen net zoals ze zelf willen, aangezien ze zeggen dat er een bepaalde "praktijk" geldt.'

'Maar kijk eens: laten we zeggen dat een raadslid binnenkomt en zegt dat hij je wil fouilleren. Als je dat weigert, overtreed je daarmee paragraaf, even kijken, paragraaf 10, waarin staat dat je moet gehoorzamen. Maar dan kun je alleen straf krijgen voor insubordinatie en niet voor stiekem roken.'

'Nee, zo gaat het niet in elk geval. Want als je paragraaf 8 erop naslaat, dan staat er "anders... klaarblijkelijk gerookt heeft" en als je visitatie weigert, dan wordt dat beschouwd als klaarblijkelijk gerookt hebben en ben je in elk geval aan de beurt.'

'Mmm. Maar kijk eens hier, de vierdeklassers en raadsleden worden in paragraaf 10 op één lijn gesteld.'

'Nee, niet zolang je onder de 17 bent, want dan kunnen ze altijd zeggen dat ze een rookcontrole bij je houden en aan rookcontroles en dergelijke kun je je niet onttrekken, want dan word je na een paar keer van school gestuurd.'

'Verdorie, het komt zo logisch over. En paragraaf 13 is immers keihard: *Leerlingen die leden van de raad mishandelen of anderszins geweld gebruiken tegen leden van de raad zullen onmiddellijk geschorst worden.* Wat bedoelen ze in godsnaam met *anderszins geweld gebruiken*? Wat er bedoeld wordt met een raadslid mishandelen lijkt me duidelijk, maar *anderszins geweld gebruiken*? Is dat een draai om de oren of een tik op de vingers geven of hoe zit dat?'

'Als ik jou was zou ik maar niet proberen om daarachter te komen.'

'Nee, degenen die de wet geschreven hebben, bepalen immers hoe die moet worden uitgelegd. Neem je plastic zak mee, dan gaan we naar buiten, verstoppen je rookgerei en gaan oefenen in stiekem roken, oké?'

De volgende dag werden ze gepakt.

Het moeilijkste moment van stiekem roken was het transporteren van de sigaretten of de pijp en de pijptabak naar de schuilplaats. Had je de pech te worden gefouilleerd, dan was je erbij.

Het was belangrijk om goed op te letten dat je niet door een raadslid gevolgd of beslopen werd. Af en toe deden ze dat. Dan stormden ze plotseling tevoorschijn en betrapten de stiekeme roker op heterdaad.

Verder moest je zorgen dat er geen rooklucht om je heen hing als je uit het bos kwam en dat je geen tabaksschilfers in je zakken had. De rooklucht kon je wegnemen met Vademecum, maar het was voorgekomen dat raadsleden aan de vingers van een stiekeme roker roken en hem vervolgens veroordeelden onder verwijzing naar paragraaf 8 ('anders... klaarblijkelijk'). Maar als je een dun takje nam en dat middendoor brak, zodat de helften nog met de bast aan elkaar zaten, kon je de sigaret met het uiteinde tussen die vertakking knijpen en er op die manier voor zorgen dat je geen geur aan je vingers kreeg.

Dat alles hadden ze gedaan toen ze terugkwamen uit het bos en op twee raadsleden stuitten. Aangezien ze naar Vademecum roken, vonden de raadsleden dat de zaak duidelijk was. Waarom zou je na het eten naar Vademecum ruiken als het niet was om de rooklucht weg te krijgen? Dus moesten Erik en Pierre bij de volgende bijeenkomst van de raad voorkomen om te worden berecht.

Ze experimenteerden een beetje met hoe je de geur van Vademecum zou kunnen wegnemen en kwamen erachter dat wanneer je sparrennaalden kauwde – omwille van de smaak een zo vers mogelijk takje – ieder spoor van Vademecum verdween en je adem gewoon een onbestemde geur had. Voordien had de Vademecum al ieder spoor van tabakslucht verdreven. Maar de prijs die ze betaalden om op dat trucje te komen, was vermoedelijk voor beiden een eerste veroordeling voor stiekem roken, want ze zouden vast schuldig worden bevonden.

Erik werd drie, vier keer per dag gefouilleerd. Niet zozeer omdat de raadsleden verwachtten dat hij sigaretten bij zich had, maar vooral om hem te dwingen hun orders op te volgen. Waarschijnlijk dachten ze dat hij uiteindelijk zijn geduld zou verliezen en de visitatie zou weigeren. Dat dacht Pierre tenminste. Dan volgde een tweede veroordeling voor stiekem roken en zou het al na minder dan een half semester kritiek worden voor Erik.

Helemaal niet roken was natuurlijk het eenvoudigst. Je haalde toch al niet meer dan twee sigaretten per dag, omdat het zo ingewikkeld was om ongezien bij de schuilplaats met de plastic zak te komen. Maar dat was in feite geen onderwerp van gesprek. Ze zouden hun twee sigaretten per dag roken, meer uit principe, dan uit een onmiskenbaar verlangen naar tabak. Bovendien was Erik hard aan het trainen voor het schoolkampioenschap dat snel dichterbij kwam.

Of liever gezegd, hij trainde iedere avond in het zwembad, om zich een paar uur afzijdig te houden. In het water was er geen geweld, er waren geen raadsleden en geen risico's om bij herrie te worden betrokken. Maar er was ook geen mogelijkheid om je belachelijk te maken ten overstaan van je eigen klasgenoten of de onderbouwleerlingen. Hij probeerde zich gedekt te houden.

Je gedekt houden betekende dat je met geen woord repte over superioriteit op het gebied van sport of geweld, je niet op de borst klopte, niet zei dat het vanzelfsprekend was dat je dit of dat zou winnen tijdens het zwemkampioenschap, hoewel dat zo overduidelijk was, dat het gênant werd. Als zijn klasgenoten hem ernaar vroegen, antwoordde hij dat ze maar moesten afwachten en dat het zwaar zou worden en dat hij zijn uiterste best zou doen, wat wellicht allemaal leugens waren.

Het was lastig om hoogte te krijgen van deze klas. Hier golden heel andere sociale regels dan op het lyceum in Stockholm en het kostte tijd om het nieuwe patroon te begrijpen. Pierre was de in vrijwel alle vakken beste van de klas; daarna kwam er een hele tijd niets en dan nog een tijd niets en dan kwam Erik wellicht. Sommige klasgenoten waren onmiskenbaar dom en als ze zijn klasgenoten op het lyceum zouden zijn geweest, hadden ze het een en ander te verduren gehad. Ze geneerden zich echter allerminst voor het feit dat ze vrijwel nooit op een vraag konden antwoorden. Als een leraar hen aansprak en ze het antwoord niet wisten, glimlachten ze en maakten een grapje over iets anders en dan ging de vraag gewoon, zonder terechtwijzing, verder tot iemand het antwoord wél wist. Ze leken zich er totaal niet om te bekommeren dat ze het niet wisten. Er waren minstens vijf of zes van die lui. En bovendien waren het de oudsten van de klas, in sommige gevallen op weg naar rooktoestemming, aangezien ze kennelijk een paar jaar over elke klas deden.

De Havik was een van hen: Sebastian Lilliehöök, die – volkomen onbegrijpelijk – pochte dat zijn familie behoorde tot degenen die het laagste nummer in het Zweedse Ridderhuis en het adelboek hadden. Zijn pa had niet bijzonder veel geld en was geen graaf of baron, maar meende dat het beter was om bij een familie te horen die vroeg in het Ridderhuis was geïntroduceerd, dan bij de adel uit de zeventiende eeuw, die in feite bestond uit de graaiende nouveau riche uit de oorlog aan het eind van die eeuw.

Gustaf von Rosenschnaabel, Gurra, was graaf en fideï-commissaris. Erik had dat vreemde woord nog nooit eerder gehoord, maar kreeg op een of andere manier snel in de gaten dat het betekende dat Gurra een paar grote landgoederen in Skåne bezat, die hij zou overnemen zodra zijn vader stierf. Gurra's broers en zussen zouden echter helemaal niets erven, aangezien Gurra de oudste was. Zijn pa was al in de vijftig, zodat Gurra het landgoed op vrij jonge leeftijd zou krijgen. Hij hoefde alleen maar zijn eindexamen te halen en een verstandig huwelijk te sluiten, dat was alles.

Erich Lewenheusen (Erich sprak je uit als Erik) bevond zich in ongeveer dezelfde positie als Gurra. Erich was baron, geen vrijheer maar baron. De Havik zat hem vaak te stangen dat je de Lewenheusens – aangezien ze niet eens in het Ridderhuis geïntroduceerd waren – toch nauwelijks als adel kon beschouwen, laat staan als vrijheren. In elk geval zou Erich zowel een landgoed als een kunststofindustrie erven.

De Havik, Gurra en Erich klitten aan elkaar, alsof ze gedrieën een aparte groep vormden. Ze waren in vrijwel alle vakken de slechtsten van de klas. De Havik was redelijk in voetbal, maar verder hield hun groepje zich bezig met vreemde sporten, zoals schieten, schermen en paardrijden. Alledrie hadden ze een paard op een landgoed in de buurt. Erich liep vaak rond in rijlaarzen en soms droeg hij zelfs een rijzweep onder de arm, waarmee hij ze nu en dan tegen de schacht van de laars sloeg, om iets in zijn conversatie te onderstrepen. De drie edellieden praatten immers niet, zij hielden zich bezig met conversatie.

In de andere vaste groep van de klas zat niemand die van adel was. Daarentegen waren de leden van die groep minstens even rijk, zo niet rijker dan de adelgroep. De een was eigenaar van mechanische industrieën, de ander van de grootste textielfabriek van Zweden, de derde had een pa die algemeen directeur was van Atlas Copco en de vierde bezat 25 procent van Mercedes-Benz in Zweden.

De rijken waren duidelijk minder onnozel dan de adel. Er heerste een soort beleefde rivaliteit tussen de twee groepen, die erop neerkwam dat de adel de rijken 'nouveau riche-burgermannetjes' noemde en de rijken de adel gedegenereerd noemden. Beide beschuldigingen waren wellicht gegrond.

Dat was de hogere stand in de klas. De vaders van de anderen waren artsen, architecten, juristen bij de rechtbank en zakenlieden met min of meer onduidelijke bedrijven. Binnen de lagere klasse waren geen vaste groepen, daar ging men hoe dan ook weinig met elkaar om.

De klas was vrij klein vergeleken met een school in Stockholm en de leraren hadden meer tijd voor iedereen. Een groot deel van de les stonden de leraren over de adel gebogen en probeerden met een mengeling van gelatenheid en vertwijfeling voor de achttiende keer uit te leggen dat pi 3,14 was, dat straal niet hetzelfde was als omtrek, dat lucht geen element was, dat Zeus en Jupiter een en dezelfde waren, dat de hoofdstad van Egypte geen Istanbul kon heten, dat de rijksdag niet hetzelfde was als de regering (of dat er geen politieke partij was die 'rode gardisten' heette en dat dus de 'rode gardisten' niet aan de macht waren in het koninkrijk Zweden) en dat het na 1956 niet correct was om alle joden als slechte soldaten te betitelen.

Maar ook al lag het tempo tijdens de lessen extreem laag, toch waren het prettige lessen aangezien er nooit een spoor van dreiging of geweld voorkwam. Ook werd er niemand afgemat en werden de lessen door niemand verstoord. Het trage tempo en de steeds herhaalde uitleg voor de adel paste Erik bovendien perfect bij de vakken waarvoor hij anderhalf jaar lang de Baars had gehad. Daardoor had hij anderhalf jaar lang aan geen enkele wiskunde-, natuurkunde- en scheikundeles deelgenomen en had hij dus het een en ander in te halen. Stjärnsberg leek wel uit twee aparte werelden te bestaan. Het klaslokaal met de leraren die hun zelfbeheersing niet verloren, de moeilijke dingen steeds herhaalden, onkunde nooit bespottelijk maakten en nooit straf uitdeelden en zelfs geen extra werk opgaven, was een wereld op zich. Zodra je echter het schoolplein betrad, kwam je in die andere wereld, waar de raad heerste.

Het was moeilijk om contact te krijgen met de klasgenoten. De adel was een groep apart, die duidelijk aangaf dat men ook een groep apart diende te zijn. Zij lieten zich niet onnodig met het gepeupel in. De rijkenclub mengde zich ook niet bijzonder, hoewel zij zich niet zo sterk afzonderden. Onder de rest van de klas heerste een afwachtende stemming, waarvan je moeilijk hoogte kreeg.

Het was haast alsof ze te voornaam waren om zelfs maar ruzie met je te maken. Ook duurde het vrij lang voordat Erik zijn stem verhief tegen een paar klasgenoten. Het gebeurde toen hij na gymnastiek in de kleedruimte kwam en Arne, de lolbroek die vroeger de sterkste van de klas was geweest, Pierre bij de vetkwabben rond zijn middel pakte en hem Jumbo noemde. Erik kwam van achteren op Arne af en smoorde onderweg een drietal slechte ideeën.

'Houd daar onmiddellijk mee op,' zei hij zonder overdreven dreiging in zijn stem.

'Of anders wat?' vroeg de kennelijk niet helemaal oordeelkundige Arne.

Het vanzelfsprekende antwoord was geweest: 'Anders sla ik binnen vijf seconden je linkerkaakhelft in stukken.'

Maar Erik hield zich in en zei in het algemeen dat als er aan buikspek moest worden getrokken, Arne het bij hem mocht proberen en daarmee was de zaak uit de wereld. Achteraf was Erik blij. Hij had immers besloten dat het niet tot geweld zou komen tussen hem en de anderen in de klas.

Toch was er iets vreemds aan de hand. Een beetje verholen en voorzichtig, om niet te provoceren, praatten ze er vaak over dat je niet zo brutaal moest zijn. Regels waren er om te worden gerespecteerd. Je moest leren om orders in ontvangst te nemen. Hoe kon je anders orders geven als je zelf vierdeklasser, reserveofficier of bedrijfsleider was geworden?

'Met wetten moet het land gebouwd worden', citeerden ze dan en het was een van de weinige uitspraken die ze konden citeren.

Het was niet zo vreemd dat ze niet met hem wilden praten over wat er in de ruit gebeurd was. Ergens was dat niet zo vreemd. Hoewel ze duidelijk nieuwsgierig waren hoe iemand uit de onderbouw voor het eerst de ruit kon binnengaan en winnen, was dat allemaal zo ondenkbaar, dat het misschien ook ondenkbaar was om ernaar te vragen. Maar Erik had een vermoeden dat het eerder zo was, dat ze het pijnlijk vonden, dat ze het als een breuk met de traditie beschouwden, net zoiets als hardop boeren aan tafel. En in dat geval was het eigenlijk ziekelijk of ten minste laf of in elk geval belachelijk – ongeveer zoiets als altijd juichen voor het team dat aan kop staat in de eredivisie en af en toe wisselen, in plaats van voor je eigen team juichen of de underdog in een gevecht aanmoedigen. Maar dat deden ze niet. Ze moedigden degene aan die aan de winnende hand was, zelfs wanneer ze zelf aan het gevecht deelnamen en onder lagen.

'Het is gewoon een uiting van hun gebrek aan moraal,' verklaarde Pierre enigszins gewichtigdoenerig en zette zijn bril recht.

Erik was er niet zeker van dat hij precies begreep wat Pierre bedoelde. En ook al begreep hij hem, dan nog was hij er niet zeker van dat Pierre gelijk had. Misschien was het gewoon zo dat zijn klasgenoten, in elk geval de adelgroep, erop rekenden dat ze zelf op een dag raadsleden werden (het merendeel van de raadsleden was van adel). Maar als ze daarop rekenden, was dat misschien juist een 'uiting van hun gebrek aan moraal'?

Erik haalde de eerste rekentoets op het nippertje met een B?, dat wil zeggen een voldoende. Zelf was hij best tevreden, omdat het lang geleden was dat hij überhaupt een B voor een rekentoets had gehaald, maar Pierre zat een halfuur lang bij hem en bewees met snelle streken van zijn viltstift in zijn fraaie handschrift dat het gewoon een slordigheidsfout met twee getallen was en dat hij een derde getal had moeten kunnen uitrekenen, aangezien Pierre hem de laatste drie dagen voor de rekentoets juist dit soort tamelijk eenvoudige regula had zitten inprenten. Vandaar dat het een AB ('goed') had kunnen zijn. Maar Eriks doel was alleen om voor het einde van het eerste semester de drie vakken op te halen waarvoor hij een onvoldoende had. Dan zou hij in het voorjaar misschien proberen betere cijfers te halen.

Het zwemkampioenschap kwam dichterbij en Erik zag er tegenop. Het was een pijnlijk geheel. Hij was een zwemmer met vier jaar ervaring bij een wedstrijdclub en zou niet aan slechts één bepaalde wedstrijd moeten meedoen. Zijn oude trainingsmaten zouden lachen als ze het wisten en zijn trainer zou ironisch en misschien wat verbitterd opmerken dat zijn ambitieniveau gedaald was.

Het was geen eerlijke strijd.

Bovendien kon je ervan uitgaan dat hij er alleen nog maar minder populair door zou worden. Op iedere andere school in de normale wereld, waar normale regels voor een wedstrijd golden, zouden de onderbouwleerlingen het leuk vinden als iemand uit hun midden de gymnasiasten ervan langs gaf. Maar hier was het bijna andersom. Het was gênant en het zou waarschijnlijk opnieuw tot problemen leiden.

In het zwembad hing een lei waarop de schoolrecords op de diverse afstanden stonden vermeld. Hij had meer dan een seconde over op de 50 meter vrije slag, meer dan zes seconden op de 100 meter vrije slag en het record op de 300 meter zou hij waarschijnlijk met een halve minuut verbeteren als hij op zijn hardst zwom en toch had hij niet de fut om na 100 meter een goed tempo aan te houden. Er was dan ook nooit sprake van geweest dat hij iets anders dan sprinter zou worden.

Maar hij had Tosse Berg beloofd om drie afstanden te winnen en je moest doen wat je beloofd had. Dus moest hij drie afstanden winnen en dat moesten de afstanden bij de vrije slag worden. Niet meer. Geen belachelijke optredens met schoolslag of vlinderslag, technieken die hij nauwelijks beheerste vergeleken met zijn trainingsmaten bij Kappis.

De avond voor de wedstrijden nodigde Tosse Berg Erik uit om bij hem thuis in zijn leraarswoning op de bovenste verdieping van de Grote Beer te komen eten. Na het eten gingen ze naar de werkkamer en kregen koffie van Bergs vrouw, die zich vervolgens terugtrok en de deuren sloot. Berg wilde dus iets van hem. Ze babbelden wat over Bergs prijzenkast en of Erik zich in de toekomst volledig op zwemmen wilde toeleggen. Als hij zijn vorm in de tijd dat hij op Stjärnsberg zat in elk geval een beetje bij kon houden, zou hij misschien kunnen terugkomen bij Kappis wanneer hij op een gymnasium in Stockholm begon, vertelde Erik. Maar het was waarschijnlijk te lastig om zelf te trainen. Wat de atletiek betrof, dacht Erik niet dat hij goed genoeg zou zijn om de elite te bereiken. Hij was immers overal een beetje goed in, maar er was geen enkele tak waarin hij zozeer uitblonk dat hij zich daar in de toekomst op zou kunnen toeleggen. Met zijn zware lijf was het twijfelachtig of hij zelfs na jarenlange training erg ver onder de elf seconden rond zou kunnen komen op de 100 meter. Dat was trouwens ook niet zo belangrijk. Na het gymnasium moest je immers echt aan de slag met een opleiding en dan was het uit met de pret.

Berg kwam met allerlei tegenwerpingen. Met zwemmen en hardlopen als basis was het misschien een idee om met pistoolschieten, schermen en paardrijden te beginnen? Om vijfkamper te worden dus. Voor schermen en schieten kon hij hier op Stjärnsberg trainen en daarna kon hij misschien een plaatsje krijgen in een van de paardrijverenigingen, waarvan de paarden op de landgoederen rondom in Södermanland waren gestald. Maar misschien was dat ook niet mogelijk. O nee, dat was ook zo – en het voelde alsof Berg nu de kern van de zaak naderde –, die groep snobs had kennelijk de pik op Erik. Hoe kwam dat? Was het dat gezeur met de raad? Ja, en dan natuurlijk dat gedoe met de ruit. Aha, de leraren wisten van dat gedoe met de ruit? Jawel, het hoort er weliswaar bij dat de leraren tegenover de leerlingen doen alsof er niets aan de hand is, maar er is in de lerarenkamer veel over gesproken. De zuster had in geuren en kleuren beschreven hoe die Lelle en zijn maat uit L III er naderhand uitzagen. Lelle was na zijn herstel nog steeds niet teruggekeerd op school. Maar als het ging om de vraag wat er nu precies gebeurd was in de ruit, dan liepen de meningen onder de leraren nogal uiteen.

Verdorie, dacht Erik, was Berg alleen maar uit op een wedstrijdverslag? Was dat het enige waarover ze moesten praten?

Nee, dat was het niet. Toen Berg merkte dat Erik geen zin had om over de ruit te praten, veranderde hij van onderwerp en kwam ter zake. Hij wilde dat Erik aan nog een zwemonderdeel meedeed. Hij had gehoord hoe de jongens van de zwemclub punten zaten te berekenen en hoe ze tot de slotsom kwamen dat een van hen in het totaalklassement van Erik moest winnen.

Voor iedere afzonderlijke overwinning waren 30 punten te verdienen. Een tweede plaats leverde 20 en een derde plaats 10 punten op. Berg pakte pen en papier.

Als Erik meedeed aan de drie afstanden van de vrije slag zou dat drie overwinningen en 90 punten opleveren. Volgens het plan van de zwemclub zou Lewenheusen uit R III dan op 60 punten uitkomen.

Er zaten echter nog drie afstanden meer in de wedstrijd: 100 meter schoolslag, 50 meter rugslag en 50 meter vlinderslag.

Na de vrije slag moest Lewenheusen dus 30 punten op Erik inhalen. Maar als Erik nog een wedstrijd won, kwam hij uit op een puntental van 120 en dan zou Lewenheusen hem niet meer kunnen inhalen, aangezien het hoogste aantal overwinningen telde wanneer twee zwemmers op hetzelfde aantal punten uitkwamen. Hoe ze ook te werk gingen in de zwemclub, ze zouden Lewenheusen niet kunnen laten winnen, als Erik maar één afstand meer zwom.

Nou, het zou vast wel kloppen, maar het voelde belachelijk. En waar zou het goed voor zijn? Bij de vrije slag zou hij goede tijden kunnen neerzetten waar hij zich niet voor hoefde te schamen. Maar bijvoorbeeld de 50 meter vlinderslag winnen in een tijd van 45 à 50 seconden, dat leek gewoon bespottelijk.

Berg had echter een eigenaardige verklaring. Het was een familielid van Lewenheusen die twintig jaar geleden de wisseltrofee voor zwemmen had ingesteld. Daarom waren de jongens van de zwemclub van mening dat ze ervoor moesten zorgen dat Lewenheusen won en dat nieuw-brutaaltje versloeg. In feite was het bijna fraude. Het was ondemocratisch, het was in strijd met de geest van de sport. *May the best man win*, nietwaar?

'Maar in dat geval,' zei Erik, 'zijn er hier op school heel veel ondemocratische zaken. Het is niet zo vreemd dat ze willen dat een raadslid wint. Het is net zoiets als wanneer wij, uit de onderbouw, het bij atletiek moeten opnemen tegen het gymnasium, alleen maar omdat wij een pak slaag moeten krijgen. Zo is het toch, hier op Stjärnsberg.'

'Precies!' zei Berg en balde zijn vuisten. Enthousiast ging hij verder: 'Precies zo is het en dat is onsportief en dat is het. Daarom dacht ik dat je daar een bres in zou kunnen slaan als jij won, begrijp je mijn gedachtegang?'

'Ja, maar er klopt iets niet. Ik heb jarenlang echte zwemtraining gehad en zij niet. Wat is er dan democratisch aan dat ik win van lui die geen zwemtraining hebben gehad?'

'Omdat je beter bent dan zij, Erik, en omdat je hen en alle anderen hier kunt laten zien dat je bij sport niet kunt frauderen. Het kan niet zo zijn dat je Lewenheusen moet heten om te kunnen winnen. Denk je eens in hoe leuk het zou zijn voor de onderbouw om een winnaar te hebben...'

'Denk je dat ze dat leuk vinden?'

'Ja, natuurlijk, Erik, natuurlijk! Sport is democratisch, Erik, onthoud dat.'

'In welke volgorde worden de afstanden gezwommen?'

'Eerst 50 meter vrije slag, dan 50 meter rugslag, 50 meter vlinderslag, 100 meter vrije slag, 100 meter schoolslag en ten slotte 300 meter vrije slag, wat als een lange afstand wordt beschouwd.'

'Dan moet ik de 50 meter rugslag nemen. De 100 meter schoolslag ligt immers midden tussen twee afstanden van de vrije slag en dan ga je ten onder op de laatste afstand, de 300 meter. En de vlinderslag ligt te dicht bij de 100 meter vrije slag.'

'Win je de 50 meter rugslag?'

'Ja, als ik meedoe. Maar ik vind het een krankzinnig idee.'

'Maar denk eraan dat we die bedriegers in elk geval op hun nummer zetten.'

Toen schudde Tosse Berg hem de hand op zijn officiersmanier met een harde handdruk en een vaste blik. Hij sloeg Erik op de schouder en zei dat hij blij was.

'Hou je taai, Erik, laat die klootzakken zien dat sport en gesjoemel niet bij elkaar horen.'

Tosse Berg bleek zowel gelijk als ongelijk te hebben. Bij de openingstoespraak van de rector voor de finale van de wedstrijden, was al te voelen dat er iets vreemds in de lucht hing onder de zwemmers. Onder de toeschouwers die op het gymnasium zaten werd gefluisterd en gewezen. De Lewenheusense zilveren bokaal was het zwembad binnengedragen en stond vlak bij de tribune van de rector (hoewel de prijsuitreiking pas bij de afsluiting van het semester zou plaatsvinden).

Er was als het ware een afstand tussen Erik en de andere zwemmers van het schoolteam. Hij had het de dag ervoor tijdens de kwalificatie ook al gemerkt. Al tijdens de eerste afstand van de vrije slag, de 50 meter, bleek dat Lewenheusen tweede werd na Erik, hoewel er minstens één jongen was die hem had moeten verslaan. Hetzelfde gebeurde bij de rugslag. Toen Erik bij de finish kwam, zag hij duidelijk hoe twee andere jongens de laatste meters op Lewenheusen lagen te wachten en hem voorbij lieten zwemmen.

Er was twintig minuten rust tussen de wedstrijden en als Lewenheusen alles bleef zwemmen, zou het er algauw heel vreemd uitzien. Lewenheusen won de vlinderslag met een stijl die eruitzag als een kruising tussen schoolslag en een verdrinkingsgeval. Op de 100 meter vrije slag werd de langzaam-aan-actie herhaald, Lewenheusen mocht tweede worden. Twintig minuten later lieten ze hem de 100 meter schoolslag winnen. Erik zag alleen het begin van de wedstrijd, voordat hij de sauna in ging om niet te stijf te worden voor de 300 meter.

Om Lewenheusen het totaalklassement te laten winnen moesten ze óf Erik op de laatste afstand laten diskwalificeren, óf zorgen dat Lewenheusen hem kon verslaan. Hoe hadden ze zich dat voorgesteld? Een 'valse start' of zo? Het beste was om demonstratief laat te starten. Beweren dat hij bij het keren een verkeerde afzet had gehad? Onmogelijk. Wat zou het puntental worden als Wrede, die sinds de 50 meter vrije slag gerust had, de 300 meter won en Erik tweede werd en Lewenheusen derde? Wrede was weliswaar bij de kwalificatie, de dag ervoor, de op een na snelste, maar ze dachten toch niet dat hij meer dan twintig seconden zou kunnen goedmaken op Erik? Dat zou trouwens ook niet voldoende zijn voor Lewenheusen, of wel? Of hadden ze het al opgegeven, wilden ze niet al te duidelijk frauderen?

De start ging goed, zonder dat het veld werd teruggefloten. De Wrede zwom echter verder met een hoogst merkwaardige snelheid. Eerst probeerde Erik hem bij te houden, maar algauw besloot hij vaart te minderen en zijn eigen race te zwemmen. Na 150 meter was Wrede opgebrand en viel hij terug. Was dat hun plannetje geweest? Dat Erik de eerste 100 meter mee zou gaan in een waanzinnig tempo en zich stuk zou zwemmen? Kennelijk.

Toen Erik uit het zwembad klom, leek het of er zes man lagen te baden in afwachting van de volledig uitgeputte Lewenheusen, zodat hij tweede kon worden. Ze bleven hun gesjoemel dus tot het einde toe volhouden, zonder hun doel te bereiken. Wat een varkens.

'Jaha,' schreeuwde Berg door zijn luidspreker, 'en hier hebben we de winnaar van het totaalklassement en de houder van drie nieuwe schoolrecords, Erik uit klas 3⁵!'

Het werd bijna stil. Er kwam slechts een aarzelend applaus vanaf de onderbouwtribune.

'Mag ik een applaus voor de winnaar!' schreeuwde Berg.

Maar het bleef stil.

Toen ging Berg bij de rand van het bad staan en begon demonstratief te applaudisseren. Vijf eeuwig durende seconden lang stond hij in de stilte alleen te applaudisseren. Toen nam de rector het applaus over.

Erik was al op weg naar buiten toen ook de gymnasiumtribune begon te applaudisseren. Hij schaamde zich en had er spijt van dat hij zichzelf en Berg en de hele wedstrijd had blootgesteld aan al dat geknoei. *May the best man win* – kom nou! Hier op Stjärnsberg golden andere wetten en andere regels.

Direct na het avondeten kwam de raad bijeen in lokaal zes.

Lewenheusen zag er doodmoe uit. Erik grijnsde naar hem, maar hij ontweek Eriks blik en deed alsof hij druk in de weer was met zijn aantekeningen.

'Tja,' zei voorzitter Bernhard von Schrantz, 'daar hebben we jou weer, Erik. Ik neem aan dat je weet waarvoor je je deze keer moet verantwoorden.'

'Insubordinatie in een bepaald aantal gevallen en daar heb ik schijt aan. Vervolgens voor de tweede keer stiekem roken en daarvoor wens ik me te verantwoorden.'

'Gebruik geen ongepaste taal tegenover de raad, dit is de laatste keer dat ik je daar vandaag op wijs.'

'Ach, begin nu niet weer met die verdomde flauwekul. Vertel liever hoe de aanklachten luiden.'

'Voordat we beginnen noteren we dus twee weekenden arrest voor ongepast gedrag tegenover de raad. Wil de secretaris zo vriendelijk zijn hier een aantekening van te maken.'

De secretaris maakt er keurig een aantekening van. De glad gekamde raadsleden zaten er zwijgend bij met een gezichtsuitdrukking die een kruising was tussen het ophouden van een rechtbankmasker en discreet getoonde vijandschap. Erik had het gevoel dat hij een sterke positie had. Hierbinnen waren ze genoodzaakt dat rechtbanktoneelstukje te spelen en dat dwong hen tot een bepaald ritueel waarvan ze niet konden afwijken.

'Dat was dat,' zei de voorzitter. 'Dan gaan we nu over tot de insubordinatiezaken. Wil de vice-prefect zo vriendelijk zijn de zaak uiteen te zetten.'

De vice-prefect merkte 'bij wijze van inleiding' op dat het geval ongebruikelijk 'ernstig' was, aangezien het – voorzover men alleen op de gerapporteerde overtredingen afging – twaalf gevallen betrof waarin Erik had geweigerd om vierdeklassers te gehoorzamen. Er was echter 'aanleiding om te veronderstellen' dat het werkelijke aantal overtredingen veel hoger lag dan het gerapporteerde aantal, aangezien diverse vierdeklassers het 'weinig zinvol' vonden om brieven over de zaak in te dienen. Hier 'moest specifiek rekening mee worden gehouden' bij het opleggen van 'consequenties'.

Vervolgens dreunde hij de schriftelijk ingediende aangiftes op. Daarna was de voorzitter aan de beurt.

'Wat heeft de beklaagde in deze zaak aan te voeren?'

'Niets bijzonders. Zoals ik reeds verklaard heb, heb ik schijt aan orders van vierdeklassers. Ook geef ik geen gehoor aan jullie orders als die niet van het type zijn dat ik iets moet doen, om niet te worden veroordeeld voor stiekem roken volgens de bepalingen van paragraaf 8, jullie weten wel, dat van 'anders... klaarblijkelijk'. Op zich kunnen jullie niet 'specifiek rekening houden' met iets waar ik niet voor ben aangeklaagd. Dus antwoord ik alleen op de aanklachten die voorliggen en wil ik dat de raad die instelling accepteert.'

'Heeft de raad behoefte aan een aparte beraadslaging met betrekking tot dit specifieke bezwaar?' vroeg de voorzitter.

De rechtbank ging vijf minuten apart beraadslagen. Toen Erik weer binnen werd geroepen kreeg hij te horen dat de raad zijn bezwaar als volkomen correct had geaccepteerd. Men kon alleen veroordeeld worden voor de zaak die aan de raad was voorgelegd. Specifiek rekening houden met iets anders was niet mogelijk.

'Maar dat betekent niet,' vervolgde de voorzitter, 'dat de zaak daardoor minder ernstig wordt. We moeten dus twaalf gevallen beoordelen. Je hebt de uiteenzetting van de aanklager met betrekking tot die twaalf gevallen gehoord. Wil je hier in zijn geheel stelling tegen nemen of wil je dat we ze een voor een behandelen.'

'Er is niets op tegen om die zooi in zijn geheel te behandelen.'

De voorzitter deed alsof hij dat ongepaste woord niet hoorde.

'Dus,' ging de voorzitter verder, 'mogen we je standpunt ten aanzien van de twaalf afzonderlijk aangemelde gevallen van insubordinatie horen?'

'De aanklachten zijn juist. Ik heb al verklaard dat ik niet van plan ben vierdeklassers te gehoorzamen en dat houdt in principe in dat elk van die rapporten juist kan zijn. Ik ken niet eens de namen van degenen die aangifte hebben gedaan, maar ik denk dat ik de situaties waarover gesproken wordt wel herken. Oké, ik ben dus schuldig aan dit geheel. Ga je gang maar en vel een vonnis.'

'Is de raad gereed om een besluit in deze zaak te nemen,' vroeg de voorzitter en kreeg een zwijgend geknik ten antwoord.

'De raad veroordeelt je dus tot twaalf weekenden arrest voor de weigering om orders van vierdeklassers te gehoorzamen.'

Erik repeteerde de paragraaf in zijn geheugen: *... orders van leden van de raad of leerlingen uit de vierde klas dienen onvoorwaardelijk door de jongere leerlingen te worden opgevolgd...*

Tot zover kon het geheel in twijfel worden getrokken. 'Orders' zou immers moeten doelen op 'behoorlijk gedrag' in het eerste deel van de paragraaf en niet op het doen van klusjes. Maar aan de andere kant was er in het eerste deel reeds in het algemeen sprake van 'overeenkomstig de principes van de school inzake kameradenopvoeding' en dat kon op allerlei manieren worden uitgelegd. Bovendien liet het tweede deel van de paragraaf niet veel ruimte voor twijfel: *De raad heeft het recht om na vrije toetsing een straf op te leggen voor insubordinatie.*

Met andere woorden, als je niet gehoorzaamde konden ze je net zo straffen als ze zelf wilden. En arrest was beter dan dwangarbeid, vooral nu zijn straftijd zich tot ver in het winterseizoen van het volgende semester uitstrekte. Dat was goed voor de studie. Er was geen aanleiding om over de zaak te redetwisten. Gewoontegetrouw werd arrest kennelijk als ernstiger beschouwd dan dwangarbeid, maar dat berustte waarschijnlijk op een denkfout. Ze moesten 'dwangarbeid' hebben beschouwd als klusjes in de ruimste zin van het woord, bijvoorbeeld klusjes waarover je kon slijmen. Hij zou het immers niet kunnen uithouden om week in, week uit die kuil te moeten graven. Dat zou tot een situatie kunnen leiden zoals beschreven in paragraaf 13: *Leerlingen die leden van de raad mishandelen of anderszins geweld gebruiken tegen leden van de raad zullen onmiddellijk geschorst worden.*

Arrest was dus een uitstekende oplossing. Wellicht kon je je een beetje beklagen over arrest als straf om ervoor te zorgen dat ze zich in het vervolg consequent zouden beperken tot arrest. Maar nee, dat was een onnodig risico.

'Heb je het vonnis begrepen?' vroeg de voorzitter.

'Ja, natuurlijk.'

'Heb je tegenwerpingen?'

'Nee.'

'Goed. Dan kunnen we overgaan naar het volgende punt. Wil de aanklager zo vriendelijk zijn de zaak van het stiekem roken uiteen te zetten?'

De aanklager annex vice-prefect bladerde even in zijn papieren om het rechtbankeffect te verhogen, voordat hij de aantekeningen over de Vademecum-geur van Erik en Pierre 'vond'. Erik en Pierre waren dus uit het bos gekomen en hadden naar Vademecum geroken, ondanks het feit dat er minder dan twintig minuten verstreken waren na de maaltijd. Uit de omstandigheden bleek dus dat ze beiden stiekem gerookt hadden en daarna Vademecum hadden geïnhaleerd of de mondholte ermee gespoeld hadden om de sporen van het vergrijp uit te wissen. Erik was eerder veroordeeld voor stiekem roken en kon dus als een roker beschouwd worden. Pierre Tanguy uit dezelfde klas had geen eerdere veroordeling, maar men mocht aannemen dat Erik Tanguy had aangezet tot medewerking aan het delict.

Wilde Erik iets tot zijn verdediging aanvoeren in deze zaak?

'Ja, een aantal dingen. We werden gefouilleerd door het raadslid dat de vondst had gedaan. Zijn er in het protocol notities opgenomen over deze zaak en het resultaat van de visitatie?'

De aanklager 'zocht een tijdje in zijn papieren' voordat hij constateerde dat er geen aantekeningen van de visitatie waren.

'Nee, dat is wel duidelijk,' ging Erik verder, 'want zoals jullie begrijpen heeft het raadslid in kwestie, Jönsson of hoe hij ook maar heet, niets gevonden...'

'Jeanson!' onderbrak de voorzitter.

'... ja Jönsson of Jansson of hoe hij ook heet vond in elk geval niets, niet eens tabaksschilfers. Geen rooklucht, geen rookgerei, niets. Het enige argument dat jullie hebben is dus dat we naar Vademecum roken.'

'Goed, goed,' onderbrak de voorzitter hem, 'probeer ter zake te komen. Beken je dat je schuldig bent?'

'Bekennen? Kunnen jullie je niet normaal uitdrukken, dit hele rechtbankgedoe is toch gewoon bespottelijk, jullie zijn helemaal geen rechtbank. Waar is in dat geval mijn verdediger?'

'Ja, dus je bekent wat je ten laste is gelegd?'

'Nee, ik beken niets. Wij zijn onschuldig. Jullie kunnen het feit dat iemand naar Vademecum ruikt niet als bewijs voor roken beschouwen!'

'Kun je zweren dat je niet gerookt hebt?' vroeg de aanklager.

'Hè! Zweren dat je onschuldig bent werd al in de Middeleeuwen afgeschaft. Jullie moeten bewijzen dat wij gerookt hebben en het enige waar jullie je aan vast kunnen houden is dat wij naar Vademecum roken. Dat is toch ronduit bespottelijk. Jullie kunnen nog zo gladgekamd zijn en nog zoveel namaak-advocatentaal uitkramen, maar het is en blijft gewoon belachelijk. Bewijs maar dat we gerookt hebben, laat het bewijs eens zien!'

'Nou, dacht je dat wij niet weten waarom stiekeme rokers naar Vademecum ruiken?' vroeg de voorzitter. 'Dacht je dat wij niet een zekere ervaring met stiekeme rokers hebben? En hoe verklaar je trouwens zelf dat jullie naar Vademecum roken?'

'Een verklaring zou kunnen zijn dat de geur van Vademecum het onmogelijk maakt om te beweren dat iemand naar rook ruikt.'

'Je bekent dus?'

'Helemaal niet. Maar als je nu weet dat het de favoriete bezigheid van een stel halvegaren met een gouden randje rond het schoolembleem is om de onderbouw te tiranniseren en met allerlei pesterijtjes te komen zodra je over het schoolplein loopt... dan is het toch het veiligst om voortdurend naar Vademecum te ruiken? Dan kan geen enkel onoordeelkundig of door eigen rook vergiftigd raadslid beweren dat je naar rook ruikt. Bovendien zijn er ook mensen die na het eten hun tanden poetsen.'

'Je wilt dus beweren,' vatte de secretaris samen uit zijn aantekeningen voor het zogenaamde protocol, 'dat je deels in samenhang met normaal tanden poetsen, maar ook deels als voorzorgsmaatregel in verband met visitatie Vademecum hebt gebruikt?'

'Ja, dat klopt. En jullie kunnen niet zo onnozel zijn dat een Vademe-cum-geur, volgens jullie, in dit geval hetzelfde is als 'anders... klaarblijke-lijk' in paragraaf 8. Verder wil ik eraan herinneren dat jullie, toen ik de eerste keer werd veroordeeld voor roken, allemaal moeten hebben begre-pen dat ik alleen maar een vergeten pakje in mijn zak had. Ik was toen immers nog helemaal nieuw.'

'Ja, maar die zaak is volkomen irrelevant in deze samenhang, dat von-nis is al geveld,' zei de voorzitter.

'Voor mij is het niet irrelevant, aangezien ik onschuldig ben. Roken is niet goed voor de conditie, dat hebben jullie toch wel gezien aan Lewen-heusens verdrinkingsoefeningen tijdens het zwemkampioenschap?'

Lewenheusen maakte een beweging alsof hij iets wilde antwoorden, maar de voorzitter legde hem met een gebaar het zwijgen op.

'De raad wil apart beraadslagen, jij moet op de gang wachten.'

Het overleg duurde maar twee minuten.

Toen Erik weer binnenkwam hield de voorzitter een korte, vermanen-de uiteenzetting.

'De raad heeft een besluit genomen, dat ik je zo dadelijk zal meedelen. Maar eerst willen we je ernstig verzoeken om je leven te beteren. Hoewel je nog maar zes weken hier op school zit, heb je je nu al consequenties op de hals gehaald die zich tot ver in het voorjaarssemester uitstrekken. Je hebt een slechte invloed op de leerlingen van de onderbouw en dat moe-ten wij tot elke prijs beteugelen. Dus zowel voor je eigen bestwil als voor de sfeer hier op school zul je je instelling moeten veranderen, anders kon je verblijf op Stjärnsberg volgens ons wel eens van korte duur zijn. Nu we je veroordelen voor de tweede keer stiekem roken, hebben we tot de enigszins ongebruikelijke maatregel besloten om de hele straf om te zet-ten in arrest in plaats van gedeeltelijk arrest en gedeeltelijk dwangarbeid. Je krijgt dus nog twee weekenden arrest. En denk erom dat je van school wordt gestuurd als je nog drie keer wordt gepakt.'

'Dan moeten jullie me dus nog drie keer veroordelen voor stiekem ro-ken, omdat ik naar Vademecum ruik of niet naar Vademecum ruik, is dat waar jullie mee dreigen? Dat zit daar een beetje rechtbank te spelen! Denk ook eens even aan paragraaf 9: *De raad zal daarbij onpartijdig op-treden bij de beoordeling van het bewijs en een ieder die zich voor de raad moet verantwoorden zijn zaak in volle omvang laten toelichten* enzovoort. Willen jullie niet ook nog witte pruiken aanschaffen, zodat het rechts-zaaktheater nog komischer wordt.'

'Als je niet stiekem rookt zullen we je daar ook niet voor vastzetten, daar kun je zeker van zijn. Maar rook je wel, dan word je voor de vijfde keer gepakt, ook daar kun je zeker van zijn.'

'Ja, ja. Hartstikke leuk voor degene onder jullie die mij voor de vijfde keer pakt, wanneer het niet langer een rol speelt wat ik met jullie doe. Dan zullen we wel eens zien hoeveel jullie gerechtigheid waard is, hè? Ik bedoel omgerekend in voortanden of iets dergelijks.'

Voorzitter Bernhard sloeg met beide vuisten op de tafel voor zich en staarde even naar de katheder voordat hij zijn zelfbeheersing herwon en antwoord kon geven.

'Wie de raad tijdens een rechtszaak bedreigt, is waarschijnlijk niet bij zijn volle verstand en...'

'En dan kunnen jullie me toch niet veroordelen. Je kunt niet iemand veroordelen die niet bij zijn volle verstand is en het gekkenhuis zal wel niet op jullie strafschaal voorkomen. En is het niet zo dat jullie dreigden mij vast te zetten voor een misdrijf dat ik niet gepleegd heb, totdat ik van school gestuurd word?'

'Nee, niemand heeft je bedreigd, maar jij...'

'In dat geval heb ik ook niet gedreigd, dan is de zaak dus duidelijk.'

'De raad heeft behoefte aan een aparte beraadslaging!'

Op de gang, te midden van de andere aangeklaagde onderbouwleerlingen, deed Erik verslag van de laatste woordenwisseling. Dat veroorzaakte het nodige gelach en gejuich, dat ook voor de beraadslagende rechtbank hoorbaar moest zijn. Dat was uitstekend, ze moesten belachelijk worden gemaakt. Tijdens de wilde speculaties die onder de aangeklaagden op de gang ontstonden over hoe de raad deze keer zou oordelen, beloofde Erik om na het vonnis de prefect en de vice-prefect uit te dagen voor dé ruit. Ze moesten nog belachelijker worden, dat was de enige redelijke manier om zich te verdedigen.

Erik werd opnieuw binnengeroepen en kreeg nog eens vijf weekenden arrest.

'Dan heb ik nog twee vragen,' zei Erik.

'De vraag is gesteld door de aangeklaagde en dat behoort tot je rechten. Ga je gang, maar geen nieuwe onbeschoftheden.'

'De eerste vraag is of het zin heeft om je überhaupt hiermee bezig te houden. Ik was van plan hier maar twee jaar te blijven. Als we dat quotum nu vullen met voldoende weekenden voor twee studiejaren, dan kan deze schertsvertoning me verder bespaard blijven. Als ik nu een paar keer

"kut" en "lul" zeg, kunnen jullie wel meteen een vonnis voor twee studiejaren uitspreken?'

'Ja, en wat was de tweede vraag?'

'Ik zou de voorzitter en de aanklager graag morgen na het eten, om
acht uur, uitdagen tot de strijd in de ruit.'

Het kostte de raad duidelijk veel inspanning om te blijven zitten en er
als een rechtbank uit te blijven zien. De voorzitter maakte een 'vermoeid
gebaar' voordat hij zich uitte.

'Het antwoord op je twee vragen is als volgt. De raad oordeelt uitsluitend voor feitelijke vergrijpen, in ieder afzonderlijk geval. We kunnen geen
algemene vonnissen uitspreken, dat zou in strijd zijn met de wet. En wat
de tweede vraag betreft ... dat is toch gewoon als een grapje bedoeld?'

'Nee, helemaal niet, dat was volkomen serieus bedoeld.'

'... en zelfs al was het geen grapje, maar gewoon een van je gebruikelijke onbenulligheden, dan nog is het onmogelijk voor een onderbouwleerling om leden van de raad uit te dagen.'

'Tja, het gerucht gaat...'

'En nu hebben we al veel te veel tijd aan je besteed. Als je naar buiten
gaat kun je tegen Tanguy zeggen dat hij aan de beurt is.'

Erik ging naar buiten en bevestigde gladjes dat hij de prefect en de vice-
prefect had uitgedaagd, maar dat ze niet mee wilden doen. Het liet zich raden dat het verhaal daarna als een lopend vuurtje door de school ging.

Vervolgens ging Pierre naar binnen en werd ondanks zijn ontkenning
veroordeeld voor de eerste keer stiekem roken in overeenstemming met
'anders... klaarblijkelijk' in paragraaf 8. De zaak tegen Pierre was in drie
minuten afgehandeld.

≈

Toen Erik eenmaal de routine van de bureaucratie te pakken had, was
het bestaan tijdens het arrest best prettig. Tot de geschikte boeken werden schoolboeken, de bijbel en noodzakelijke uitrusting gerekend en alleen dat was al voldoende om bezig te blijven. Bovendien kon je met
een beetje fantasie en hulp van diverse leraren de definitie van 'boeken
die een aantoonbare samenhang met het onderwijs hadden' vrij ver op-
rekken. Churchills twaalfdelige geschiedenis van de Tweede Wereldoor-

log werd met behulp van een verklaring van de geschiedenisleraar als onderwijs beschouwd. Tot de literatuur in aansluiting op het taalonderwijs werden boeken met harde kaft van Zweedse schrijvers gerekend; boeken van buitenlandse schrijvers werden niet als literatuur beschouwd, althans voorzover de buitenlanders geen Noren, zoals Ibsen of Hamsun, of Finnen waren, hoewel Väinö Linna een twijfelgeval was (de vraag rees in hoeverre Linna communist was en om die reden als ongeschikt kon worden beschouwd, net zoals pornografische teksten als ongeschikt werden beschouwd).

Alle religies en godsdienstgeschiedenis werden als godsdienstles beschouwd. Zelfs zenboeddhisme.

Als onderwijs Engels konden ook boeken van erkende schrijvers in het Engels worden beschouwd, echter pas na een verklaring van de leraar. Graham Greene kwam door de censuur, net als de langdradige en moeilijk te begrijpen Shakespeare – voornamelijk om het wachtdoende raadslid te pesten – net als alle bekende Engelse schrijvers, behalve degenen die als ongepast werden beschouwd omdat ze homoseksueel waren.

In het kader van biologie konden ook bepaalde reisverhalen uit Zuid-Amerika en Nieuw-Guinea door de beugel, op voorwaarde dat de schrijver een Zweed was.

Kortom, het bestaan in arrest was één groot leesfestijn.

Erik stelde een rooster op. De eerste uren zou hij besteden aan uitslapen, net als alle anderen, dus sliep hij van zes tot tien. Af en toe werd hij natuurlijk gewekt door het wachtdoende raadslid dat – hoe langer hoe wanhopiger – dreigde met extra straf wegens het slapen tijdens arrest.

De volgende uren tot aan de lunch besteedde hij aan wiskunde en andere werkzaamheden voor de vakken waarin hij een achterstand had. De rest van de dag was puur leesgenot. 's Avonds voordat hij naar bed ging zwom hij nog even.

De stemming rond zijn persoon was veranderd, tenminste dat dacht hij. Sinds die keer dat hij de prefect en vice-prefect had uitgedaagd kreeg hij keer op keer de kans om de twee rechters belachelijk te maken als ze over het schoolplein liepen.

'Hallo, opperraadslid, zullen we naar de ruit gaan en een dansje maken!' schreeuwde hij en dan lachte hij hard, met zijn nog steeds complete rij tanden ontbloot. De omstanders lachten aarzelend.

De leraren maakten grapjes over zijn studievlijt en het nut van arrest en de gedachte dat je misschien de hele klas in het weekend zou moeten opsluiten om een beetje resultaat te krijgen. Ook de leraren grepen iedere kans om Eriks kant te kiezen in conflicten met de raad over de vraag wat mocht worden beschouwd als een schoolboek of een boek dat een samenhang met het onderwijs had, en wat als amusement. Uiteindelijk waren pornoblaadjes en boeken van homoseksuele Engelse schrijvers het enige wat niet als schoolboeken werd beschouwd en ten slotte nam het wachtdoende raadslid niet eens meer de moeite om Eriks dikke schooltas te doorzoeken voor hij het arrestlokaal binnenging.

Het systeem leek barstjes te gaan vertonen.

En het was overduidelijk dat het aantal geweldplegingen in de ruit lager was dan ook maar iemand in de onderbouw zich kon herinneren.

Het was alsof het niet langer ontegenzeglijk mannelijk was om onderbouwleerlingen in de ruit in elkaar te slaan.

Natuurlijk kwam het af en toe nog wel voor. De eerste twee keren na Eriks eigen gevecht in de ruit ging hij er niet heen om te kijken. Hij dacht dat hij er onpasselijk van zou worden.

Maar op een keer, eind oktober, ging hij erheen en stelde zich op in het publiek. Het was alsof hij er uiteindelijk door een magneet naartoe werd getrokken.

Het waren Lewenheusen en een van zijn klasgenoten die een spichtige jongen uit 4⁵ klas in elkaar zouden slaan. Het was onduidelijk wat de delinquent gedaan had, maar de geruchten wilden dat hij brutaal was geweest tegen zijn tafelchef, raadslid Lewenheusen. Als vechten dan zo leuk was, zo had de jongen gezegd, dan had hij, Lewenheusen, de kans moeten grijpen toen een jongen uit 3⁵ de hele raad had uitgedaagd.

Erik had het gevoel dat hij in zekere zin schuld was aan dit alles.

Lewenheusen en zijn maat begonnen simpel. Ze stonden elk aan een kant en deelden een paar klappen uit aan de delinquent, die nauwelijks een poging ondernam om zich te verweren.

Net als een wolf, dacht Erik, hij probeert zich net als een wolf te verdedigen door zijn keel bloot te geven, zodat ze niet meer naar hem zullen happen. Maar dat zal nooit lukken. Om geen rat te worden kan hij pas uit de ruit kruipen wanneer hij voldoende slag heeft gehad en ze moeten hem eerst voldoende slag geven, wil hij eruit kunnen kruipen.

Lewenheusen en zijn maat vochten onhandig en dom. Toen ze met de vuisten begonnen, misten ze of raakten hem om de andere slag half, ondanks het feit dat degene die een aframmeling moest hebben zich nauwelijks verweerde. Ten slotte werd de jongen natuurlijk wanhopig, haalde wild uit naar Lewenheusen en raakte hem op de mond, hoewel de slag lang van tevoren was aangekondigd. Toen werd Lewenheusen kwaad, verloor zijn zelfbeheersing en begon met ongecontroleerde rechtse en linkse stoten in te slaan op degene die een aframmeling moest hebben. Deze dook instinctief ineen tijdens het slaan, zodat de meeste slagen hem op de schouders en aan de zijkant troffen en eigenlijk geen schade veroorzaakten. Lewenheusen raakte daardoor zo vermoeid dat zijn maat het een tijdje moest overnemen.

De jongen die een aframmeling moest hebben, stond voorovergebogen, zonder enige dekking voor wat er ook maar op hem af kwam. De maat van Lewenheusen liep naar voren en zette een knie in het gezicht van de jongen en stompte hem vervolgens in de maag toen hij overeind kwam. Het slachtoffer zakte op zijn knieën en kermde maar weigerde uit de ruit te gaan. Toen liep Lewenheusen naar voren en begon hem te schoppen. De jongen die een aframmeling moest hebben, zakte ineen tot hij bijna lag en Lewenheusen ging door met schoppen, terwijl hij vanzelfsprekende beledigingen ratelde over lafheid en ratten en dat hij maar moest leren om niet brutaal te zijn en andere dingen die er klaarblijkelijk bij hoorden.

Het leek op een slecht stierengevecht met een stier die ineenzakte na een confrontatie met picadors en torero's van middelbare leeftijd, die halfdronken, halfvet en heel, heel ver verwijderd waren van dat wat ooit hun droom moest zijn geweest: de *feria* in Sevilla openen.

Ten slotte kroop de jongen die werd afgerammeld uit de ruit. Voorzover Erik kon zien, bloedde hij niet erg en hoefde hij waarschijnlijk geen hechtingen te hebben. Hij huilde, waarschijnlijk meer vanwege de vernedering dan van de pijn. Hij lag nog zachtjes te snikken onder aan de cementplaat toen Lewenheusen in iets wat er bijna uitzag als een overwinningsroes naar de kant van het onderbouwpubliek liep.

'Zo gaat het met wie te brutaal is, nu weten jullie het!' schreeuwde Lewenheusen in triomf.

'Zijn er nog meer mensen die...' ging Lewenheusen verder en zag er plotseling uit als iemand die zijn tong wel had kunnen afbijten. Bliksemsnel zag Erik zijn kans schoon.

'Ja, eindelijk, Lewenheusen, ik doe mee!' schreeuwde Erik vanaf zijn plaats boven aan de helling van de onderbouw.

Na een korte stilte brak een gegniffel uit onder de onderbouwleerlingen. Lewenheusen stond als versteend.

'Nou!' krijste Erik.

Het gegniffel nam toe tot gelach, sporadisch gelach dat vervolgens als een stijgende rivier aanzwol tot een bulderend en daverend gelach van de hele onderbouwhelling. Zelfs de jongen die een aframmeling had gehad, ging staan en lachte snotterig mee.

Erik overwoog de alternatieven. Hij kon zich een weg naar beneden, naar Lewenheusen banen en in de ruit klimmen. Dan zou zowel Lewenheusen als zijn maat gedwongen zijn te blijven staan. Natuurlijk was het ook best mogelijk dat de maat er vandoor ging en het geheel alleen maar uitliep op een gewone scheldpartij. Maar het risico bestond ook dat Erik gedwongen werd Lewenheusen en zijn maat te mishandelen. Dat alternatief had iets uiterst onplezierigs. Om diverse redenen was het niet mogelijk om het vorige gevecht over te doen. Intuïtief wist hij dat het fout was.

Het andere en betere alternatief, zo besloot Erik, was Lewenheusen te dwingen zich terug te trekken ten overstaan van het hele publiek.

'Nou?' schreeuwde Erik opnieuw. 'Ik dacht dat ik net een rat hoorde, hoorde je dat Lewenheusen, een *rat* die iemand van de onderbouw wilde afranselen. Hier ben ik, daag me maar uit, dan kom ik er dadelijk aan. Schiet op, Lewenheusen, kleine rat, ik tril van ongeduld!'

Het gelach daalde in golven neer over Lewenheusen. Zelfs het publiek van het gymnasium was harteloos genoeg om het komische de voorkeur te geven boven de eer van Lewenheusen en begon ook te lachen.

'Ach verdomme, jou krijgen we nog wel een keer,' mompelde Lewenheusen halfluid en met weinig overtuiging in zijn stem.

Toen glipte hij weg, achtervolgd door hoongelach en geroep over ratten. Erik was heel tevreden. Dit was veel beter dan geweld. De raad moest met spot tegemoet worden getreden, dat was het beste. Als de raad maar voldoende openlijke bespottingen over zich heen kreeg dan zou...

Ja, wat zou er dan eigenlijk gebeuren? Dat idee was heel wat waard, bedacht Erik plotseling. Dat was iets om mee aan het werk te gaan.

'Ik dacht dat je schijt aan ze had, Erik. Waarom zou je je eigenlijk iets aantrekken van dergelijke idioten? Waarom zou je je in jouw situatie nog iets van iemand aantrekken? Het was slim van je om te doen wat je deed met Lewenheusen, dat maakt het alleen nog maar veiliger voor jou, geloof ik. Ik bedoel, niemand zal je ooit nog naar de ruit slepen zolang jij hier op school gaat. Je kunt alle peppers en dergelijke in de eetzaal ontlopen en ze kunnen je niet meer dreigen met arrest. Jij hebt immers in zekere zin alles al geregeld, je hebt daar weliswaar een prijs voor moeten betalen met al die weekenden ar-

rest, maar er zit toch wat in om die tijd voor studie te gebruiken, aangezien je 's middags zoveel met sport bezig bent. Ja, en dan is er nog het punt dat je niet naar huis wilt, ik bedoel vanwege dat gedoe met je vader en zo.

Maar probeer in te zien dat het zo wel goed is. Blijf je ze provoceren, dan moeten ze wel iets aan de zaak doen en dan weet ik niet wat er gaat gebeuren. Dat is het in ieder geval niet waard. Je bent intelligent en na je eindexamen ga je iets belangrijks worden, net als ik. En dan, als we over een paar jaar volwassen zijn, zullen we volgens mij nooit meer aan die raadsleden denken, nou goed, af en toe misschien, maar dat is volgens mij alleen maar nuttig, aangezien je een beter zicht op domheid krijgt als je dergelijke pummels van dichtbij hebt meegemaakt. Dan moet je er toch niet zelf een worden, niet jij en ik in elk geval. Maar waarschijnlijk worden de Havik en die lui net zo als ze op het gymnasium komen en dan worden ze ook zo als volwassenen. Maar dat geldt niet voor jou en mij, wij worden intellectuelen en dan zijn de raadsleden niet langer raadsleden. Ik bedoel, als ze niet mogen vechten hebben ze geen schijn van kans meer tegen jou en mij als ze moeten knokken om de beste cijfers om op de universiteit te komen of wanneer we ze een keer tegenkomen en het gevecht er alleen om gaat wie de beste hersens heeft, wie het beste examen heeft gedaan, wie de beste kwalificaties heeft om de baan te krijgen. Dat is veel belangrijker dan ze nu in elkaar te slaan, Erik, dat ben je toch met me eens? Als wij volwassen zijn en dit rotgebouw achter ons hebben gelaten, dan zijn er geen ruiten meer achter de eetzaal. En de leraren staan immers aan onze kant, als je er goed over nadenkt. Aan wie geven de leraren volgens jou de voorkeur, lui zoals de Havik en die andere halvegaren of lui zoals jij en ik? Dat ze zich niet bemoeien met de dingen waar de raad mee bezig is, daar kun je niet zoveel van zeggen. De leraren beschouwen het intellectuele leven in elk geval als het belangrijkst. Waarom zouden ze zich dan bemoeien met al dat geweld waar ze niet eens iets aan kunnen doen, omdat het nu eenmaal zo is op Stjärnsberg? Oké, het is duidelijk dat dit niet voor alle leraren geldt, maar de meesten zijn toch net zulk soort mensen als jij en ik, of tenminste zoals wij worden als wij volwassen zijn (al geloof ik niet dat wij leraren op een lyceum worden, zo bedoel ik het niet). Ze zijn dus van mening dat kennis en intellect het belangrijkste zijn in het leven en daarom springen ze ook voor jou in de bres, zodra er ook maar de minste of geringste discussie ontstaat over welke boeken jij bij je mag hebben in het arrestlokaal. En als het voorjaarssemester aanbreekt, ben ik ervan overtuigd dat we van de biologieleraar toestemming krijgen om 's nachts buiten te blijven en veel verder dan de vijfkilometergrens te gaan als we dat wil-

len. Om naar trekvogels te kijken en zo, ik bedoel als extra werkstuk voor biologie, zodat we ons cijfer kunnen optrekken tot een A. Dan slaan we in feite twee vliegen in één klap. Ben je het daar niet mee eens?'

'Jawel, ik ben het ermee eens en... stil eens, wat was dat? Ach, ik dacht dat er weer een razzia aan de gang was, maar het was vast gewoon iemand die naar de plee ging. De vorige razzia is trouwens alweer een tijd geleden. Ja, het lijkt of je in elk geval op een aantal punten gelijk hebt. Ik ben het natuurlijk met je eens dat wat jij "het intellectuele leven" noemt het belangrijkst is. Anders zou ik hier trouwens ook niet op school gaan. Ik doe het immers alleen maar omdat ik die onderbouwjaren hier moet doorbrengen, omdat ik niet op een school in Stockholm terechtkan na dat gedoe, je weet wel. Ik ga hier alleen maar op school omdat het gymnasium en de universiteit het belangrijkst in je leven zijn. Dat is mij wel duidelijk.

En het is ook duidelijk dat jij en ik onze studie altijd beter zullen doen dan lui zoals de Havik en bepaalde raadsleden. Maar daarna dan? Over tien jaar hebben we onze eerste examens op de universiteit, in wat het ook moge worden, terwijl die jongens nog niet eens de school voor reserveofficier hebben doorlopen. Maar verdomme, dat is pas over tien jaar! Jij doet het voorkomen alsof we ons dan op een of andere manier zouden kunnen wreken, maar het is niet eens zeker dat we hen nog tegenkomen bij waar we dan mee bezig zijn. In elk geval zijn het de komende twee jaren die tellen. We kunnen niet blijven praten over onze toekomst ergens anders, als we nu hier zijn. Op dit moment gaat het om peppers en de ruit en razzia's en dat stomme rechtbanktheater, dus ik vind dat we dat systeem hier en nu moeten bestrijden. Ik vind het trouwens beestachtig van de leraren dat ze zich er totaal niet om bekommeren, dat ze doen alsof ze niets zien en horen of weten, terwijl ze er onderling wel degelijk over praten. Zoals in de eetzaal, hè, als de wachtdoende leraren aan de tafel van de rector niet eens opkijken wanneer een jongen aan de tafel ernaast een eensteekslag krijgt. Ik ben het er niet mee eens dat je alleen maar naar het "intellectuele" moet kijken en vervolgens kunt doen alsof het tiranniseren niet bestaat. Dat is toch eigenlijk gewoon laf. Ze zijn bang om zich belachelijk te maken als ze de heilige "Geest van Stjärnsberg" zouden bekritiseren, want in plaats van te zeggen dat ze bang zijn om zich belachelijk te maken, kletsen ze maar een beetje over al het andere in het leven dat belangrijker is. Wij zijn het er overigens de hele tijd over eens dat je die duivelse boosaardigheid moet bestrijden, de vraag is alleen hoe. En als we doorgaan, ik bedoel als meer mensen de raadsleden belachelijk zouden ma-

ken, zodat ze meer en meer uitgelachen worden, dan zou dat het begin van iets kunnen zijn. Denk je eens in wat er gebeurt als je meerdere jongens zo ver zou kunt krijgen dat ze bijvoorbeeld peppers weigeren, dan zou het niet lang duren voordat de pepper wordt afgeschaft. Je kunt de arrestlokalen immers niet blijven vullen met brutaaltjes, dan stort het systeem in. In eerste instantie hebben we maar zeven jongens nodig die weigeren. Heb je daar wel eens aan gedacht? Je kunt geweld natuurlijk ook, net als Mahatma Gandhi, beantwoorden met passief verzet, dat was immers jouw favoriete idee. Trouwens ik heb dat boek gelezen.'

'Maar jij bent nu niet direct een Mahatma Gandhi. Hij streed voor een goede zaak, namelijk dat zijn land bevrijd zou worden en daarom kreeg hij steun van alle mensen in India. Jij zegt dat het ook een goede zaak is om dit systeem te bestrijden en dat is in zekere zin ook zo, ik bedoel, natuurlijk is het dat.

Maar ook al zou je nooit meer een klap uitdelen na die keer in de ruit met Lelle, dan is het nog steeds dankzij dat gedoe dat jij de mogelijkheid hebt om rond te lopen en de raadsleden belachelijk te maken en er zelfs voor te zorgen dat ze af en toe worden uitgelachen. Jouw geweld ligt ten grondslag aan dit alles en kan trouwens op ieder moment losbarsten, als je ze te ver drijft. Want als je het vergelijkt met Algerije, waarover wij thuis trouwens heel wat ruzie hebben gemaakt, dan vind ik dat Algerije absoluut vrij zou moeten zijn en volgens mij vind jij dat ook. Het is immers hun land, daar kun je niet omheen, zelfs al zijn het communisten of zo. Wellicht worden ze dat alleen maar omdat Frankrijk hen niet onafhankelijk wil laten worden. Maar ze worstelen met geweld en terreur, ze doden een heleboel onschuldige vrouwen en kinderen. En het resultaat? Tja, Frankrijk antwoordt met nog meer geweld en dan kan het immers maar op één manier eindigen. Ze worden nooit onafhankelijk als ze proberen Frankrijk met geweld te bestrijden. Ze hadden eigenlijk iets van Gandhi moeten leren. En dan is er nog iets anders en dat is dat je nooit iemand meekrijgt voor je plan, in elk geval denk ik van niet. Je moet je ervan bewust zijn dat we omgeven zijn door halvegaren die alleen maar zelf raadslid willen worden. Dus schop geen herrie meer en laat alles zoals het is, je hebt het ergste toch al doorstaan, denk je ook niet?'

'Halvegaren hier en halvegaren daar. Dat is toch niet waar. Ik bedoel, het geldt slechts voor een aantal, zoals de Havik en zijn superstomme makkers van ons Ridderhuisje op de achterste rij. Maar verder zijn de meeste leerlingen die hier op school zitten niet dommer of slimmer dan anderen. Daar zit het 'm

niet in. Het zit 'm in het feit dat ze hier al zo lang rondlopen, dat ze werkelijk geloven dat wij die hier op school zitten een harder soort mensen worden, die zich beter zullen redden in het leven, omdat wij leren om klappen op te vangen en klappen uit te delen, orders te krijgen en orders te geven en zo. De meesten geloven erin, of willen erin geloven om in elk geval niet laf te lijken. En als je ze kunt laten zien dat het mogelijk is die lafheid te overwinnen en dat er maar een paar nodig zijn om een einde te maken aan de tirannie, dan zou het wel voor elkaar komen. En dan mag je zeggen wat je wilt over Gandhi en onze "intellectuele" toekomst. Verdomme, nu krijgen we in elk geval wel een razzia. Ja, meneer Gandhi, zo meteen krijg je een staaltje van passief verzet te zien als we de tandpasta van onze lakens en boeken moeten halen...'

∾

Er waren twee geldige redenen om weg te blijven van arrest of dwangarbeid. Ten eerste had iedereen het recht om op zondagmorgen de drie kilometer naar de kerk te lopen en de hoogmis bij te wonen, zonder dat je voor die uren extra straftijd moest uitdienen. Vooral in het voorjaar met mooi weer kon de godvruchtigheid bij meer dan twee, drie arrestanten en dwangarbeiders toeslaan.

De andere geldige reden was wanneer een arrestant wegbleef, omdat hij deelnam aan oefeningen van de burgerbescherming. Stjärnsberg had een geheel eigen afdeling van het korps burgerbescherming van Södermanland en af en toe werden ze door een kolonel geïnspecteerd.

De voorraden van de burgerbescherming lagen in twee rode barakken vlak bij de schietbaan. Er lag een stel stalen helmen uit de jaren dertig met drie kroontjes aan de voorkant gegraveerd, er lagen grijze velduniformen M-40, Mausergeweren, bajonetten, handgranaten, kneedbommen, slaghoedjes, legerkistjes, machinegeweren, mitrailleurs – die meestal vastliepen in het versleten mechanisme – vier pistoolmitrailleurs en een overvloedige voorraad munitie. Het was voor die tijd een ongewoon welvoorzien depot, wat waarschijnlijk te maken had met de vele connecties van de school binnen de krijgsmacht.

Onder de onderbouwleerlingen was de houding ten aanzien van de burgerbescherming enigszins gespleten. Weliswaar was het heel mannelijk om met een pistoolmitrailleur met scherpe patronen te schieten, maar je zag er bespottelijk uit in die veel te grote uniformen en bovendien vonden de oefeningen van de burgerbescherming plaats in hun vrije tijd. Er waren weinig onderbouwleerlingen bij de burgerbescherming en daarom werden ze gelokt met bepaalde privileges.

Een van deze privileges was toestemming om te roken, zelfs als je geen rookattestatie had. Dat wil zeggen dat je alleen mocht roken zolang je het uniform droeg en bovendien moest het rookgerei dat in samenhang met de oefeningen van de burgerbescherming werd gebruikt bij de rest van de uitrusting worden bewaard. Dit en het privilege om arrest of dwangarbeid te ontlopen terwijl een oefening gaande was, waren de belangrijkste redenen dat men erin geslaagd was een klein contingent van twintig man uit de onderbouw bijeen te schrapen.

Onderbouwleerlingen waren belangrijk, aangezien er behoefte was aan soldaten. De vierdeklassers, hoog adellijke gymnasiasten en raadsleden die lid waren van de burgerbescherming moesten namelijk om voor de hand liggende redenen een soort commandopositie toegewezen krijgen en zij konden geen bevelhebbers zijn als er niemand was om het bevel over te voeren.

Daarom was de Bever er na diverse onderhandelingsronden met de rector en de raad in geslaagd de speciale privileges los te peuteren.

De Bever was de wiskundeleraar, die onder andere les gaf aan de klas van Erik en Pierre. De bijnaam had hij gekregen op grond van zijn twee grote en ver naar voren staande voortanden. Achter de katheder was hij wat stuntelig en timide, maar als hij het uniform met het rangonderscheidingsteken van hoofd van het hele contingent aantrok, onderging hij een persoonlijkheidsverandering die deed denken aan dr. Jekyll en mr. Hyde.

Toen het de Bever ter ore kwam dat Erik en Pierre beiden de komende weekenden dwangarbeid hadden, vroeg hij ze na een les even na te blijven. Hij haalde hen ertoe over om op proef, in elk geval zolang ze dwangarbeid hadden, deel te nemen. Dat wil zeggen in elk geval zolang Pierre dwangarbeid had.

Het klonk niet erg aanlokkelijk, maar het was moeilijk om snel en beslist nee te zeggen tegen de Bever en daarom verschenen ze de eerstvolgende zaterdagmorgen om negen uur bij het hoofdkwartier. Met hoofdkwartier werden de twee rode houten barakken bedoeld.

De strijdkrachten stelden zich op in vijf kleine pelotons; helemaal achteraan de onderbouwleerlingen, daarvoor de bevelhebbers en de Bever helemaal voorop. De Bever hield een 'inleidende oriëntatie'. Dat heette plotseling zo, in plaats van gewoon praten over wat ze moesten doen. De Bever zag er bespottelijk uit. Hij had een helm op zijn hoofd en een uniform met koppel en hij schreeuwde als hij iets wilde zeggen, wees met zijn hele hand en noemde de jongens 'mannen', vloekte en riep voortdurend wisselende benamingen voor de geslachtsorganen, om nog eens te onderstrepen wat hij wilde zeggen of uitleggen. De bevelhebbers van de raad en de vierdeklassers aapten hem na.

'Zeg tegen die verdomde kut dat hij zich omdraait en zijn reet in beweging zet!'

'Verdomme, is die mitrailleur nu alweer naar de kloten!'

'Jullie lopen als een stel zoutzakken met platvoeten, verdomme!'

Enzovoort.

Ze marcheerden kriskras over het schoolterrein onder een stortvloed van ironische opmerkingen van de voorbijgangers. Af en toe kregen ze daarvoor een uitbrander van de Bever die dreigde 'hun naam op te schrijven', wat een volkomen ineffectief dreigement was. Erik en Pierre liepen helemaal achter aan in het gelid en kregen af en toe een terechtwijzing omdat ze niet in de maat liepen of omdat ze hun gniffelaanvallen niet wisten te onderdrukken.

'Er is hier voor de duivel niets om over te lachen!' gilde de Bever en alleen al het feit dat de Bever 'voor de duivel' schreeuwde was voor Pierre voldoende om bijna hysterisch te stikken van de slappe lach.

De schietoefeningen op de schietbaan waren in alle opzichten beter. De burgerbescherming gebruikte weliswaar niet de gebruikelijk cirkelvormige schietschijven, maar had een eigen voorraad militaire kartonnen veldschietschijven die hele en halve personen en hoofden voorstelden. Na iedere oefening werd er een verplichte rookpauze gehouden en dan mochten de onderbouwleerlingen naast de raadsleden in het gras liggen roken, aangezien ze nu mannen in uniform waren.

Iedere oefening bevatte een theoretisch deel waarin de Bever een briefing gaf over het geplande verloop van de oorlog in het geval van een Russische aanval. De Russen, die via de provincies Norrland en Skåne zouden komen, zouden zeker superieur zijn als het om aantallen ging. Maar omdat het Russische soldatenmateriaal niet dezelfde kwaliteit had als het Zweedse... enzovoort. Het kwam ongeveer op hetzelfde neer als in het morgengebed op het lyceum.

Aan het einde van iedere oefening moest er ook oorlogje gespeeld worden en dan werden ze in twee teams verdeeld, waarbij het ene team 'fi', dat wil zeggen de Russen, moest spelen en het andere team de Zweden. De meeste onderbouwleerlingen werden Russen, terwijl de Bever de gymnasiasten oftewel de Zweden aanvoerde. Er waren twee standaardoefeningen. De ene kwam erop neer dat de Zweden versterkt op een heuvel lagen, die moest worden bestormd door de qua aantallen superieure fi, die echter neergeschoten werden voordat ze de heuvel konden innemen.

Het andere oorlogsscenario kwam erop neer dat fi, dat wil zeggen de onderbouwleerlingen, zich in een bivak bevonden en overrompeld werden door een listige aanval van de Bever en zijn mannen, die zelfs in dit oorlogsspel gewoonlijk een klinkende overwinning boekten. Het allerliefst met de Bever als degene die besliste wanneer iemand al dan niet dood of gevangengenomen was. Het geheel was net als cowboytje en indiaantje spelen, hoewel met gesjoemel.

Het was de bajonetoefening die ervoor zorgde dat Erik en Pierre zich terugtrokken uit de krijgsmacht. Alle andere oefeningen waren in het ergste geval nog draaglijk geweest, zoals exercities of wapenverzorging, of best leuk, zoals veldschieten of oefeningen met handgranaten of lonten van springstof, maar de bajonetoefening werd hen te veel.

Op een zondagmiddag stonden de mannen opgesteld op het kleine voetbalveld. Aan drie houten stellages hingen een stel uitgespreide hooizakken die fi moesten voorstellen. De mannen waren bewapend met hun Mausergeweren waarop bajonetten waren gemonteerd. Ze stonden in rijen van drie, elk voor hun eigen fi. Er viel een hardnekkige motregen en de hemel was loodgrijs.

Het ging er dus om dat ze om beurten, met de helm op en het geweer met de bajonet voor zich uit gestrekt, een schreeuw gaven en naar voren stormden, de maag van de fi doorboorden en vervolgens de bajonet goed ronddraaiden in de wond. Het geschreeuw was heel belangrijk. Iedereen die niet flink schreeuwde moest het over doen. Hetzelfde gold voor degene die de bajonet na de stoot niet goed ronddraaide.

De Bever zag er nog waanzinniger uit dan anders, aangezien zijn gezicht vol zwarte camouflageverf zat en hij zijn zwarte gebreide muts tot aan de ogen, waarvan het oogwit glimmend afstak, had neergetrokken. De muts moest zo'n muts voorstellen als Kirk Douglas had gedragen in de vorige zaterdagfilm – er werden op zaterdagavond bijna uitsluitend oorlogsfilms vertoond – waarin de helden Engelse commando's waren die tegen alle verwachtingen ver achter de Duitse linies de meest onmogelijke opdrachten hadden uitgevoerd.

Daar stond de Bever dus te bulderen.

'Volgende groep! Bajonet omlaag! *Aanvallen!!!*'

Achter aan in de rij stonden Erik en Pierre onrustig te draaien. De helm hing over Pierres bril en bovendien waren de brillenglazen beslagen door de regen.

'Dit theater krijg ik voor de duivel niet voor elkaar, het is te idioot,' zei Pierre.

'Ik ook niet,' zei Erik, 'denk je dat je echt zo moet schreeuwen? Je kunt de Russen toch zeker niet dood schreeuwen?'

'Nee, maar de Bever vindt het stoerder op die manier. Hoewel de Russen zich waarschijnlijk dood zouden *lachen* als ze ons nu zouden zien.'

Maar de hele oefening werd zonder gelach uitgevoerd; er was er niet één die lachte. Een voor een renden de leerlingen naar voren en stootten krijsend de bajonet in de hooizak en draaiden hem wild naar rechts en links en kregen afgemeten lof van de Bever.

'Dat is goed. Ga zo door, alleen wat meer strijdlust!'

De rij voor hen slonk onverbiddelijk en het ging steeds harder regenen. Erik was vlak voor Pierre aan de beurt.

De jongen vóór Erik boog zijn hoofd toen hij naar voren rende met de bajonet voor zich en stootte een langgerekte brul uit.

'Aaaaahhhrrr!' gilde hij, miste de hooizak en stak de bajonet met volle kracht recht in de houten stellage zodat het hele geval omkieperde.

'Aaaaaahhhrrr!' gilde hij opnieuw toen hij het geweer met de bajonet ophief, alsof het een ijzeren koevoet was en doorboorde met volle kracht de liggende hooizak. Daarna draaide hij de bajonet enkele malen rond in het zand.

'Ja, zo is het goed. Dat kun je in elk geval strijdlust noemen,' luidde het aarzelende commentaar van de Bever en de jongen met de koevoet-aanval liep tevreden brommend terug om achteraan aan te sluiten bij de rij aanvallers.

Erik omklemde het geweer bij de kolf en het onderste beslag en fixeerde zijn blik op de opgehangen hooizak, vijf oneindige meters verderop boven de grindvlakte. Dit is te dwaas, dacht hij, Pierre heeft natuurlijk volkomen gelijk. Als het een echte Rus was geweest en het ernst was en er werkelijk iets op het spel stond, dan zou je misschien schreeuwen om je eigen angst te overwinnen, want dat is natuurlijk de reden dat je moet schreeuwen en niet om 'fi de stuipen op het lijf te jagen' zoals de Bever dacht. Wie zou er trouwens in werkelijkheid niet de Bever de stuipen op het lijf kunnen jagen. Maar om hier als een idioot naar voren te stormen en het staal door een hooizak te boren en als een krankzinnige te krijsen... Had iedereen in de rij dat werkelijk gedaan zonder te aarzelen? Was het omdat ze dachten dat ze moesten doen wat de bevelhebber tegen je zei of was het omdat ze zo'n verhitte fantasie hadden dat ze daar in de verte werkelijk iets anders zagen dan een verregende en inmiddels tamelijk mishandelde hooizak?

'Hier wordt niet geaarzeld, hangkutten!' gilde de Bever, 'volgende man *voorwaarts!*'

En dan dát nog, naast al het andere. Een idioot die je daar stond uit te maken voor hangkut.

Plotseling begon Erik te lachen. Een wonderlijke stemming verspreidde zich door de rij achter hem en Erik begon steeds harder te lachen.

'Voorwaarts!' bulderde de Bever met een zweem van onzekerheid in zijn stem.

'Ja, ja, ik kom,' antwoordde Erik en liep op een sukkeldrafje naar de hooizak, stopte en bleef op een paar meter afstand naar de zak staan kijken.

'Jodelahietie!' schreeuwde hij en sneed met de bajonet in een opgaande beweging van onder naar boven door de hooizak, zodat de zak openscheurde en de inhoud door de lucht dwarrelde.

'En dan nog omdraaien!' commandeerde de Bever.

'Eh, waarom moet dat, meneer? Kijk eens naar die hooizak, dat is toch sowieso de meest dooie hooizak die we hebben.'

'Achteraan in de rij!' commandeerde de Bever en Erik ging achteraan staan. Vooraan stond Pierre te aarzelen.

'Voorwaarts!' schreeuwde de Bever.

'Volg de orders van de bevelhebber op!' schreeuwde een van de bevelhebbende raadsleden ergens in de achterhoede.

Maar Pierre bleef staan zonder zich te verroeren en zonder het geweer op te heffen voor de aanval. Erik zag hem alleen van achteren, maar gokte gezien Pierres lichaamshouding dat hij van plan was simpelweg te weigeren.

'Schiet eens op, hoe sneller we dit afronden, hoe eerder we naar huis kunnen,' smeekte de Bever in een snelle verandering van tactiek.

'Nee,' zei Pierre met duidelijke stem, 'dit is beneden mijn waardigheid. Het is te stom en daarom doe ik het niet.'

Het heldere oogwit van de Bever groeide in zijn zwartgeverfde gezicht en de voortanden lichtten fel geel op midden in de wijdopen mond. Ten

slotte vermande hij zich en zei dat je in de krijgsmacht orders moest gehoorzamen. Toe nou, voorwaarts, ten minste een beetje in de aanval. Dat
ronddraaien hoefde niet als hij dat te realistisch vond.

'Nee, ik heb al gezegd wat ik wilde zeggen,' antwoordde Pierre, 'ik
weiger doodeenvoudig en nu ga ik weg.'

Toen gooide Pierre de Mauser over zijn schouder en begon rustig weg
te lopen. Iedereen was een ogenblik stil en keek naar Pierres rug die zich
verder en verder verwijderde over de grindvlakte.

'Kom onmiddellijk terug, dat is een order!' schreeuwde de Bever.
Maar Pierre draaide zich niet eens om. Hij liep rustig verder naar het
magazijn.

Nadat het licht was uitgegaan, lagen ze nog lang wakker en probeerden
te begrijpen waar ze eigenlijk aan meegedaan hadden. Vanaf nu mocht
Pierre natuurlijk niet meer meedoen met de burgerbescherming en Erik
had er geen zin meer in als Pierre er niet bij was, aangezien arrest in dat
geval een veel betere tijdsbesteding was dan oorlogje spelen met de Bever.
Maar je kon je afvragen waarom nu juist die oefening de druppel was geweest. Het was niet het feit dat het akelig was. Het was duidelijk dat het
in zekere zin akelig was om je voor te stellen hoe je een bajonet recht in
de maag van een levend mens stak, terwijl je er als een gek bij schreeuwde. Maar als het ernst was geweest, zou het een andere zaak zijn. Als het
oorlog werd, was het duidelijk dat je zou helpen je land te verdedigen.
Maar dit was iets anders. Natuurlijk was het allemaal heel onwerkelijk
met die stapelgekke Bever midden op het kleine voetbalveld, met die zot-
te muts en camouflageverf op zijn gezicht en die rollende ogen, waardoor
hij leek op een ouderwetse filmneger. Maar ook dat was het niet. Op een
of andere manier had het te maken met de rij die je voor je zag, al die
mensen die hier op school zaten en die geen van allen het komische of
het eigenaardige of het gênante ervan inzagen, maar allemaal hun kreten slaakten en vervolgens naar voren renden en erop inhakten. Dat was
wel het meest weerzinwekkende – dat dit speciaal bij Stjärnsberg hoorde. Het zou volstrekt onmogelijk zijn om een groep onderbouwleerlingen van een normale school op dezelfde manier op te stellen en zo te laten schreeuwen. Het was kenmerkend dat juist de raadsleden het hardst
hadden geschreeuwd, of was dat maar verbeelding? Nee, Erik en Pierre waren er vrij zeker van dat juist de raadsleden het hardst hadden geschreeuwd. Dat was het wat in zekere zin doorslaggevend was geweest.

'Toen ik daar zo stond te aarzelen,' vertelde Pierre, 'en naar de Bever en naar die verdomde hooizak keek, ja, voorzover ik iets door mijn bril kon zien na al die regen, kwam ik plotseling op het idee dat de raadsleden zich inbeeldden dat het eigenlijk lui zoals jij en ik waren, die daar hingen, in plaats van hooizakken. Ja, dat ze zich dus daarom met zoveel enthousiasme van hun taak kweten.'

'Ach, je bent niet goed wijs. Ze houden van geweld en van het gevoel een wapen in de hand te houden. Je kunt trouwens niet ontkennen dat het een bepaald gevoel geeft. Maar als het echte mensen waren geweest, zouden ze niet zo heldhaftig geweest zijn.'

'Nee, maar op een of andere manier kreeg ik dat idee. Maar daarna begonnen ze ook nog met al die vulgariteiten.'

'Met al die wat?'

'Nou ja... dat gedoe met "kut" schreeuwen en zo.'

'Ja, het is vreemd dat een wiskundeleraar zoals de Bever zo kan worden.'

'Heb jij...? Nee, laat maar zitten.'

'Nee, zeg op.'

'Ach, ik vroeg me alleen af... of jij wel eens geneukt hebt.'

Erik wist nog net een snelle impuls te onderdrukken om de vraag op zijn gebruikelijke manier te beantwoorden. Maar Pierre was immers zijn beste vriend en dan kon hij niet liegen zoals hij anders deed.

'Nee,' zei hij, 'nooit echt in elk geval. En jij?'

'Ja, één keer. Ik was heel erg verliefd. Maar toen moest ik weer hier naartoe en... ja, in elk geval vind ik... ik moest gewoon de hele tijd aan haar denken toen de Bever zo bezig was en het voelde zo... hè, ik kan het niet goed uitleggen.'

Pierre lag een poosje zwijgend in het donker voordat hij weer iets zei.

'Maar je begrijpt wel ongeveer wat ik bedoel?'

'Ja,' zei Erik, 'die... vulgariteiten waren ook moeilijk uit te houden. Maar nu zijn we in elk geval afgezwaaid.'

~

Erik zwom weliswaar iedere avond, maar het was duidelijk dat hij stagneerde. Hij was op een leeftijd dat het normaal was om je tijden minstens met een tiende seconde per maand te verbeteren, maar op dat punt had zijn ontwikkeling vrijwel helemaal stilgestaan sinds hij op Stjärnsberg was begonnen. Zijn techniek ging achteruit als er geen trainer langs de rand van het bad liep, die de armbewegingen boven het hoofd, de positie van het hoofd in het water, de hoek van de handen als ze door het water sneden, de keertechniek en de houding van het bovenlichaam corrigeerde. Eén keer had hij de Vlo, zijn oude trainer bij Kappis, opgebeld en om advies gevraagd. De Vlo had onmiddellijk aangeboden dat hij wel een weekend techniektraining wilde geven, als Erik naar Stockholm kon komen. De olympiade in Rome kon hij wel vergeten, maar als hij zijn basistraining op een redelijk niveau kon houden, zou zijn techniek heel snel te corrigeren en te verbeteren zijn, zelfs over anderhalf jaar. Ook als hij alleen trainde, kon hij al twee dingen verbeteren. De Vlo was net in Amerika geweest, waar hij een aantal nieuwe dingen had geleerd. De Amerikanen waren keihard in krachttraining gaan investeren. Tot nu toe had men immers gedacht dat een zwemmer daar alleen maar last van zou hebben, dat een zwemmer onnodig zou aankomen en stijf en log zou worden van spieren die niet met natuurlijke zwembewegingen werden opgebouwd. Maar dat was volkomen onjuist, er waren nu hele programma's met krachttraining voor zwemmers ontwikkeld en de Vlo beloofde dat hij hem een aantal schetsen zou toesturen. Iets anders wat hij ook alleen kon doen, was in intervallen met een rubber slang zwemmen. Ook dat was een nieuw trucje uit Amerika. Je knoopte een aantal binnenbanden aan elkaar tot je een rubber lijn van vier à vijf meter lang kreeg. Vervolgens maakte je het ene uiteinde van de rubber lijn vast rond de polsen en het andere uiteinde aan het startblok, waarna je zwom tot je de slang niet verder kon uitrekken met één armslag en dan moest je per keer tien seconden in die houding blijven liggen. Vijftien van dergelijke oefeningen per keer en twee, drie uur krachttraining in de week. Hij moest zich er niet door laten ontmoedigen dat hij in het begin stijf en moe werd van de krachttraining in het bad, waardoor zijn tijden nog verder achteruit zouden gaan. Dat was volkomen normaal. Over ongeveer twee maanden zou hij het verschil merken, dan konden ze elkaar wel weer eens spreken, toch? De Amerikanen waren trouwens fantastisch, ze trainden als gekken met deze nieuwe techniek.

Het ging ongeveer zoals de Vlo had gezegd. De eerste drie, vier weken werd hij stijver en vermoeider, telkens wanneer hij in het zwembad was, en zijn tijden liepen duidelijk terug. Maar daarna ging het langzaam maar zeker beter. Merkwaardig, er was immers altijd beweerd dat zwemmers niet met halters moesten werken.

Na een krachttraining voelde het water in het bad zacht aan, alsof het geen weerstand bood en je gewoon vooruit gleed dankzij de wet van de traagheid, althans gedurende de eerste kilometers.

De eerste kilometers waren puur genot, iets wat als verklaring zou kunnen dienen voor het feit dat hij überhaupt doorging met zijn lichaam heen en weer te jagen, 25 meter per keer.

Later, wanneer de vermoeidheid binnensloop, was er als hij uitademde in de stroom bellen soms muziek te horen. Als hij de drie slagen met het gezicht naar de zwarte tegelrand zwom en de luchtbellen over zijn gezicht en omhoog naar zijn oren wervelden, klonk het zelfs als pianomuziek, waarschijnlijk Chopin. Dan de inademing en een haastige glimp van de rand en misschien een voorbijganger of misschien iemand die hem vanaf de rand van het zwembad heimelijk in de gaten hield – soms hielden ze hem heimelijk in de gaten, omdat ze dachten dat hij niets zag tijdens het zwemmen – en dan de bellenstroom met de drie armslagen en vervolgens de inademing aan de andere kant (ook dat was iets nieuws, dat je afwisselend aan de rechter- en linkerkant moest inademen) en weer de muziek en vervolgens een haastige blik op de eeuwig rondcirkelende secondewijzer van de grote stopwatch om te zien of hij snelheid verloor, dan een haastige duikeling ondersteboven in de bellenstroom bij het keren, afzetten en drie armslagen voor de inademing, telkens en telkens opnieuw.

In feite had het geen zin. In het echte leven, dat wat Pierre het intellectuele leven noemde, ooit in de toekomst, speelde het geen enkele rol of het hart slechts 38 keer per minuut samentrok bij rust, of het zuurstofopnamevermogen toenam, of al een vitale capaciteit van 5,5 werd gemeten of dat zijn schouderpartij toenam, zodat de kleren te klein werden door de eeuwige oefeningen met de halters op en neer achter zijn nek. Eigenlijk was het niets anders dan een manier om met rust te worden gelaten, al het andere te vergeten, tenminste voor een poosje, die doffe, groeiende woede af te reageren die zich ergens daarbinnen in zijn borstkas bevond, de woede die beheerst en weggedrukt moest worden om de ontlading te voorkomen, die hopeloos in strijd zou zijn met de paragraaf over de onschendbaarheid van de raad.

Of was het dat misschien toch niet, of althans niet alleen? Immers, ieder baantje in het zwembad, iedere bobbelende driekwartsmaat tussen de ademhalingen, iedere keer dat de naar zweet ruikende halter met de vuile, geribbelde handvatten omhoogging, was ondanks alles een voorbereiding, alsof er veel meer hiervan nodig was voor die onbepaalde nabije toekomst, waar misschien niet de ruit maar dan wel iets anders in die richting hem wachtte.

Om hardop te denken of zelfs in zichzelf te praten tijdens die stroom van uitademingsspelletjes, om af en toe te fantaseren hoe hij naast Lewenheusen omhoogkwam en hem later in een glimp achter zich zag verdwijnen, om te fantaseren over het schoolplein, dat hij langs Kaxis liep waar de gouden horde kostbare Engelse pijpen stond te roken en dan het een of ander zou zeggen, waardoor hij gelach veroorzaakte of stilte om zich heen verspreidde – voor al die gedachten aan de onduidelijke verdediging, of misschien was het een aanval, dat wat onvermijdelijk was, dat waar hij niet onderuit kon komen, waar hij trouwens niet onderuit wilde komen, voor al die gedachten in zijn hoofd was het zwemmen goed.

Pierre had voor de eerste keer geweigerd een pepper te incasseren. Daarvoor zou hij natuurlijk weer moeten boeten met een weekend niet naar huis, maar hij had in elk geval geweigerd. Even verrassend vastbesloten als toen hij tijdens de bajonetoefening wegliep bij de Bever. En Arne in hun klas, die altijd de clown uithing en van een vervelende order of een pepper een komisch toneelstukje maakte, had ook een keer geweigerd toen alles letterlijk op de spits was gedreven en hij een eensteeksslag zou krijgen.

Nu waren er dus al drie die een pak slaag in de eetzaal weigerden. Als het mogelijk zou zijn om nog drie of vier jongens zover te krijgen dat ze slaag in de eetzaal weigerden, zou het systeem plotseling op losse schroeven komen te staan. Weigeren was volkomen legitiem. Iedereen had het recht om een pepper te weigeren. De consequentie was weliswaar dwangarbeid, maar het was mogelijk zonder een ernstige overtreding te begaan. En als op die manier de pepper zou kunnen worden afgeschaft, omdat voldoende jongens meededen, dan zou je daarna de aanval kunnen inzetten op al die orders om boodschappen te doen, bedden op te maken en schoenen te poetsen voor de vierdeklassers. De eerste stap was de raadsleden regelmatig voor schut te zetten en na te doen, zodat ze werden uitgelachen. De tweede stap was te snijden in hun rechten om te vechten en de anderen in de onderbouw op je hand te krijgen.

Keerpunt, half gemist keerpunt, drie armslagen en inademen. De laatste kilometer was begonnen en daarmee sloeg ook de vermoeidheid toe, zodat je gedachten in cirkels gingen.

Maar als het nu was zoals Pierre zei, de altijd even verstandige Pierre met al zijn moeilijk te begrijpen argumenten over Gandhi en het intellectuele verzet, wat een woord trouwens; maar wat als hij gelijk had en het inderdaad niet loonde. Kon je dan maar het beste de juiste balans zoeken en in het midden blijven, zodat je de weerstand niet vergrootte? Waarom zou je in de slag gaan met dat idiote systeem, als je het toch over één of twee jaar achter je zou laten en daarna nog zestig jaar de tijd had om het echte leven te leiden, waarin geen Stjärnsberg en geen vader voorkwam, waar alles was zoals op de universiteiten in Engelse filmkomedies, die af en toe op zaterdagavond werden vertoond in plaats van oorlogsfilms, waarin elegante humoristen over de binnenplaats van de universiteit liepen tussen de bogen met klimop en ironisch elegante commentaren leverden over domheid en brutaliteit. Zou je eigenlijk niet beter schijt kunnen hebben aan alles en je slechts concentreren op het leren van meer meetkunde en natuurkunde?

Perfect keerpunt, drie armslagen en inademen. Het was bijna voorbij.

Maar de elegante humoristen met de vierkante zwarte hoofddeksels die in hun toga's over de binnenplaats tussen de bogen met klimop liepen, zaten niet op Stjärnsberg. Zij hadden geen anderhalf jaar gevangenschap op Stjärnsberg voor zich, zij waren vrij van dat alles en leefden in hun eigen wereld, die klaarblijkelijk uit rechtvaardigheid en humor bestond en dus kon je jezelf niet met hen vergelijken. Zij zouden vast ook verzet hebben geboden, alleen al om de simpele reden dat je verzet *moest* bieden.

Het was immers heel eenvoudig. Je moest.

Pierre had massa's woorden, soms moeilijke woorden, nodig om het tegendeel te bewijzen. Maar hij had ongelijk, ook al kon je wat hij zei niet zo gemakkelijk weerleggen, ongeacht of hij er nu mee kwam aandragen dat Algerije niet met geweld zou kunnen winnen. Ze zouden in elk geval niet winnen met behulp van ironische humor. Pierre, die Frans kon, had immers zelf het voorwoord van Jean-Paul Sartres boek over hoe de Fransen martelden en zich misdroegen voorgelezen. En die Jean-Paul Sartre was intellectueel, naar het scheen zelfs zeer intellectueel en toch had hij een heel andere denkwijze dan Pierre. Desondanks had Pierre wat Sartre schreef voorgelezen als bewijs voor iets dat... dat ging over...

De laatste vijf meter en zijn handpalm raakte de tegels.

Hij bleef een tijdje liggen met zijn ene arm over de nylon lijn met de kurken drijvers die zijn eigen trainingsbaan scheidde van de overige banen in het zwembad. De vermoeidheid welde op in zijn lichaam en er trilden als het ware regenboogjes rond de lichtbronnen van het zwembad. Waarschijnlijk waren zijn ogen ongewoon rood van het chloor, omdat hij alles zo wazig zag. Hij voelde zijn hartslag tot in zijn liezen. Waar was hij ook alweer gebleven? Iets over een Franse schrijver? Nee, het punt dat je moest. Heel simpel, dat je *moest*, omdat het goed moest zijn. Dat gedoe met de ruit moest trouwens ook worden afgeschaft. Dat zou je misschien tot stand kunnen brengen als je... als je... Nee, hij was te moe. Hij kon niet meer denken.

Hij sloeg zijn hoofd met een vertrouwde beweging achterover in het water, om zijn haar achterover te zwiepen, voordat hij met zijn handen de rand van het bad greep en zich uit het water hees. Zijn benen voelden stijf en zwaar aan toen hij naar de sauna liep. Dat kwam door de krachttraining, die nieuwe methode uit Amerika.

In de sauna, terwijl hij zijn dijspieren heen en weer wiebelde om het gevoel van zwaarte en stijfheid weg te krijgen, kwam zijn denkvermogen langzaam terug, als luchtbellen die zich een weg naar het oppervlak baanden.

Pierre had voor het eerst geweigerd. Arne met zijn toneelspel had in feite ook geweigerd. Je zou naar de volgende jongen die een eensteeksslag kreeg moeten gaan en hem zover krijgen dat hij ook meedeed. Het wachten was alleen op het juiste geval met een geschikte jongen.

Het juiste geval kwam vrijwel onmiddellijk.

De ergste tafelchef heette Otto Silverhielm. Hij zat in de derde klas van de natuurwetenschappelijke richting. Hij was geen lid van de raad. Hij was weliswaar van adel, maar toch geen raadslid. Tijdens vrijwel elke maaltijd deelde hij peppers uit en het was duidelijk dat hij dat leuk vond. Hij sloeg bij het minste of geringste en beweerde dan dat er gedonderjaag aan de eettafel was geweest, waarna hij degene die slaag moest hebben bij zich riep. Hij vermaakte zich kostelijk door te doen alsof hij een flinke klap zou uitdelen en vervolgens een paar centimeter boven de schedel van de jongen die een aframmeling moest hebben af te remmen, zodat het slachtoffer onder hoongelach van de anderen aan de tafel op zijn hurken zakte, alsof hij een pijnlijke klap had geïncasseerd. Silverhielm kon dit ritueel een paar maal herhalen, voordat hij echt toesloeg. Het ergst was het natuurlijk als iemand om een of andere reden zozeer had gedonderjaagd dat alleen de stop van de azijnkaraf nog in aanmerking kwam. Een eensteeksslag dus.

Erik zag het keer op keer gebeuren, omdat hij aan de tafel ernaast zat.

Degene die nu een aframmeling moest hebben was een vrij forse jongen uit 4⁵, een van de beste voetballers van de onderbouw, die op het punt stond om in elk geval reserve bij het schoolteam te worden.

Silverhielm boog zijn hoofd en zocht even in de haardos van de jongen om de plek te vinden waar de kruin zat. Het was praktisch om een eensteeksslag precies op de kruin te slaan, omdat de zuster daar gemakkelijker zou kunnen hechten. (Wellicht was er sprake van een uitgesproken of in elk geval aangeduide wens van de zuster, dat een eensteeksslag daar moest treffen.)

Nu mislukte de eerste slag van Silverhielm. Misschien omdat hij te veel gekheid maakte en nonchalant sloeg. Misschien omdat degene die de aframmeling moest hebben niet stil stond; dat was in elk geval Silverhielms verklaring. Het was geen echt gat geworden, deelde Silverhielm de toeschouwers mee. Dus omlaag met dat hoofd om opnieuw te slaan.

De jongen in kwestie weigerde bijna. Erik dacht in elk geval een kleine beweging te zien die daarop kon duiden. Maar ondanks alles boog hij opnieuw zijn hoofd en incasseerde een slag die onnodig hard was, zo hard dat hij kreunend in geknielde houding op de grond zakte. Hij begon niet te huilen, maar zag er woedend uit toen hij naar zijn plaats ging en met zijn hand over zijn schedel tastte en zag dat er bloed aan zijn hand zat. Die jongen moest hij kunnen overhalen.

De voornaam van de jongen was Johan en hij had een gewone achternaam die op *son* eindigde. Zijn vader was een soort politicus die bijna in de regering zat en daar werd hij vaak mee geplaagd, omdat zijn vader dus een rooie rakker was en hij hun voorzover bekend nooit verzekerd had dat hij zelf geen rooie rakker was.

Erik kwam meteen ter zake toen hij met Johan S. meeliep naar de zuster. Er waren nu al drie jongens die in het vervolg wilden weigeren. Als Johan meedeed zouden ze met z'n vieren zijn en daarna was het misschien nog een kwestie van tijd voordat er nog meer jongens zouden meedoen en dan zouden ze de slag om de pepper winnen.

Zonder aarzelen zei Johan S. dat hij meedeed. Hij werd zelfs enthousiast en vond dat ze tijdens het eten openlijk propaganda voor de zaak moesten maken. Maar om effect te kunnen sorteren zou de vakbond achter hen moeten staan. Als je de vakbond zover kon krijgen, was het zaakje gepiept.

Erik was sceptisch. De vakbond leek het in alles met de raad eens te zijn. Het was trouwens de raad zelf die de vakbond had ingesteld, dus je kon je in gemoede afvragen aan wiens kant de vakbond stond. Zelf kende Erik slechts één van de vakbondsleden en dat was de Havik uit zijn eigen klas en de Havik was werkelijk niet veel soeps. De Havik zou alleen maar een paar keer met de rijzweep tegen de schacht van zijn laars slaan en zoiets zeggen als 'haast je langzaam' of opmerken dat de zaak nog nader moest worden overwogen. Of hij zou zeggen dat de wet er was om je aan te houden. Vermoedelijk waren de andere vakbondsleden precies eender; het waren immers aankomende raadsleden en niets anders dan dat. En omdat ze aankomende raadsleden waren, kregen ze zelf nooit peppers en hoefden ze bijna nooit klusjes voor de vierdeklassers te doen. Was het niet beter om dat clubje gewoon te vergeten en te trachten meer leerlingen mee te krijgen? Als er nu al vier waren die weigerden, zouden dat er immers heel snel nog meer kunnen worden. Als ieder van hen nog iemand zou kunnen overhalen, dan waren ze met z'n achten en dan zou het systeem al beginnen af te brokkelen. Acht jongens die tot, laten we zeggen, vijf weekenden arrest werden veroordeeld voor het weigeren van peppers, dat maakte veertig weekenden arrest. Dat zou de raad niet zo gemakkelijk kunnen uitvoeren. En als je er dan nog acht bij zou kunnen krijgen was de zaak beslist. Toch?

Maar Johan S. was ervan overtuigd dat je via de vakbond moest gaan.

'Laten we samen met ze gaan praten,' zei hij. 'Als jij en ik dat doen en het idee uitleggen, moeten ze wel meedoen. Ze moeten immers onze belangen behartigen, dat is hun taak toch zeker.'

Twee dagen later kwam de vakbond bijeen en Erik ging samen met Johan S., die een pleister op de hechting op zijn kruin had, naar de vergadering. Het was voornamelijk Johan S. die het woord voerde.

Het systeem met peppers was dus ondemocratisch. Nergens in de samenleving was het zo dat mensen in een leidinggevende positie anderen ongestraft op hun hoofd mochten slaan. Buiten Stjärnsberg zou het als onwettig worden beschouwd. De vraag was of het eigenlijk binnen Stjärnsberg ook niet onwettig was. De wetten van de school konden toch niet zwaarder wegen dan de wetten van Zweden? Mishandeling, dat was het.

Als de vakbond zou zeggen waar het op stond, zou de pepper worden afgeschaft. Het was maar een kleine verandering, dus eigenlijk hoefde je daar toch niet lang over na te denken, mocht het gaan om de 'tradities' van de school en zo. Veel van die tradities stamden trouwens uit de bruine tijd en dergelijke ideeën moesten onder alle omstandigheden met wortel en tak worden uitgeroeid. Als de vakbondsleden werkelijk invulling wilden geven aan hun verantwoordelijkheid als vertegenwoordigers van de onderbouw binnen de raad, dan moesten ze deze kwestie ter sprake brengen. Ze zouden de zaak in ieder geval op proef aan de orde kunnen stellen, dan konden ze zien wat de raad zei en vervolgens besluiten wat de volgende stap moest zijn. Het was toch mogelijk dat er in elk geval een soort compromis kon worden bereikt?

De jongens van de vakbond schuifelden onrustig heen en weer. Het was duidelijk dat ze weinig zin hadden om mee te doen, maar ook geen bezwaar wilden maken. Het was een groepje dat er ongeveer net zo uitzag als de Havik. Drie van hen hadden hun schoolcolbert aan, alsof het om een bijeenkomst van de raad ging. De vergadering werd gehouden in lokaal zes, maar de stoelen waren niet verzet, zoals wanneer de raad vergaderde. De vakbond had zich in een van de verste hoeken van het klaslokaal opgesteld; ze hadden alleen hun banken een beetje bijgedraaid, zodat het er meer als een vergadering zou uitzien.

Tja, het was dus allemaal niet zo eenvoudig als je zou denken, wanneer je naar een rooie rakker luisterde. Het waren overigens wel typische rooie ideeën waar het hier om ging, nietwaar?

Ja, in elk geval was het de taak van de vakbond om de belangen van de onderbouw te behartigen ten opzichte van de raad. Maar hier was het niet de vraag of iemand in de raad iets onwettigs had gedaan. En aangezien Johan S. toch zeker vaak had zitten donderjagen aan de tafel, was het niet zo merkwaardig dat hij een pepper kreeg. Iedereen zou onder dergelijke omstandigheden een pepper hebben gekregen; de regels golden voor alle leerlingen. Er was dus niets ondemocratisch aan het geheel. En bovendien waren de voorschriften nu eenmaal zo en daar kon de vakbond toch niets aan veranderen. Daarbij ging het om goede oude tradities die je niet zomaar op stel en sprong kon veranderen. En verder was het voor iedereen hetzelfde, ook in die zin dat iedereen vroeg of laat zelf een vierdeklasser werd.

Ook kwam het onsportief over als sommigen een pepper zouden weigeren. Moesten sommigen dan weigeren, terwijl hun kameraden wel een pepper moesten incasseren? Het zou de geest van kameraadschap aantasten, het zou leiden tot een speciale behandeling van een paar mensen, een kleine, op zichzelf staande ondemocratische elite.

'Een pepperadel,' zei de Havik toen hij voor de eerste keer het woord nam. 'Jullie proberen simpelweg de hele kameradenopvoeding te omzeilen en een pepperadel te scheppen. Jullie vormen immers maar een klein groepje dat zich hiermee bezighoudt.'

'Verdomde reactionair,' zei Johan S.

'Dacht ik het niet,' zei de Havik, 'rooie-rakkersmanieren, dat zijn het. Je kunt hoog en laag springen, maar daar zullen wij nooit aan meedoen, daar kun je donder op zeggen.'

Daarmee was de zaak afgedaan.

Reeds de volgende dag werd er wraak genomen op Johan S. en er kon geen twijfel over bestaan of de vakbond had een vinger in de pap. Otto Silverhielm en een klasgenoot van hem die Gustaf Dahlén heette en spastische oogtrekkingen had, vroegen Johan S. naar de ruit te komen. Ze gaven hem een langdurig en stevig pak rammel. Maar toen hij op diverse plaatsen bloedde en rijp was om uit de ruit te kruipen, hielden ze hem tegen en lieten hem beloven dat hij in het vervolg geen peppers meer zou weigeren. Intussen stond het gymnasiumpubliek 'vuile rooie, vuile rooie, vuile rooie' te roepen in plaats van hun gebruikelijke leuzen over laffe ratten.

Erik stond achter aan in het onderbouwpubliek en balde zijn handen achter zijn rug. Hij kreeg tranen in zijn ogen toen Johan S. capituleerde en snotterend van zijn bloedneus beloofde niet meer brutaal te zullen zijn en geen peppers meer te weigeren.

Verdorie nog aan toe!

～

De verkiezingscampagne was voorafgegaan door een aantal vreemde geruchten. De prefect en de vice-prefect zouden worden afgezet en Otto Silverhielm en zijn maat Gustaf Dahlén zouden hun posities overnemen. Veel van die informatie lekte echter niet uit naar de onderbouw. Past toen de lijst van de rector met de verkiesbare leerlingen op het publicatiebord bij de eetzaal werd gehangen, bleek dat de geruchten juist waren.

De rector nomineerde altijd twee keer zoveel kandidaten als er gekozen moesten worden. Daarna was het de bedoeling dat de verkiesbare leerlingen een halve dag met elkaar in debat gingen in de aula van de school – in feite was dat de hele verkiezingscampagne – en voor het avondeten konden de leerlingen van de school dan stemmen via een envelop die verzegeld in een urn met een hangslot moest worden gestopt. Ten slotte werd de urn naar het kantoor van de rector gedragen en de volgende dag werd dan het resultaat van de verkiezingen via het publicatiebord bekendgemaakt.

Silverhielm en Dahlén liepen te leuteren dat de raad verslapt was en dat de orde op school hersteld moest worden, dat de traditie van de kameradenopvoeding verdedigd moest worden.

Dat was eveneens hun thema tijdens de eigenlijke verkiezingscampagne in de aula.

De eerste die het spreekgestoelte besteeg was een vierdeklasser van wie iedereen wist dat het een kameraad van Silverhielm was. (Ze zeilden samen bij GKSS of zoiets.) De kameraad beklaagde zich over de verslapping. Hij vertelde dat hij al acht lange jaren op Stjärnsberg zat en dat hij al die tijd nog nooit zoveel brutaliteit en herrie in de onderbouw had meegemaakt. Daar moest iets tegen ondernomen worden. Volgens hem was het duidelijk dat er nieuwe krachten nodig waren in de raad, die de zware taak op zich konden nemen om de school weer op de juiste koers te brengen.

Prefect Bernhard had het niet slecht gedaan, geen kwaad woord over hem. Maar gezien het feit dat hij komend voorjaar eindexamen zou moeten doen, zou de werkdruk voor hem alleen maar toenemen. Het zou niet fair zijn om van Bernhard te verlangen dat hij tegelijk met de eindspurt voor het examen ook nog zoveel tijd zou moeten besteden aan het herstellen van de discipline. En zoals iedereen wist, had Bernhard problemen met enkele vakken die hij in het voorjaar zou moeten ophalen.

Otto Silverhielm, de andere kandidaat voor de functie van prefect, daarentegen had als gemiddelde een AB-beoordeling en bovendien zat hij in de derde klas. Otto zou dus zonder dat zijn studie in gevaar kwam, het komende schooljaar de controle over de raad kunnen versterken.

Drie sprekers achter elkaar hadden ongeveer dezelfde boodschap. Terwijl ze zorgvuldig alle verdiensten van Bernhard en diens lange, voortreffelijke werkzaamheden in de raad benadrukten, maakten ze zich veel zorgen over zijn problemen met betrekking tot het aanstaande eindexamen. En verder benadrukten ze de verdiensten van Otto Silverhielm. Er was behoefte aan een harde kerel die geen consideratie had. Bernhard was misschien te aardig en te vriendelijk voor de taak die kennelijk te wachten stond.

Toen was het onvermijdelijk de beurt aan Otto Silverhielm om zelf het spreekgestoelte te beklimmen. Hij schraapte zijn keel en ritselde met een briefje waarop hij had geschreven wat hij wilde zeggen.

Toen begon hij de verdiensten van Bernhard als prefect te beschrijven. Bernhard had door zijn lange tijd in de raad een grote organisatorische ervaring opgedaan en iedereen wist dat hij een deskundige en bekwame voorzitter was tijdens de bijeenkomsten van de raad. Dergelijke zaken moesten zwaar meewegen wanneer men Bernhard beoordeelde, dat moest iedereen goed voor ogen houden.

Aan de andere kant was het duidelijk dat er nu harde maatregelen nodig waren. Net zoals de vorige spreker reeds naar voren had gebracht, kon ook Silverhielm verzekeren dat er in de periode dat hij hier op school zat nog nooit zoveel insubordinatie in de onderbouw was geweest als nu. Zonder in deze samenhang concrete namen te willen noemen, kon feitelijk geconstateerd worden dat er systematische sabotageactiviteiten gaande waren door een kleine, maar luidruchtige groep in de onderbouw. Deze groep had zich zelfs tot de vakbond gewend om die zover te krijgen dat ze de hele onderbouw zou opruien tot je reinste stakingsmanieren. Er waren bovendien rooie rakkers in het spel.

Het was duidelijk dat ze dergelijke ondergrondse sabotageactiviteiten met harde hand de kop in moesten drukken. De tradities van de school moesten verdedigd worden tegen allerhande opruiers die in het schemerduister opereerden. Als de ontwikkeling in deze richting verderging, was het slechts een kwestie van tijd voordat er complete chaos zou heersen op school en dat was een bedreiging van het systeem van de kameradenopvoeding. In het ergste geval zou het zo worden als op andere scholen, dat de leraren zich zouden gaan bemoeien met het doen en laten van de leerlingen en met slechte aantekeningen en dat soort onzin zouden beginnen. Het was belangrijk om een slag te slaan en de zaak in plaats daarvan te regelen.

En wat zijn eigen kandidatuur betrof, beschouwde hij het als zijn plicht om mee te dingen, gezien het vertrouwen dat sprak uit het feit dat hij genomineerd was. Als hij gekozen zou worden, zou hij al zijn krachten besteden aan het herstellen van de orde op school en de stakingsbeweging de kop indrukken.

Dat beloofde hij. En als de school in plaats van hem toch liever Bernhard koos, dan was dat een zaak van de kiezers en hun geweten.

Toch wilde Otto Silverhielm één voorwaarde stellen. Als hij die zware en moeilijke taak op zich zou nemen om de school weer op de juiste koers te brengen, dan wilde hij een plaatsvervanger hebben met wie hij goed kon samenwerken, een die zijn houding ten opzichte van de kritieke situatie deelde. Die man was dus Gustaf Dahlén. En ook als de school de voorkeur gaf aan Bernhard als prefect, dan zou er desondanks een goede nieuwe kracht in de raad moeten komen en die kracht was onder alle omstandigheden Gustaf Dahlén.

'Dit begint op een oorlogsverklaring te lijken,' fluisterde Pierre tegen Erik.

De volgende man op het spreekgestoelte was Bernhard. Hij leek onder druk te staan.

Bernhard begon met te bedanken voor alle vriendelijke beoordelingen die hij gehoord had. Het was een zware taak om leiding te geven aan de raad en daar was bovenal ervaring voor nodig. Wat zijn studie betrof, zou hij het niet slechter of beter doen als hij werd afgezet, want daar ging het – ondanks alle vriendelijke woorden – toch om. Wat Otto Silverhielm betrof was Bernhard van mening dat Otto geen enkele ervaring had binnen de raad. Het was zeer ongebruikelijk dat iemand rechtstreeks tot prefect werd gekozen, zonder dat hij voordien een jaar dienst had gedaan als gewoon raadslid om zich in het werk te kunnen verdiepen. Dit gebrek aan ervaring was het zwaarst wegende argument tegen Otto.

Maar er waren nog andere bezwaren. Otto had de situatie te zwart afgeschilderd en overdreven. Er was geen ondergrondse stakingsbeweging in de onderbouw, het was belachelijk om de zaak op die manier te beschrijven. De onderbouw was in hoofdzaak volkomen loyaal ten opzichte van Stjärnsberg en volgde alle aanwijzingen van de raad en de vierde klas. Wellicht waren er enkele probleemleerlingen, maar er hoefden geen namen te worden genoemd aangezien dit een principevraag was en niet een kwestie van personen. Dat er enkele probleemleerlingen waren, betekende echter niet dat het hele systeem van de kameradenopvoeding bedreigd werd.

En daarmee richtte Bernhard zich rechtstreeks tot de onderbouw.

Zoals iedereen wist, was Otto Silverhielm een van de derdeklassers die het meest op vechten in de ruit belust was. Het had overdreven proporties aangenomen. Niet dat een pak slaag op zijn tijd verkeerd was, een pepper op het juiste moment kon erg nuttig zijn. Maar waar Bernhard zich van afkeerde, was dat Otto kennelijk een beetje te veel verzot was op de mogelijkheid om te vechten. De onderbouwleerlingen moesten er goed over nadenken wat er kon gebeuren als een dergelijke jongen de rang van prefect kreeg. Straf moest met beleid en in de juiste situaties worden opgelegd. Straffen mocht nooit een sport worden.

Voordat ze gingen stemmen, moesten de onderbouwleerlingen er dus goed over nadenken, of ze het zo wilden hebben als afgelopen jaar, of dat ze meer slaag wilden hebben. Want daarover ging het in Otto's toespraak en over niets anders. De keuze was aan hen.

Vervolgens kwamen er nog eens zeven of acht man uit de klas van Otto en Gustaf Dahlén naar voren die spraken over de noodzaak om de orde te herstellen en dat men aan Bernhards studie moest denken en dat Gustaf Dahlén een uitstekende steun voor Otto zou zijn bij de zware taak om direct als prefect aan te treden. Het was immers overduidelijk dat er nieuwe, frisse krachten nodig waren om de school weer stijl te geven. Bernhard nam de socialistische ideeën die zich ontwikkelden overigens lang niet serieus genoeg. Je zou haast denken dat Bernhard zelf een rooie rakker was. (In zijn repliek verdedigde Bernhard zich verontwaardigd op dat punt, maar de gifpijlen waren afgeschoten; geen rook zonder vuur.)

In die trant ging de verkiezingscampagne verder.

Voor Erik en Pierre bestond er geen twijfel over hoe je moest stemmen. De onderbouw had meer stemmen dan het gymnasium en daarom dacht Erik dat Otto en Gustaf Dahlén wel moesten verliezen. Het was redelijk om ervan uit te gaan dat de onderbouwleerlingen puur uit zelfbehoud net zo zouden stemmen als Erik en Pierre.

Pierre was echter pessimistisch.

En Pierre kreeg gelijk. Toen de verkiezingsuitslag de volgende dag op het publicatiebord werd gehangen, bleek dat het nieuwe regime van Otto en Gustaf een verpletterende overwinning had behaald. En met hen hadden ze maar liefst vijf nieuwe leden in de raad gekregen.

'Nu is het oorlog,' zei Pierre, 'en vannacht is het Kloosternacht. Ze zullen iets verschrikkelijks met jou proberen uit te halen. In de Kloosternacht komt het erop aan dat ze laten zien dat het menens is.'

De Kloosternacht was de nacht nadat de verkiezingsuitslag bekend was gemaakt. Niemand wist eigenlijk waarom het Kloosternacht heette, maar zo heette het nu eenmaal. Het kwam er in elk geval op neer dat degenen die nieuw-brutaal waren in verschillende mate moesten worden 'gekloosterd', afhankelijk van hoe brutaal ze tijdens het najaarssemester waren geweest. Het 'kloosteren' kon op allerlei manieren in zijn werk gaan, maar het begon er altijd mee dat de raad binnenstormde bij degene die gekloosterd moest worden en hem uit bed sleurde. Daarna werden er diverse procedures in gang gezet, waarover allerlei verhalen de ronde deden op school. Eén jongen die bijzonder brutaal was geweest werd aan zijn voeten opgehesen in een vlaggenmast tot tien meter boven de grond. Hij had daar huilend en gillend als een speenvarken bijna een uur lang gehangen voordat een kamergenoot of een klasgenoot zich naar buiten had gewaagd om hem neer te laten. Een ander die bijzonder brutaal was geweest, hadden ze uit de doucheruimte gesleept, waarna ze de ene helft van zijn schedel hadden kaalgeschoren. Bij weer een ander hadden ze op alle plekken op het lichaam waar haar zat rode loodmenie geverfd. (Hij had al zijn haar moeten afscheren; bovendien had hij een vreemd soort uitslag rond zijn piemel gekregen.) Bij gewoon, eenvoudig kloosteren kwam het er meestal op neer dat degene die gekloosterd moest worden naar de doucheruimte werd gesleept, waarna hij gedwongen werd zo en zo lang onder ijskoud water te staan. Er waren duizenden verschillende methoden om een nieuw-brutaaltje te kloosteren.

Gedurende de Kloosternacht hielden de leraren zich schuil in hun huizen en stopten watjes in hun oren of draaiden Wagner op de grammofoon of verzonnen nog iets anders om absoluut niets te hoeven horen of zien.

Het was de vraag op welke formidabele manier Erik zou worden gekloosterd. Tijdens het eten werd er lustig op los gespeculeerd. Op een of andere manier moest het record gebroken worden. Wat kon er nog erger zijn dan dat met de vlaggenmast of met de rode loodmenie?

Iemand had gehoord dat ze van plan waren Erik naakt aan de schoorsteen van het grote schoolgebouw te binden. Een ander wist zeker dat ze van plan waren staaldraad rond zijn voortanden te leggen en ze eruit te trekken. Weer iemand anders had gehoord dat ze zijn ene testikel wilden kraken met een notenkraker. De speculaties golfden door de eetzaal.

Erik had een andere plaats aan tafel gekregen. Hij zat nu vlak bij de muur aan tafel nummer twee, twee meter van de plaats van de rector en de wachtdoende leraar aan tafel nummer één. Zijn nieuwe tafelchef was Otto. En Otto verscheen in zijn schoolcolbert met het nieuwe, glimmende gouden koord rond Orion.

Otto had direct na het tafelgebed geprobeerd Erik naar voren te roepen voor een pepper ('je stond niet stil tijdens het gebed') maar Erik had natuurlijk geweigerd.

'Denk aan de Kloosternacht, kom nu naar voren en buig je hoofd, als een gehoorzaam 3^5-ertje,' zei Otto spottend.

Erik keek naar het plafond alsof hij uit die richting iets had gehoord.

'Vreemd,' zei hij, 'ik dacht dat ik net gehinnik hoorde. Kan het een zilveren paard zijn geweest, dat hinnikte?'

Toen at hij verder, terwijl zijn omgeving naar adem hapte en het gegniffel probeerde te onderdrukken. Silverhielm werd tot Zilverpaard, vervolgens tot Zilverknol en daarna tot Knol. Hij zou Silverhielm zo vaak Knol noemen, dat de bijnaam zou blijven hangen.

Met Gustaf Dahlén was het eenvoudiger. Zo heette immers ook de uitvinder van de AGA-vuurtoren met knipperlicht en aangezien deze Gustaf Dahlén zenuwtrekkingen in zijn gezicht had, moest zijn bijnaam wel Knipperlicht worden. Dat was een perfecte bijnaam die direct zou blijven hangen en bovendien was hij kwetsend, omdat hij op een gebrek doelde.

Knol en Knipperlicht, zo zou hij ze noemen.

'Kom onmiddellijk hier!' brulde Silverhielm.

Erik deed alsof hij hem niet hoorde en niet merkte dat alle activiteit aan tafel was gestopt. Hij at een poosje verder met gespeelde rust voordat hij zijn nummertje herhaalde: 'Vreemd, volgens mij hoorde ik alweer dat gehinnik.'

Toen sprong Silverhielm op van zijn plaats, zodat de stoel achter hem omkantelde en baande zich een weg langs de tafel naar Eriks plaats. Erik stond snel op en hield zijn dekking op halve hoogte. Dat moest voldoende zijn om Silverhielm te stoppen en aan het twijfelen te brengen en zo werkte het ook.

'Volgens mij is het Zilverpaardje een beetje kreupel geworden,' zei hij, terwijl hij Silverhielm recht in zijn gezicht uitlachte en deed alsof hij niet zag hoe Silverhielm zijn rechterhand naar achteren bracht om naar hem uit te halen.

Een seconde van twijfel. Wat het werkelijk mogelijk dat Silverhielm van plan was de vuistslag te geven die hij zo duidelijk aankondigde? Hij kon maar het best op iets anders voorbereid zijn. *En niet terugslaan, wat er ook gebeurde.*

Maar Silverhielm gaf precies de vuistslag die hij had aangekondigd, maar Erik kon hem gemakkelijk opvangen met zijn linkeronderarm, terwijl hij op hetzelfde moment een korte stap naar voren deed, waardoor zijn gezicht nog slechts een paar decimeter van de verblufte Silverhielm verwijderd was, die zich kennelijk had ingebeeld dat hij zou treffen.

'Dat lukt je nooit, Zilverpaardje,' spotte Erik en deed snel weer een stap terug om zich tegen een knie in zijn onderlijf of een linkse hoek te kunnen verdedigen, terwijl hij tegelijk zijn dekking liet zakken om Silverhielm tot een nieuwe poging te verleiden. Silverhielm aarzelde een moment en deed vervolgens alsof hij naar hem wilde uithalen, maar omdat het in zijn ogen stond te lezen dat hij niet van plan was de slag uit te voeren, bleef Erik roerloos staan. Het trucje was te simpel: uithalen en zorgen dat de tegenstander de verkeerde dekking koos.

'Verdwijn uit de eetzaal,' siste Silverhielm en wees naar de deur met een gebaar dat in de hele eetzaal te zien moest zijn geweest.

Erik besloot het erop te wagen.

Schamper lachend draaide hij zich zachtjes om en trok langzaam zijn stoel naar achteren, ging zitten, pakte zijn mes en vork en sneed langzaam een stukje ossenvlees af. (Hij moest zorgen dat hij geen vork in de mond had als Silverhielm van achteren zou toeslaan.) En terwijl hij het vlees sneed zei hij iets tegen degene die tegenover hem zat, om op een ongedwongen manier te kunnen opkijken van het bord. (Mocht Silverhielm van achteren slaan, dan zou dat direct zichtbaar zijn in de ogen van de jongen tegenover hem.)

Maar Silverhielm sloeg niet, en dus was zijn poging geslaagd. In plaats daarvan was hij zo dom om achter Eriks rug dreigementen te gaan schreeuwen. De dreigementen gingen over de Kloosternacht.

Toen wist Erik dat het gevaar geweken was en dat hij rustig het afgesneden stukje vlees in zijn mond kon stoppen en beginnen te kauwen. Silverhielm liep dreigend en morrend weg en ging zitten. De eerste slag was gewonnen.

'Foei, zoals dat Zilverpaard aan het doordraven is,' zei hij en de onderbouwleerlingen tegenover hem lachten aarzelend.

Over een paar dagen kon hij Zilverpaard vervangen door Zilverknol. Als je daarna de bijnaam Knol had doorgedrukt, kon je het misschien afwisselen met Snotknol. Met voldoende bespottingen zou het misschien mogelijk zijn om Silverhielm de loef af te steken met al zijn beloften over een nieuw regime tijdens de verkiezingscampagne de dag ervoor. Zeker was het niet, maar het was in elk geval een poging waard. Maar dat was op dit moment slechts een klein probleempje. Het grote probleem was de Kloosternacht.

Nu was Silverhielm wel genoodzaakt een formidabele 'kloostering' te verrichten. Silverhielms eer stond op het spel; hij had van alles beloofd tijdens de verkiezingscampagne.

Toen ze de eetzaal uitstroomden, begon het al donker te worden. Het was een winderige avond en het regende langdurig en hard. Waarschijnlijk zou het de hele nacht zulk weer blijven.

Een stel gymnasiasten wrong zich langs hem op de trap naar de eetzaal. Ze deden alsof ze toevallig over de gebeurtenissen van de komende nacht praatten.

'En dat superbrutale joch uit 3⁵, weet je wat ze met hem gaan doen?'

'Nee, maar het zal wel een groteske toestand worden?'

'Ja, ze zeggen dat ze stront in een ton hebben verzameld en... tja, dan begrijpen jullie het wel...?'

Toen hij de kamer binnenkwam, lag Pierre op zijn bed de *Odyssee* te lezen. Hij probeerde te doen alsof hij diep in gedachten verzonken was. Erik begon met het slot van de deur te onderzoeken. De deurklink bestond uit een ovale draaiknop aan beide kanten van de deur. Aan de binnenkant zat de draaiknop zo dicht bij de deurpost, dat het mogelijk was de draaibeweging te blokkeren door een psalmboek tussen de klink en de deurpost te klemmen. Maar de schroeven die de slotconstructie bijeenhielden, zaten aan de buitenkant van de deur, die niet met een sleutel op slot kon worden gedaan. Het zag er niet goed uit.

'Dat gaat niet,' zei Pierre zonder op te kijken van zijn boek. 'Als ze een schroevendraaier bij zich hebben, kunnen ze het slot van buitenaf demonteren en daar helpt geen psalmboek of bijbel tegen.'

Het was duidelijk dat zijn observatie volkomen juist was.

'Denk je dat het mogelijk is de deur dicht te spijkeren?' vroeg Erik.

'Nee, want dan breken ze hem open en dan mag jij bovendien een nieuwe deur betalen. Dat is al eens geprobeerd.'

Pierre verborg zijn gezicht achter het boek en deed nog steeds alsof hij las. Erik ging op zijn bed zitten.

'Leg dat boek eens weg, Pierre, we moeten dit bespreken. Ten eerste, wanneer begint die Kloosternacht eigenlijk, wanneer komen ze en met hoevelen zijn ze?'

Langzaam legde Pierre het boek op de beddensprei. Hij had een vreemde glans in zijn ogen, haast alsof hij gehuild had.

'De nacht begint nadat om halftien de lichten zijn uitgegaan. Ze kunnen op elk moment tussen halftien en vier uur 's morgens langskomen. Het gaat om de hele raad tegelijk, twaalf man, dus je hebt geen schijn van kans.'

'Nee, het ziet er somber uit. Wat zullen ze volgens jou gaan doen?'

'Daar wil ik maar liever niet aan denken.'

'Nee, maar wat geloof je?'

'Er doen al de hele dag allerlei geruchten de ronde. Ben je bang?'

'Ja.'

'Je geeft toe dat je bang bent? Dat had ik nooit gedacht.'

'Ach, Pierre, voor een gevecht ben je altijd bang. Soms meer, soms minder, maar bijna altijd.'

'Ja, maar heb je al eens zo'n nacht meegemaakt, ik bedoel een gevecht dat je wel moest verliezen?'

'Ja, met mijn vader, je weet wel, maar dat was toch iets heel anders. Nee, nog nooit op deze manier. Maar we moeten iets verzinnen, we hebben nog precies twee uur de tijd. Wat doen de jongens die gekloosterd worden gewoonlijk?'

'Ze gaan gewoon naar bed, net als altijd. En dan liggen ze natuurlijk te wachten. Ik weet dat sommigen zelfs in slaap waren gevallen voordat ze kwamen. Toen ik nieuw was ben ik zelf in slaap gevallen.'

'Wat, ben jij gekloosterd?'

'Mmm.'

'Wat deden ze toen?'

'Niets bijzonders, ze sleepten me alleen naar de douche, ik was kennelijk niet zo erg brutaal geweest.'

'Maar omdat je al eens gekloosterd bent en niet meer nieuw bent, zullen ze je deze keer niets aandoen?'

'Ik weet het niet. Silverhielm is immers geobsedeerd door onze oproerbeweging, onze "ondergrondse socialistische activiteiten", je weet wel. Maar al zou ik een veeg uit de pan krijgen, dan zal het toch niet... ik bedoel ze hebben het op jou gemunt.'

'Mmm. Denk je dat je om deze tijd nog in het handenarbeidlokaal kunt komen? Hebben alle leraren daar een sleutel van?'

'Ja, hoezo, was je van plan een bijl te gaan halen of zo?'

'Nee, alleen wat kleine spulletjes, ik ben zo terug.'

Erik liep naar het huis van Tosse Berg en belde aan.

'Hallo,' zei hij, 'ik heb je hulp nodig.'

Tosse Berg liet hem snel binnen en trok bijna in één beweging de deur achter hem dicht. Maar toen begon hij met uitvluchten te komen. De leraren konden zich er niet mee bemoeien, het was een verduveld slechte gewoonte en onsportief en laf, maar er was niet veel wat een gewone gymnastiekleraar kon doen. Erik legde uit dat hij het niet *zo* bedoeld had, het ging alleen om een kleine gunst. Of hij de sleutels van het handenarbeidlokaal kon lenen?

Tosse Berg aarzelde. Op één voorwaarde en dat was dat Erik in dat geval naar waarheid vertelde wat hij daar wilde halen. Maar natuurlijk, hij wilde alleen maar een stukje staaldraad en een platte tang halen, absoluut niets anders.

Niets anders, op je erewoord? Nee, niets anders, op mijn erewoord. En mocht hij vragen waar hij die spulletjes voor nodig had? 'Dat begrijp je natuurlijk wel. Beste Tosse, je begrijpt toch wel dat ik niet van plan ben het zo gemakkelijk op te geven.'

'Nee, dat dacht ik niet, maar waar heb je die spullen voor nodig?'

'Vraag maar niet meer, dan raak je er ook niet bij betrokken. Ik zal in elk geval geen raadsleden mishandelen, want ik wil niet van school gestuurd worden en ik heb nog van alles te doen in het schoolteam, nietwaar?'

'Jij bent een *fighter*, Erik. *The whole world loves a fighter*, ja, behalve dan misschien hier op Stjärnsberg. Succes!'

Tosse Berg drukte hem stevig de hand en gaf hem de sleutels.

Tien minuten later was hij terug op zijn kamer met het staaldraad en de tang. Pierre lag nog steeds in dezelfde houding op bed met de *Odyssee* voor zich.

Erik liep naar het raam en begon staaldraad rond de vensterhaakjes te wikkelen. Toen trok hij stevig, maar voorzichtig met de tang aan de staaldraad en knipte de uitstekende stukjes draad af.

'Waar is dat goed voor?' vroeg Pierre.

'We wonen bijna op de begane grond en er zijn maar twee manieren om in de kamer te komen. Je hoeft maar twee kleine ruitjes in te slaan en dan kun je je hand uitsteken, de haakjes losmaken en door het raam binnenkomen, ook al is de deur geblokkeerd. Maar vanaf nu kunnen ze nog maar op één manier binnenkomen.'

'Je kunt je toch niet tegen hen verdedigen. Je mag een raadslid immers niets aandoen en straks komen er alleen maar raadsleden.'

'Mmm. *Jij* weet dat het zo is. Maar dat weten *zij* niet en zij zijn net zo bang als jij en ik. Kom, dan gaan we naar de badkamer, daarna moet ik namelijk de kamer een beetje anders inrichten.'

'Maar hoe kun jij je verdedigen zonder je te verweren?'

'Dat is nu juist het probleem. We hebben echter nog iets meer dan een uur de tijd voordat de nacht begint en voor die tijd moeten we nog iets regelen.'

Het ging om Pierre. Zou het misschien beter zijn als Pierre niet in de kamer was als ze kwamen? Want als Pierre ook in de kamer was en ze erin slaagden om allemaal tegelijk binnen te komen, dan was alles verloren en zouden ze zich niet alleen met Erik vermaken. Maar als Pierre ergens anders was, zouden ze hem waarschijnlijk niet gaan zoeken. En Jakobsson, vier deuren verderop in de gang, had de mazelen of zoiets en lag in de ziekenzaal. Dus daar was een leeg bed. De kamergenoot zou niet moeilijk doen als je de situatie uitlegde. Pierre kon dus in Jakobssons bed gaan liggen.

Pierre kwam overeind in bed, stopte een boekenlegger in het boek, voordat hij het op de schrijftafel legde.

'Nee,' zei hij ten slotte, 'zo gaat het niet, ik bedoel zo doen we het niet.'

Hij dacht even na voor hij verderging.

'Jij bent mijn beste vriend, Erik, dus ik ben niet van plan ergens anders te gaan slapen.'

Erik aarzelde. Pierres toon was heel beslist.

'Dan spreken we dat af,' zei Erik, 'en wat er ook gebeurt, je bent de beste vriend die ik ooit heb gehad. En je bent nog moedig ook, jij rakker. Denk alleen maar eens aan die keer toen je tijdens de bajonetoefening gewoon wegliep bij die idiote Bever.'

'Ach,' zei Pierre, 'je moet toch principes hebben. Dat moet je. Dan gaan we nu naar de wasruimte en zorgen dat we het geregeld hebben.'

Toen ze terugkwamen uit de wasruimte schoof Erik hun gemeenschappelijke bureau voor de deur. Het bureau paste precies in de smalle ruimte voor de deur, tussen de muur en de hangkast. Het bureau was vrij hoog en bedekte meer dan het halve deuroppervlak. Dat zag er goed uit. Toen trok Erik het bureau weer naar achteren en rommelde wat in de hangkast, op zoek naar Pierres bandystick die daar ergens rondslingerde.

Erik woog de bandystick op zijn hand, pakte hem toen met beide handen vast en probeerde een paar slagen tegen de deurpost. Dat zag er goed uit. Weliswaar moest je schuin van boven slaan om te voorkomen dat de slag tegen de kast of de muur zou belanden, maar er was desondanks voldoende ruimte.

In de lambrisering aan de muur tegenover de deur van de hangkast was een vrij grote uitsparing, ongeveer zoals een verzonken deurpaneel. Daar wurmden ze twee schoenspanners in het hout en testten het resultaat toen ze het bureau op de juiste plaats hadden geschoven. De schoenspanners hielden het bureau op de plaats, zodat het niet achterover kon kieperen de kamer in. Ze werkten met de rolgordijnen omlaag voor het geval daarbuiten in het donker en de regen iemand hun voorbereidingen stond gade te slaan.

Met behulp van de tang klemden ze wat kleren onder de schoenspanners, zodat het bureau ten slotte muurvast zat en de schoenspanners het paneel niet zouden beschadigen als het bureau werd aangevallen. (Alle vernielingen tijdens de Kloosternacht moesten door de gekloosterde betaald worden; dat was traditie.)

Erik schoof de enige fauteuil die de kamer rijk was naar voren, plaatste de bandystick ernaast en gooide een hoofdkussen op de fauteuil. De voorbereidingen waren klaar. Het was bijna halftien en dan begon de Kloosternacht. Erik deed een stap terug en bekeek de opstelling.

'Zo,' zei hij, 'nu hebben ze een gaatje van iets meer dan een vierkante meter om doorheen te komen. Het is net als bij die Griekse slag, je weet wel, toen de vijand een bergpas moest innemen die zo nauw was, dat hij slechts met een paar man verdedigd kon worden.'

'Ja, maar zij werden niet van school gestuurd als ze de vijand iets aandeden.'

'Nee, maar onze vijand weet niet of ik van plan ben me van school te laten sturen of niet.'

Pierre antwoordde niet. Hij sloeg zijn boek open op de plaats waar hij zijn boekenlegger had gelegd en begon voor te lezen:

'*Hij sneed hen in stukken en maakte hen klaar voor zijn maal. Hij vrat als een leeuw in de bergen – en niets liet hij over – het ingewand en het vlees en de mergrijke botten.*'

'Weet je wat dat is?' vroeg Pierre.

'Ja, ik zag het boek, ik heb het vorig weekend zelf gelezen tijdens het arrest. Het is bij de cycloop Polyphemos. Maar Odysseus en zijn mannen verhitten een boomstam en dreven die in het enige oog van de cycloop.'

'Wij zijn opgesloten, bijna zoals in een grot.'

'En in de nauwe opening van de grot waakt Polyphemos, bedoel je dat?'

'Ja, ongeveer. Polyphemos is eigenlijk een symbool voor het kwaad.'

'Dom en gevaarlijk, dus? "Niemand" heeft mijn oog doorboord! En de andere cyclopen kwamen pas te hulp toen het al te laat was.'

'Maar vannacht komen ze allemaal tegelijk. Als een roedel hyena's, laf en in het donker, maar met tanden die het dijbeen van een paard tot splinters kunnen vermorzelen.'

'Het is tijd om het licht uit te doen. Nu hebben we negen uur Kloosternacht voor ons.'

'Kunnen we niet net zo goed het licht aan laten, ik bedoel, het doet er niet toe. De huisvader gaat toch geen avondinspectie houden in de Kloosternacht.'

'Nee, we moeten het licht uit laten, dat is onze kans.'

Erik liep naar voren en draaide het lichtknopje om. Toen ging hij in de fauteuil voor het bureau zitten met de bandystick op schoot.

Lange tijd zwegen ze allebei. De geluiden uit de andere kamers stierven langzaam weg en ten slotte was het zo stil, dat je alleen maar de regen tegen de ruit en de wind daarbuiten hoorde.

Het was pikdonker en de tijd kroop.

'Waar ben je het meest bang voor?' vroeg Pierre in het donker.

'Om van school te worden gestuurd. Dan gaat immers mijn hele toekomst in rook op.'

'Ja, maar zo bedoelde ik het niet. Eigenlijk doelde ik op wat ze met je kunnen gaan doen.'

'Het ergste is in elk geval niet iets wat pijn doet. Maar ik ben bang voor mijn gezicht, ik ben bang dat ze bijvoorbeeld een knuppel pakken en me op mijn gezicht timmeren tot de tanden eruit zijn en mijn neus tot moes is geslagen. Het zou trouwens logisch zijn als ze dat van plan waren, na dat gedoe met Lelle in de ruit, je weet wel. Zoiets doet geen pijn, maar naderhand zie je er verschrikkelijk uit.'

'Ben je er honderd procent zeker van dat het geen pijn doet? Dat klinkt vreemd.'

'Nee, dat is niet zo vreemd. Als je vecht in zo'n situatie als deze ben je in zekere zin zo kwaad dat niets meer pijn doet. Je *hoort* bijvoorbeeld hoe een slag je in je gezicht raakt, maar het gaat pas veel later pijn doen. Wanneer zouden ze komen, denk je?'

'Klokslag twaalf, als ik moest gokken.'

'Waarom?'

'Omdat ze nu zitten te praten over wat ze gaan doen. Ze zullen lang genoeg wachten om een verrassingsaanval te kunnen doen. Eigenlijk zouden ze moeten wachten tot half drie. Maar ze zijn zo opgewonden en ongeduldig, dat het wel rond een uur of twaalf zal gebeuren. Bovendien is het een magisch tijdstip en dat maakt het nog beter.'

'Ja, zo is het natuurlijk. Ik vraag me af waarover ze zitten te praten.'

Ze fantaseerden een poosje over dat thema. Silverhielm zou waarschijnlijk behoorlijk opgewonden zijn, aangezien er heel wat op het spel stond voor hem. Vermoedelijk was hij het meest aan het woord, hij was immers de leider. Ze namen de plannen keer op keer door, schilderden hun triomf hoe langer hoe mooier af, speculeerden hoe Erik zou kronkelen onder hun folteringen of vernederd zou worden met uitwerpselen en urine (het kwam er een beetje op aan wat ze precies van plan waren). Vermoedelijk besloten ze dat het kloosteren met Erik moest beginnen, zodat er nog geen lawaai op school was voor ze toesloegen. Vervolgens zaten ze waarschijnlijk nieuwe ideeën uit te broeden en de voors en tegens af te wegen. Wat zouden ze trouwens vinden van dat gerucht over het kraken van een testikel met een notenkraker? Zo'n zaak zou in elk geval opzien baren in het ziekenhuis. Het was immers niet iets wat je op dezelfde manier zou kunnen verklaren als alle andere gevallen die van Stjärnsberg kwamen, zoals 'van de trap gevallen', 'van het dak gevallen' of 'met de fiets van de weg geraakt'.

Wat zei de wet eigenlijk over dit soort dingen, de echte Zweedse wet dus, in tegenstelling tot de wetten van Stjärnsberg? Johan S. had iets over onwettigheid gezegd, toen hij zich ten overstaan van de vakbond belachelijk maakte.

Het was in elk geval iets wat dat gedoe met die notenkraker onwaarschijnlijk maakte. Tenminste als je bedacht dat iemand dat karweitje zou moeten uitvoeren en dat het heel onaangenaam, misschien wel ronduit walgelijk moest zijn om een notenkraker rond de balzak van een tegenspartelende jongen te leggen en dicht te knijpen tot het kraakte. Volgens Erik zouden ze geen van allen het lef hebben om dat te doen.

Pierre was er nog niet zo zeker van. Er waren er vast wel een paar die iets dergelijks durfden te doen. Maar aangezien ze tijd hadden om te praten en te plannen, moesten ze toch beseffen wat zich naderhand in het ziekenhuis van Flen zou kunnen afspelen. Tanden, neus, lippen en ogen, daar konden ze zich op uitleven, dat kon nog op een gewoon ongelukje lijken. Ze waren echter niet goed wijs en dus het was niet zeker dat ze voldoende verstand hadden om af te zien van handelingen die je reinste marteling waren. Ze waren zoals Polyphemos.

Het gesprek stokte. Daarna was er weer die statische stilte en de regen tegen de ruit en de wind daarbuiten. Iets anders was er niet te horen.

Erik frunnikte aan de leren wikkeling rond de bandystick. Eigenlijk was de situatie totaal krankzinnig. Hier zat hij in een donkere kamer met een bandystick in zijn hand en met die bandystick zou hij misschien over een halfuur of over twee uur of over vier uur en drie kwartier zijn hele toekomst in duigen slaan. Wat bedoelden ze eigenlijk met die term 'zijn toekomst'. Hij moest op het gymnasium zien te komen en zijn eindexamen halen en verder niets. En als je je eindexamen niet haalde, kon je niet worden wat je waarschijnlijk wilde worden, maar je ging er niet dood aan, je leven hield niet op.

171

Als hij overmand werd, zou hij een beetje mishandeld worden, maar dat zou later in de verre toekomst enkel nog een vage herinnering zijn. Het eindexamen was een paar stifttanden en een bobbel in zijn neus waard.

Maar de spot en de vernedering? Het gezicht onder gejuich van de menigte ingesmeerd met uitwerpselen? Hoe woog dat op tegen het eindexamen in de verre toekomst?

Het leek onmogelijk om een besluit te nemen. Het verstand zei waarschijnlijk dat het noodzakelijk was zich te onderwerpen. De gevoelens zeiden dat dit onmogelijk zou zijn. De keuze zou zich in werkelijkheid trouwens nooit voordoen, want als ze op een of andere manier de kamer konden binnendringen zat hij toch vast.

Stilte en de regen tegen de ruiten.

Was het een vergissing geweest om het raam vast te maken? In het magazijn van de burgerbescherming lagen rookfakkels. Wat moest je doen als ze een rookfakkel naar binnen gooiden? In vijf tot tien seconden zou het niet meer uit te houden zijn in het kleine kamertje.

'Slaap je, Pierre?'

'Ben je gek, dacht je dat ik hier zou liggen slapen alsof er niets aan de hand was?'

'Nee, natuurlijk niet. Ik zat te denken, stel dat ze een rookfakkel uit het magazijn van de burgerbescherming halen. Dan kunnen ze ons uitroken.'

'Maar dat doen ze niet. Ze verwachten niet dat het zo moeilijk zal worden om de kamer binnen te komen.'

'Nee, dat is duidelijk. Maar ze zouden er dan wel een kunnen halen.'

'Ach wat! En eerst midden in de nacht de Bever wakker maken en respectvol verzoeken of ze de lokalen van de krijgsmacht mogen betreden, omdat ze zich moeten bewapenen om bepaalde niet nader gespecificeerde operaties uit te voeren tijdens de Kloosternacht? Hè!'

Voor het eerst lachten ze.

'Nee, je zult wel gelijk hebben. Waarschijnlijk hebben ze daar niet aan gedacht en ze kunnen moeilijk midden in de nacht inbreken in het wapenmagazijn. Maar *als,* ik zeg alleen maar *als* ze dat zouden doen, dan moet je erop voorbereid zijn dat je de rookfakkel oppakt en verdomd snel uit het raam gooit. Anders worden we bokking hierbinnen.'

'Gerookte makrelen, bedoel je?'

Opnieuw lachten ze.

Daarna weer de stilte en de regen tegen de ruit en de wind daarbuiten. Onverbiddelijk kroop de tijd voort.

'We kunnen evengoed blijven praten,' zei Erik na een tijdje, 'hoewel we moeten fluisteren, want als ze komen, moeten ze geloven dat we in elk geval liggen te dommelen. Waar zullen we het over hebben? Het liefst over iets anders dan wat er misschien kan gebeuren, je weet wel.'

'We zouden het bijvoorbeeld over Polyphemos kunnen hebben. Ik geloof dus dat Polyphemos een symbool van het kwaad is, wat vind jij?'

Erik was het niet met hem eens – om te beginnen al vanwege de discussie. Ten eerste was een 'symbool' vast niet iets wat Homerus was ingevallen toen hij over Polyphemos vertelde. Tegenwoordig, nu bekend is dat reuzen of eenogige cyclopen niet bestaan, ligt dat misschien anders. Maar zou Homerus niet geloofd hebben dat alle personages in de Griekse mythologie echt bestonden? Als je geloofde dat Zeus en Afrodite en Poseidon bestonden, dan was het even waarschijnlijk dat cyclopen bestonden. Dus was Polyphemos nergens een symbool van, hij was even reëel voor Homerus als Silverhielm reëel was voor hen, hier in het donker.

Maar waarom was Polyphemos dan slecht?

Wat was eigenlijk slecht als je erover nadacht? Hij at de bemanningsleden van Odysseus op omdat hij ze lekker vond, niet om gemeen te zijn. Voor Polyphemos zou de natuurlijke 'menselijke' toestand wel zijn geweest dat je een eenogige reus was, die reuzenschapen hoedde – die schapen moesten enorm groot zijn geweest, als Odysseus en zijn jongens aan hun buik konden hangen – en die kleine mensjes die aan land kwamen en zijn schapen begonnen op te eten waren toch niets anders dan roofdieren die zijn vee stalen, net wolven, maar dan eetbaar? De Lappen doden de wolf niet uit wreedheid.

Was Polyphemos alleen maar gevaarlijk en dom?

Bij Silverhielm lag de zaak in elk geval heel anders. Silverhielm was een mens en moest in principe andere mensen als zijn gelijken zien, dus niet als eetbaar ongedierte. Silverhielm was niet dom, hij was alleen wreed. Vrij intelligent en wreed.

Het kwaad moest dus wel in de hersenen zitten en nergens anders. Een haai heeft geen noemenswaardige hersenen en is niet wreed. Polyphemos was de onbekende bedreiging, het gevaarlijke in de fantasie van de mens. Silverhielm was welbewust en intelligent boosaardig. Maar waarom was hij dat?

173

Misschien was ook hij niet wreed in de eigenlijke betekenis van het woord. Pierre vertelde over de martelingen van de inquisitie. Waren die martelende priesters wreed of niet? Ja, in zekere zin wel, omdat ze martelden. Maar als ze nu geloofden dat ze God een plezier deden met wat ze uitvoerden? Als ze er nu werkelijk van overtuigd waren dat ze als dienaars van God de wereld moesten zuiveren van het ketterse kwaad, was het dan niet zo dat het doel de middelen heiligde?

Zo werd het wel heel ingewikkeld. Silverhielm en zijn maffia geloofden dat ze Stjärnsberg van de ondergang moesten redden en in dat geval heiligde het doel de middelen en waren ze in feite toch alleen priesters met een rein hart?

Nee, dat klopte niet. We nemen een aanloopje en beginnen opnieuw.

Dus. Als je Silverhielm kleine jochies zag slaan, dan was het duidelijk te zien dat hij dat leuk vond. Niemand sloeg zoveel eensteekslagen als hij en niemand in de derde klas had zoveel onderbouwjongens gepakt in de ruit. Hij vond het gewoon leuk. Er zijn nu eenmaal mensen die het leuk vinden om anderen te pijnigen. Zoals een zekere vader, om maar eens iemand te noemen.

En Silverhielm loog, als je er goed over nadacht. Tijdens de verkiezingscampagne had hij gelogen over een socialistische beweging in de onderbouw. Iedereen wist dat er niet zo'n 'beweging' bestond. Hij loog om aan de macht te komen en beschreef de redenen waarom meer slaag belangrijk was op een leugenachtige manier. Dus kon je hem niet vergelijken met de priesters van de inquisitie.

Dat gepraat over rooie rakkers was kennelijk effectief. Zelfs Bernhard kreeg het zwaar tijdens de verkiezingscampagne toen ze het deden voorkomen alsof Bernhard 'te zacht was voor rooie rakkers'. Eerst loog Silverhielm een beeld bij elkaar van het gevaar dat bestreden moest worden. Vervolgens zei hij dat hij de reddende engel zou worden, een soort Sint Joris (en de tradities van de school enzovoorts waren de maagd) en dat wij, de zogenaamde rooie rakkers, de draak waren.

Voor dat alles was intelligentie en planning, tactische behendigheid en samenwerking met anderen vereist, een hele organisatie. Polyphemos had niets gepland, hij kreeg toevallig onverwacht bezoek van schapendieven.

Silverhielm was dus wreed, hij was het kwaad.

Maar *waarom* was hij dat? Werd je gewoon zo geboren? Of had het ermee te maken dat hij als kind veel slaag had gehad? Het feit dat hij zo en zo lang op Stjärnsberg had gezeten en geestelijk beschadigd was door het milieu waarin hij verkeerde, was geen verklaring. Bernhard zat even lang op school en Bernhard had een andere kijk op geweld en Bernhard was niet wreed op die manier.

De verklaring was niet te vinden, ze kwamen er niet uit. Maar één ding was in elk geval duidelijk. Tegen lui als Silverhielm moest je altijd verzet bieden en op alle mogelijke manieren terugslaan. Lui zoals hij mochten niet winnen, ze moesten als het kon met geweld tegemoet worden getreden en als het niet mogelijk was geweld te gebruiken, dan met hoon en spot. Dat wil zeggen meestal.

Maar dat was gemakkelijker gezegd, dan gedaan. Op dit moment zag de situatie er niet bepaald hoopvol uit. Deze keer zou Silverhielm het spel waarschijnlijk op een of andere manier winnen en de volgende dag zou hij triomfantelijk opscheppen over hoe Erik eruitzag toen hij naar het ziekenhuis in Flen werd gebracht. Het was jammer dat het zo zou gaan. Maar ze moesten zich in elk geval blijven verzetten, ook al zag de zaak er bijna hopeloos uit. Dat was het enige wat je met zekerheid kon zeggen. Lui zoals Silverhielm mochten nooit winnen, hier en nu niet, maar ook in de toekomst, in het volwassen leven niet. Zo was het gewoon.

De vraag was alleen welke middelen ze zouden gebruiken. En daar sloot de cirkel zich weer rond Gandhi en Algerije. Het was niet te ontwarren. Ze zwegen.

Nog steeds de regen tegen de ruit. De wind was een beetje afgenomen, maar het was nog steeds moeilijk om andere geluiden te horen. Daar in het donker stonden de groene, lichtgevende wijzers van de wekker op vijf voor twaalf.

'Als je gelijk hebt, zullen ze zo wel komen,' zei Erik.

Pierre had gelijk.

Eerst leek het geluid van sluipende voetstappen en gefluister alleen maar verbeelding. Maar toen ging in de gang het licht aan. Boven aan de deur viel een smal streepje licht naar binnen. Toen was het gefluister aan de andere kant van de deur heel duidelijk te horen.

'Schuif eens een beetje op, Pierre, zodat je niet recht achter mij zit,' fluisterde Erik.

Hij stond op in het donker en omklemde de bandystick die hij boven zijn hoofd had geheven. Zijn hartslag bonkte door zijn hele lichaam, van de borstkas tot aan de verlenging van de aorta in de liezen. Vanuit het hart wordt de adrenaline in het lichaam rond gepompt, dacht Erik, en hij voelde hoe het zweet in zijn handen de greep rond het hard gelakte oppervlak van de bandystick onvast maakte.

Het gefluister daarbuiten nam toe. Erik verstond zoiets als 'tot drie tellen'.

'Eén' klonk het buiten en de deurklink leek zich enkele millimeters te bewegen.

'Twee... nu verdomme...'

'Drie!'

De deur werd opengerukt en Eriks verblinde ogen zagen nog net hoe Silverhielm regelrecht op het bureau sprong.

Erik mikte zo goed hij kon en sloeg de bandystick met volle kracht een decimeter boven Silverhielms hoofd tegen de deurpost, zodat de houtspaanders in het rond vlogen.

Silverhielm schreeuwde, maar kon eerst niet loskomen, omdat een paar anderen van achteren opdrongen. Erik sloeg nogmaals, waarna de deur haastig werd dichtgeslagen en het weer donker werd.

'Dat was de eerste ronde,' zei Erik, 'nu zullen we zien wat ze denken of niet denken.'

Buiten was een verontwaardigd gekakel te horen. Ze konden er nauwelijks iets van verstaan, behalve losse woorden zoals 'bandystick... niet goed wijs... levensgevaarlijk... allemaal tegelijk...'

Na een poosje werd het stil.

'Hoor je mij, Erik!' riep Silverhielm.

'Ik hoor het gehinnik van een Zilverpaard,' antwoordde Erik.

'Laat die bandystick los, verdomme, dit is de laatste waarschuwing!' ging Silverhielm verder.

Ja, verdomme,' fluisterde Erik, *'ze zijn erin getrapt.'*

'Kom maar binnen en pak die stick als je durft!' riep Erik terug.

Opnieuw gekakel.

'Je hebt toch geen schijn van kans, je kunt je maar beter overgeven, anders maak je het alleen maar erger voor jezelf!' dreigde een onbekende stem daarbuiten.

Vervolgens klonk een reeks commando's, wat erop duidde dat de anderen in de gang wakker geworden waren en naar buiten kwamen om te zien hoe het kloosteren verliep. Nu werden ze weer hun kamer ingejaagd.

'Mooi,' fluisterde Erik, 'als ze zeker van hun zaak waren geweest, hadden ze de andere jongens wel laten toekijken.'

Het werd doodstil daarbuiten. De volgende aanval was ophanden. Erik tilde de bandystick op. Zou er werkelijk weer iemand proberen zijn hoofd naar binnen te steken? Zelf zou hij in hun situatie met een aanloop een snoekduik over het bureau nemen. Als één van hen de kamer wist binnen te komen, was de zaak al bijna beslist. Erik veranderde zijn greep rond de bandystick, zodat hij een breed houvast had en snel omhoog kon stoten om een naar binnen duikend raadslid tegen te houden. (Maar hoe zou hij dan kunnen voorkomen dat hij het raadslid verwondde?) Nee, ze waren vast iets anders van plan. Eén rukt de deur open en een ander gooit een stoel naar binnen over het bureau? Als de stoel degene die daarbinnen staat in het gezicht treft, valt hij achterover en krijgen ze net die paar seconden die nodig zijn om het bureau te enteren en binnen te stormen.

Erik ging wat opzij om een stoel te kunnen ontwijken en pakte de bandystick weer zo vast, dat hij tegen de deurpost kon slaan.

Wat gefluister. Nu zou het gebeuren.

Toen werd de deur opengerukt en daar stond een van de raadsleden een emmer rond te slingeren in een beweging die op slowmotion leek. Het was een gele plastic emmer. Toen de emmer door de lucht suisde, dook Erik opzij en op dat moment had hij intuïtief al begrepen wat het was.

De hele inhoud van de emmer, uitwerpselen en urine, spoelde door de kamer. De stank explodeerde in zijn neusgaten op hetzelfde moment dat het plenzen en spetteren hoorbaar werd. Toen werd de deur bliksemsnel dichtgetrokken en was daarbuiten gelach te horen.

'Heb jij iets over je heen gekregen?' fluisterde Erik.

'Nee, ik sta hier links achter je. Het meeste is op de grond en de schrijftafel terechtgekomen. En dan nog wat op mijn bed. Wat een zwijnen!'

'Ja, wat een zwijnen. Wat denk je dat ze nu gaan doen?'

'Wachten tot we naar buiten komen, misschien. We hoefden dus in elk geval geen bokkingen te worden.'

Ze lachten, bijna hysterisch, voor de derde maal tijdens de Kloosternacht.

Buiten was het geschraap van meubels te horen. Er werd iets voor de deur geschoven.

'Het is waarschijnlijk de bank uit het dagverblijf,' fluisterde Pierre, 'ze blokkeren de deur om ons hierbinnen op te sluiten in de drek. Wat doen we nu?'

'Niets, vermoed ik. Of ja, we stellen ons voor dat we op zo'n ouderwetse poepdoos op het platteland zitten. Hoor je de hommels zoemen? Daar in de verte loeit een koe, hè?'

'Ja, ik hoorde het heel duidelijk. Je bent bij ons op het platteland en het is zomervakantie en we zijn op 350 kilometer afstand van Stjärnsberg. Wij hebben namelijk een poepdoos op het platteland en af en toe als hij vol zit moet je de rotzooi begraven.'

'Mmm, ik weet het. Je graaft een kuil en vervolgens trek je handschoenen aan en sleept de ton naar de kuil en dan plens, plens, keer je de ton om in de kuil.'

'En dek je de rotzooi af.'

'Ja, maar daar moeten we nog even mee wachten. Eigenlijk zouden we een rookpauze moeten nemen.'

'Ja, maar onze sigaretten liggen in een plastic zak in het bos.'

'Helemaal niet, ik geef je een aangestoken sigaret, hier, pak aan in het donker.'

Ze tastten met hun handen in het donker tot ze elkaar bereikten en Erik de denkbeeldige sigaret kon aanreiken.

'Verdorie,' zei Pierre, 'John Silver, ik heb liever Marlboro.'

'Helaas, we moeten het doen met wat we hebben.'

Zo gingen ze een poosje door totdat het ernaar uitzag dat de raad was weggegaan. Het kon natuurlijk een schijnbeweging zijn. Kennelijk hadden ze de deur geblokkeerd. Erik boog voorover en voelde aan de deur. Ja, het klopte.

Dan was het waarschijnlijk voorbij. Ze waren van plan de bank tot de volgende morgen te laten staan. Dan hoefden ze in elk geval de deur niet langer te bewaken.

'Zullen we het licht aandoen?' vroeg Pierre.

'Nee, ben je gek! Onthoud dat we ons op een poepdoos op het platteland bevinden en niet in een smerige kamer.'

'Maar dan moeten we misschien een raam opendoen?'

'Verdorie, de ramen zijn dichtgebonden met staaldraad.'

'Ja, ja, geniaal idee, dat dichtbinden van de ramen.'

'Ja, en ze weten dat we het raam moeten openen. Trek het rolgordijn eens op, dan kunnen we even kijken.'

Pierre verplaatste zich voorzichtig tastend met zijn voeten over de vieze vloer naar de schrijftafel zodat hij zich voorover kon buigen en het rolgordijn kon optrekken. Ze staarden een tijdje in het donker en de regen, zonder iets te zien. De stank begon bedwelmend te worden.

Zouden de raadsleden daarbuiten in de regen staan wachten tot ze het raam opendeden? Totdat een van hen door het raam naar buiten zou springen om rond te lopen naar de hoofdingang, naar binnen te sluipen en de bank weg te trekken? Of wachtten ze bij de hoofdingang? Dat was niet ondenkbaar. Pierre schuifelde op de tast naar de schrijftafel om de platte tang te zoeken. Af en toe vloekte hij wanneer hij kennelijk zijn hand in de drek stak. Vervolgens was hij een poosje bezig met de staaldraad rond de vensterhaken en uiteindelijk kon hij het raam opendoen en zich naar buiten buigen, speurend naar verdwaalde raadsleden.

De koude, frisse lucht stroomde de kamer in.

'Als ze daarbuiten zijn kunnen zij ons zien, maar wij kunnen hen niet zien als we het licht aandoen,' benadrukte Pierre. 'We moesten de zaak maar eens een beetje gaan opruimen.'

'Ja, en dan moeten we de bank zien weg te krijgen. Zullen we nog even wachten?'

Het gesprek over de situatie ging een tijdje heen en weer. Het was dus waar, dat van die ingezamelde drek. Je kon je trouwens afvragen waar ze die zolang bewaard hadden, terwijl ze nog bezig waren de drek bij elkaar te schijten. Maar ze waren niet van plan genoegen te nemen met die drek gewoon maar op goed geluk in de kamer van Erik en Pierre te smijten. Waarschijnlijk hadden ze zich voorgenomen om Erik te vangen, naar buiten te slepen en vast te binden, om vervolgens de pis en poep op een meer systematische manier te gebruiken. Maar nu hadden ze geen drek meer over. Waarschijnlijk vonden ze dat het kloosteren afgehandeld was.

Aan de andere kant was er nog steeds de mogelijkheid dat ze bij de hoofdingang van het leerlingenhuis stonden te wachten om degene die kwam aansluipen om de bank te verplaatsen, te grijpen. Ze zouden vast geen zin meer hebben om zomaar de kamer binnen te springen. Nee, óf ze waren allemaal naar huis gegaan, óf ze stonden bij de hoofdingang te wachten. Of misschien moesten ze nog andere jongens kloosteren.

Maar ja, er moest wel iets worden gedaan, ze konden immers moeilijk een hele nacht op hun kamer, pardon, de poepdoos op het platteland, blijven zitten.

'We kunnen het volgende doen,' zei Erik. 'Ik spring door het raam naar buiten en loop achter de sparrenhaag om het huis naar de andere kant. Vervolgens kijk ik of de kust veilig is en dan ga ik naar binnen om de bank weg te schuiven. Als ik bij de bank ben gekomen, laat ik je weten dat ik het ben.

Jij blijft paraat om het raam dicht te doen, voor het geval ze opnieuw in de aanval gaan. Daarbuiten in het donker red ik me wel.'

'Weet je het zeker?'

'Ja, vast en zeker. Het is namelijk niet verboden om weg te lopen voor de raad.'

Ze kunnen nooit hard maken dat ik wegrende om een rookvisitatie te ontlopen, dus ik heb het recht om weg te rennen.

'En dan alleen een weekend arrest te krijgen voor het weigeren van een order? Dat is het wel waard.'

'Nu dan. Operatie Schijtwraak is van start gegaan.'

Erik trok zijn gymschoenen aan. Toen hij naar de schrijftafel kroop om bij het venster te komen, zette hij zijn hand midden in een berg uitwerpselen.

Nadat hij buiten geland was, deed hij snel een paar stappen opzij, om een eventuele aanval te ontwijken. Er leek echter niemand te zijn. De schone lucht was als een glas koud water wanneer je erge dorst hebt.

Vervolgens sloop hij om het huis naar de sparrenhaag. Het leek nog steeds volkomen stil.

Er stond geen mens in de buurt van de buitendeur. Of zouden ze binnen, in de hal wachten? Dat was de meest comfortabele plek om te staan.

Voor de zekerheid liep hij een paar rondjes om de twee dichtstbijzijnde leerlingenhuizen. Overal was het licht uit, behalve bij Silverhielm op de tweede verdieping van de Kleine Beer. Erik klom in een van de grote iepen. Ja hoor, daarbinnen zaten ze te praten. Tweede verdieping, derde deur rechts.

Aha. Dan was de kust waarschijnlijk veilig.

Desondanks opende hij de buitendeur van Cassiopeia met een ruk, zodat een eventuele hinderlaag zichzelf zou verraden.

Geen geluid. Nergens een beweging.

Hij liet de buitendeur achter zich dicht glijden. Dan restte alleen nog rechts de kast waarin de schoonmaakartikelen werden bewaard. Hij zette de buitendeur wagenwijd open, zodat hij naar voren kon stormen en de deur van de kast kon opentrekken, terwijl de buitendeur nog open was.

Nee, daar was het ook leeg.

Toen deed hij het licht in de gang aan. Geen kip te zien, volkomen stil.

Ze konden natuurlijk ook in een kamer verderop in de gang zitten te wachten. Als hij langs de kamer kwam waar ze zaten, zou hij op hetzelfde moment in de kraag worden gegrepen. Aan het einde van de gang was alleen de gesloten deur van het appartement van huisvader Bever.

Hij ging alle deuren langs, hij opende en sloot ze weer. Overal alleen maar slapende onderbouwleerlingen.

Het kloosteren was dus voorbij.

Hij klopte op de deur voordat hij de bank opzijschoof en legde daarna uit waarom het zo lang geduurd had.

Toen ze het licht in hun kamer aandeden, bleek dat de ravage hun voorstellingsvermogen te boven ging.

De hele vloer was vuil; dat hadden ze voor een deel zelf veroorzaakt toen ze in het donker rondtastten. Pierres bed was overspoeld. De hele schrijftafel ook. De drek was zelfs over een deel van de boekenplank gespat.

'Tja,' zei Pierre, 'in de kast met schoonmaakspullen zit alles wat we nodig hebben: emmers, dweilen, schoonmaakmiddel, rubberen vloerwissers en dergelijke. Wat een zwijnen zijn het toch.'

'Erger dan zwijnen. Weet je, zwijnen zijn zoals Polyphemos. Ze weten niet beter. Maar die Silverhielm zal vannacht nog iets meemaken waar hij geen rekening mee heeft gehouden.'

Met de rubberen vloerwissers konden ze voldoende uitwerpselen vermengd met urine verzamelen om de gele plastic emmer iets meer dan halfvol te krijgen.

Daarna besteedden ze twee uur aan het schoonmaken van de kamer, waarbij ze de ramen en de deur wagenwijd open hadden staan. De uitpuilende waszak droegen ze naar de kast met schoonmaakspullen. Het was na drieën toen ze klaar waren. Al om halftwee was in de kamer van Silverhielm het licht uitgegaan.

Ten slotte zetten ze opnieuw het bureau voor de deur en maakten de staaldraden vast rond de vensterhaakjes.

'Het zal zo'n tien minuten kosten,' zei Erik, 'dan ben ik terug. De eerste die je door de gang hoort rennen, moet ik zijn.'

Vijf minuten later was hij in twee wijde cirkels om Kleine Beer gelopen. Alles was rustig.

De buitendeur was open.

Tree voor tree sloop hij de trap op naar de tweede verdieping. In de gang bleef hij staan luisteren. In een van de verderop gelegen kamers lag iemand te snurken. Verder was er niets te horen. De derde kamer rechts was het.

Zachtjes trok hij de deur van Silverhielms kamer open en deed hem achter zich dicht. Hij stond een halve minuut stil te luisteren naar de volkomen regelmatige ademhaling van de twee slapende jongens.

In zijn hand had hij de gele plastic emmer.

Nu moest hij niet de verkeerde te pakken nemen. De emmer was bedoeld voor Silverhielm, maar wie was wie?

Hij legde zijn hand op het lichtknopje en dacht na. Het ergste was als hij de verkeerde te pakken nam. Er waren twee dingen waar hij op moest letten. Toen deed hij in één beweging het licht aan en weer uit en luisterde. Nog steeds dezelfde rustige ademhaling.

Silverhielm was dus de jongen links. Hij sliep bovendien op zijn rug.

Het stopcontact van de bedlampjes en de bureaulamp zat helemaal onder de schrijftafel.

Voorzichtig zette hij de plastic emmer neer. De stank begon zich in de kamer te verspreiden, dus er was het risico dat ze daarvan wakker werden. Toen boog hij zich onder de schrijftafel en tastte rond naar het stopcontact, tot hij het uiteindelijk vond. Tegelijkertijd raakte zijn voet de stoel bij de schrijftafel, die een beetje over de vloer schraapte. De andere jongen bewoog zich onrustig. Hij had haast, maar het kwam erop aan dat hij zijn zelfbeheersing niet verloor, want dan was alles bedorven.

Hij trok de stekkers los en kwam zachtjes onder de schrijftafel vandaan. Vervolgens zette hij de stoelen midden op de vloer. Toen tilde hij de plastic emmer op en pakte voorzichtig tastend met zijn vrije hand het kussen van Silverhielm vast. Nu kon het niet meer mis gaan.

Hij tilde de plastic emmer op en kieperde hem haastig leeg boven het hoofd van de slapende Silverhielm. Snel ging hij naar buiten en trok de deur zo zacht mogelijk achter zich dicht.

Terwijl hij door de gang wegrende, hoorde hij Silverhielms hysterische geschreeuw en het geluid van meubels die omvielen.

Vijftig seconden later was hij terug in het donker bij de bandystick en de fauteuil achter het bureau.

Opnieuw de stilte en de regen. Het duurde zo lang voor Pierre iets zei, dat Erik dacht dat hij sliep. Met de wijsvinger tegen de hals berekende Erik zijn polsslag. Vijftig slagen, dalend naar de rustpolsslag. Dat betekende dat hij volkomen rustig was, althans dat zijn lichaam besloten had volkomen rustig te zijn, ongeacht de speculaties van het verstand over de mogelijke wraak van de raadsleden.

'Heb je de drek in zijn kamer gegooid?' vroeg Pierre.

'Nee, ik ben naar hem toegelopen en heb de emmer boven zijn gezicht leeggegooid.'

'Je bent niet goed wijs.'

'Nou, ik vond het erg wijs. Dit is het ergste wat Silverhielm en zijn statige kloostergelofte kon overkomen.'

'Ze zullen je helemaal verrot slaan.'

'En toch wordt Silverhielm uitgelachen.'

Ze drukten een bijbel tussen de deurknop en de deurpost. Als iemand in de loop van de nacht het bijbelslot probeerde open te morrelen zouden ze op tijd wakker zijn.

Erik viel onmiddellijk in een droomloze slaap en sliep tot de wekker hem uit bed en tegen de bandystick deed springen.

Nu was het de dag na de Kloosternacht. Erik pakte een rood overhemd, zodat het bloed niet zo erg opviel als het waarschijnlijk onvermijdelijke zou gebeuren.

Maar bij het ontbijt ontbrak tafelchef Silverhielm. Verder leek alles net als anders. Dat er mensen heimelijk naar Erik gluurden was niet zo verwonderlijk. Waarschijnlijk waren ze vooral verbaasd dat hij geen enkel spoor droeg van de Kloosternacht waar vooraf zoveel over gespeculeerd was.

Het gerucht begon zich inmiddels te verspreiden. Bij het verlaten van de eetzaal kwamen twee eersteklassers naar Erik toe om te vragen of het waar was dat hij Silverhielm had ingesmeerd met een emmer stront. Erik antwoordde dat hij zoiets natuurlijk niet met het opperraadslid gedaan had. Maar aan de andere kant moest het wel dezelfde drek zijn geweest die Silverhielm zonder succes in zijn gezicht had proberen te mikken.

Daarna knipoogde hij naar de eersteklassers en glipte vlug verder in het gedrang door de poort van de eetzaal.

De zaak zou dus al voor de lunch bekend zijn, in alle overdreven details. Dat betekende dat ze hem óf na de lunch, óf na het avondeten zouden grijpen voor een aframmeling. Redelijkerwijs moesten ze een tijdstip kiezen waarop er zoveel mogelijk toeschouwers waren. Het was moeilijk om er achter te komen wat ze van plan waren.

De lessen kropen voorbij, die ochtend. Hij kreeg de tweede rekentoets van het semester terug met de beoordeling 'Ba', ruim voldoende, en dus was het duidelijk dat hij zijn onvoldoende voor wiskunde al in het eerste semester had weggewerkt. Hij zou trouwens helemaal geen onvoldoendes meer krijgen, omdat de tijd in arrest meer dan voldoende was om natuurkunde en scheikunde in te halen.

Het was vrijwel onmogelijk om zijn gedachten los te rukken van wat diezelfde dag nog zou moeten gebeuren. Het belangrijkste was dat hij het overwicht hield als het ging om het bespottelijk maken van Silverhielm. Een beetje, of wat hem betrof veel slaag zou dat overwicht niet wegnemen. De vraag was of Silverhielm dat begreep en iets kon bedenken wat tot een nog grotere vernedering van Erik kon leiden. Maar was het mogelijk om zoiets te verzinnen? Oog om oog, tand om tand was niet eens goed genoeg, omdat Silverhielm prefect was en achter zijn rug harder zou worden uitgelachen dan ooit met een prefect gebeurd was. Ergens zou er toch ook een grens moeten zijn voor hoe erg je iemand kon mishandelen onder het mom van de kameradenopvoeding.

Silverhielm verscheen ook niet bij de lunch. Maar nu gonsde de school van de gedetailleerde verhalen over Eriks vergelding. Met de mond ontkende Erik alles, maar zijn gezichtsuitdrukking sprak boekdelen.

Het zou dus na het avondeten worden. Wellicht wachtten ze tot het nacht werd. Maar nee, het was onwaarschijnlijk dat ze nog eens de strijd met de bandystick zouden aanbinden. Trouwens, als ze nu eens op dat gedoe met de rookfakkels uit het magazijn van de burgerbescherming zouden komen?

Het beste was een afrekening vlak na het avondeten uit te lokken. Alle alternatieven leken in elk geval slechter. En het was niet zo moeilijk te verzinnen hoe je Silverhielm tijdens de maaltijd zijn zelfbeheersing zou kunnen laten verliezen. Dat wil zeggen, als hij kwam.

Silverhielm kwam naar de avondmaaltijd. Hij zat al op zijn plaats toen Erik de halfvolle eetzaal binnenkwam. Er ontstond een grote bel van stilte toen hij naar de tafel ging om langs Silverhielm naar zijn plaats achter aan de tafel bij de muur te lopen. Achter de rug van Silverhielm bleef hij staan wachten tot het in de directe omgeving van de tafel volkomen stil was.

Toen snoof hij demonstratief en luid in de lucht.

'Vreemd,' zei hij, 'volgens mij ruikt het hier naar poep. Vinden jullie ook niet? Heb je je niet goed gewassen, Silverhielm?'

De omgeving explodeerde in half onderdrukt gelach.

Silverhielm sprong op een schreeuwde met een mengeling van hysterie en tranen in zijn stem dat Erik heel snel moest gaan zitten en zijn kop dicht moest houden en dat ze hem nog wel zouden krijgen.

'Ja, ja, ja, rustig maar,' antwoordde Erik, 'ik vind alleen dat je je beter zou moeten wassen voor je aan tafel gaat.'

Daarna draaide hij zich om en liep demonstratief snuivend tussen de eettafels door, opnieuw vergezeld van gelach.

De vraag was hoever hij de zaak tijdens de maaltijd op de spits kon drijven. Daarmee zou hij in feite alle schepen achter zich verbranden. Dat betekende dat hij al tijdens de volgende maaltijd, wanneer die ook maar zou zijn, op dezelfde manier zou moeten doorgaan, tot een van hen het opgaf. Hij zou in elk geval niet degene zijn die het opgaf en in dat geval had Silverhielm geen enkele mogelijkheid om te winnen, ongeacht hoeveel georganiseerde aframmelingen hij zou kunnen produceren. Zo zou het gaan.

Na het tafelgebed boog hij zich voorover en riep naar Silverhielm dat de lucht overal aan tafel te ruiken was, waarna hij hem smakelijk eten wenste. Silverhielm antwoordde niet. Na een poosje sloeg Erik opnieuw toe.

'Trouwens, volgens mij was het vierdeklassers- en raadsledenpoep die je in je mond kreeg, of niet? En dat was vast lekkerder dan onze onderbouwpoep, nietwaar?'

Silverhielm antwoordde niet.

'Maar als je er goed over nadenkt, zal wel een deel van die poep van jezelf zijn geweest. Met een beetje geluk heb je die in je mond gekregen!'

Merkwaardig dat Silverhielm zich wist te beheersen. Dat was een beetje onheilspellend. Had hij zo'n goed plan uitgedacht dat niets hem daarvan af kon brengen?

Toen de maaltijd afgelopen was, moesten de vierdeklassers, tafelchefs en raadsleden het eerst naar buiten, voordat de gymnasiasten en onderbouwleerlingen in volgorde van de tafelnummers weg mochten gaan. Dat betekende dat ze hem voor de deur zouden opwachten. Het had geen zin om eerder weg te glippen. Ten eerste zouden ze hem vroeg of laat in elk geval te grazen nemen en ten tweede zou hij gezichtsverlies lijden als hij liet zien dat hij bang was. De enige kans om de volgende ronde te winnen, was niet te laten zien dat hij bang was. Het beste zou zijn als hij Silverhielm hier en nu in de eetzaal zou kunnen provoceren. Het zou het effect van het pak slaag na het eten wegnemen.

'Ik vind dat je slecht eet, Schijthelm, er is toch niets mis met het eten,' zei Erik langzaam en met overdreven nadruk op *Schijthelm*. Vanaf nu zou hij alleen nog maar die naam gebruiken. Vroeg of laat moest dat blijven hangen.

Silverhielm legde zijn mes en vork neer en sloeg met de vuist op tafel, maar hield de blik op zijn bord gericht. Mooi zo, nu was hij op gang gekomen.

'Stel je voor dat we chocoladepudding als nagerecht krijgen,' ging Erik verder, 'chocoladepudding met gele vanillesaus, hè? Dan mag ik jouw portie wel hebben, hè, Schijthelm?'

Eindelijk, het werkte. Silverhielm stond op van zijn plaats.

Ook Erik stond op en deed twee stappen achteruit, zodat hij met zijn rug tegen de muur stond toen Silverhielm naderde.

Erik deed zijn armen op de rug en greep met de rechterhand stevig zijn linkerpols vast. Hij moest zich op drie dingen concentreren:

Niet vallen, niet neergeslagen worden, wat er ook gebeurde.

Niet terugslaan, wat er ook gebeurde.

Niet huilen, niet laten zien dat je pijn had en vooral doorgaan met hem bespottelijk te maken, wat er ook gebeurde.

Silverhielm bleef vlak voor hem staan. Hij zag er hysterisch uit en trilde over zijn hele lichaam.

Het geroezemoes in de eetzaal verstomde. Uit zijn ene ooghoek zag Erik hoe degenen die aan de verste tafels in de eetzaal zaten hun stoelen verzetten om te zien wat er gebeurde. Uit zijn andere ooghoek zag Erik hoe de rector en de wachtdoende leraar gewoon bleven eten en converseren, alsof ze niet zagen wat er stond te gebeuren, hoewel ze er minder dan drie meter vandaan zaten.

Erik zocht oogcontact met Silverhielm, terwijl hij zich op het beeld van zijn vader met de hondenzweep of de schoenlepel concentreerde en voelde hoe zijn greep om de pols achter zijn rug harder werd en hoe de spieren in zijn dijbenen en maag zich steeds harder spanden. Hij draaide zijn heupen een beetje opzij om gedekt te zijn tegen een knie in zijn onderlijf. Wil hij me recht in m'n gezicht slaan, dan moet ik wegduiken. Anders moet ik stil blijven staan, wat er ook gebeurt, dacht Erik en hoorde zijn gedachten als een echo ver weg, alsof ze al door iemand anders naast hem werden gedacht.

Silverhielm ademde zwaar, maar twijfelde. Voor hem was er geen weg meer terug. Nu moest hij wel slaan. Maar Erik, of de persoon naast Erik die het schouwspel gadesloeg, zag dat Silverhielm bijna begon te huilen. Nu kon hij hem in gang zetten, met de zekerheid alsof je op een knop drukte. Zijn ogen dwaalden onrustig naar alle kanten, maar toen Erik eindelijk oogcontact maakte, lachte hij zo schamper als hij kon en drukte op de knop: 'Je stinkt, Schijthelm...'

Onderdrukt gelach in de omgeving, nerveus gelach en gemaakt gelach, alsof ze meer olie op het vuur wilden gooien.

Toen deelde Silverhielm zijn eerste klap uit. Erik hoorde hoe de linkerhelft van zijn gezicht geraakt werd en hoe Silverhielm tijdens het slaan een geluid maakte, een soort mengeling van het gekreun van een serverende tennisspeler en een geluid van vertwijfeling.

'Zelfs je handen ruiken naar poep,' zei Erik.

Toen begon Silverhielm als een waanzinnige te slaan. Hij plaatste afwisselend rechtse en linkse stoten tegen het gezicht en bij iedere slag produceerde hij een geluid dat een mengeling was van een gekreun van inspanning en een gepiep van vertwijfeling en hoe meer hij sloeg, hoe zenuwachtiger hij werd.

Erik hoorde hoe de slagen zijn gezicht raakten en voelde hoe zijn hoofd naar alle kanten werd geslingerd. Aan zijn rechterhand had Silverhielm een grote zegelring met het familiewapen en bijna elke keer dat de rechtervuist hem raakte, liet die ring een wond achter. Na een poosje had Erik klaarblijkelijk iets gezegd, want een van de rechtse slagen trof met zoveel effect – omdat Erik kennelijk precies op dat moment zijn kiezen niet op elkaar zette – dat een hoektand werd losgeslagen die midden in zijn mond bleef liggen. De volgende klap raakte hem op zijn neus. Erik hoorde het gekraak en deed er alles aan om niet voorover te buigen, maar ondanks de bloedneus rechtop te blijven staan. En omdat hij bleef staan, werd Silverhielm almaar verder gedreven in zijn spiraal van angst en agressie, zodat hij nieuwe kracht kreeg voor een volgende serie afwisselende stoten. De zegelring maakte nieuwe wonden en trof meerdere keren op dezelfde plaats, waarbij de ene mondhoek scheurde.

Erik, of de persoon die naast Erik stond, had een vage gewaarwording van geschreeuw en gejuich. Ook zag hij hoe de rector en de leraar af en toe de vork naar de mond bleven brengen, hoe Silverhielms handen nu helemaal bebloed waren en hoe de bloedspetters terechtkwamen op degenen die vlakbij en aan de twee dichtstbijzijnde tafels zaten. Maar Silverhielm kon hij niet langer duidelijk zien. Niet vallen, dacht hij, niet vallen, je moet blijven staan. Het bloed liep in een warme stroom langs zijn gezicht en kin omlaag op het rode overhemd. Plotseling was het voorbij en ving hij een glimp op van een amechtige Silverhielm die daar stond met zijn beide handen slap langs zijn lijf.

'Je sjtinkt naar sjchijt,' siste Erik met een mond vol bloed. Silverhielm gaf een schreeuw en begon vertwijfeld opnieuw een serie stoten uit te delen. Erik had een zwak gevoel dat de greep rond zijn linkerpols losser werd en dat de eetzaal begon te deinen.

Maar plotseling klonk een vreemde stem die iets zei, waarna Silverhielm ophield met slaan. Het was de rector die niet langer kon doen alsof er niets aan de hand was, omdat er bloed in zijn eten was gespat. De rector was gaan staan en had Silverhielm en Erik een korte order gegeven dat ze met hem mee moesten gaan.

In de mist voor zich zag Erik hoe Silverhielm – naar het scheen vijfenveertig graden voorovergebogen – door de gang liep. Hij moest proberen mee te komen. Hij moest kunnen lopen. Hij mocht niet vallen, hij moest lopen, ook al voelde het of zijn voeten aan de vloer waren vastgeschroefd.

Op een of andere manier liep hij plotseling achter Silverhielm tussen de twee tafels door naar buiten. Toen hij bij Silverhielms plaats aan het hoofd van de tafel was gekomen, stopte hij en spuugde de tand en een mondvol bloed uit over Silverhielms bord, voordat hij verder liep door de zaal, Silverhielm en de rector achterna.

Zodra het drietal buiten was, sloot de rector de schuifdeuren en zei iets wat Erik niet verstond. En Silverhielm antwoordde iets wat evenmin te horen was. Daarna zei de rector waarschijnlijk dat Erik uit de eetzaal moest verdwijnen – eigenaardig, ze waren immers al buiten de eetzaal? – en zich moest wassen, waarna de schuifdeuren weer open en dicht werden geschoven en Erik alleen was.

Langzaam, zoals in een droom, begonnen zijn knieën te knikken. Hij zakte op zijn knieën en bleef een tijdje met zijn ene oog (hij zag kennelijk maar met één oog) kijken naar de almaar groter wordende plas bloed op het rechthoekige patroon van de parketvloer.

Vijf minuten later, of misschien maar een halve minuut later, begaf hij zich naar de toiletten onder de eetzaal en zette de koude kraan aan. Het werd rood in de wasbak en hij keek maar niet in de spiegel erboven. Vervolgens pakte hij een paar papieren handdoekjes die hij opvouwde en in het koude water dompelde, waarna hij ze tegen zijn gezicht drukte en zijn hoofd een tijdje achterover hield.

Toen liep hij over de lege binnenplaats naar het zwembad en de spreekkamer van de ziekenzuster. Op de deur van het kantoortje zat een briefje met *kom binnen* en *ben zo terug*. Hij liep naar binnen en ging op de groene kunststof brancard met een overtrek van crêpepapier liggen. Op het moment dat hij pijn begon te voelen keerde ook zijn bewustzijn terug, alsof de persoon die naast hem had gestaan terugkeerde in zijn lichaam.

Schijthelm, dacht hij, vanaf nu zul je voor altijd Schijthelm heten. Toen dacht hij niets meer.

Na een poosje ontdekte hij het gezicht van de zuster boven het zijne. Ze was bezig de wonden te reinigen met kompressen die ze vasthield met een lang pincet.

'Excuseer, meneer, maar meneer kwam een beetje vroeger dan ik verwacht had. Ik had gedacht dat het tot na de maaltijd zou voortduren,' zei de zuster.

'Dat sjou eisjenlijk ook sjo moeten sjijn,' mompelde Erik.

'De auto komt zo,' zei de zuster, 'want dit is meer dan ik kan oplappen. Je kameraad heeft een schoon overhemd gebracht. Zullen we proberen dat aan te trekken, zodat we een beetje toonbaar in Flen aankomen?'

Daarna zat hij in het donker op de achterbank van de taxi met een bonzend hoofd en een bloedsmaak in zijn mond, terwijl langzaam de gedachten terugkeerden. Hij kon niet door zijn neus ademen en telkens wanneer de lucht door zijn mond naar binnen stroomde kreeg hij een pijnscheut op de plek waar de tand ontbrak. Maar hij moest in slaap gevallen zijn, want het leek of de reis naar Flen maar een paar minuten duurde.

Even later lag hij in het felle licht op de groene brancard van de eerste hulp, net zo'n groene kunststof brancard met een overtrek van crêpepapier als bij de zuster.

De arts droeg een halve bril en een witte baard en om een of andere reden moest Erik aan George Bernard Shaw denken.

'Hier is iemand van een van de trappen van Stjärnsberg gevallen, begrijp ik,' zei George Bernard Shaw terwijl hij een verdovingsspuit tegen het licht hield en een straaltje in de lucht spoot.

'Even stil blijven liggen, dan gaan we je verdoven. Wil de zuster er nog een klaarmaken? Ja, ja, jongeman, hier komt de eerste spuit. Lastige trappen hebben jullie op Stjärnsberg, nietwaar?'

Erik antwoordde niet. De arts zette de eerste verdovingsspuit ergens in zijn wang onder het linkeroog.

'Sjijn er veel hesjtingen nodisj?' vroeg Erik.

'Mmm, ik heb ze wel erger gezien,' zei de arts terwijl hij de volgende spuit voorbereidde. 'Dat wordt wel een paar uurtjes handwerken, kan ik je verzekeren.'

'Hoeveel hesjtingen en waa sjitten sje?'

'Hier op je wang hebben we twee plekken die zo'n zeven of acht hechtingen nodig hebben. De wonden zijn niet zo gelijkmatig langs de randen als je misschien zou wensen, ze zijn veroorzaakt door wat in politie-taal een "stomp voorwerp" heet. De trap dus.'

'En de mond?'

'Hier in de mondhoek hebben we een paar hechtingen nodig, twee misschien, maar vervolgens moeten we eens in je mond gaan wroeten om aan de binnenkant het een en ander aan elkaar te rijgen.'

'En muh oge, hoe is het met muh oge? Ik sjie er nietsj mee.'

'Het oog zelf is niet beschadigd en dat is het belangrijkst. Maar na zoveel slagen duurt het wel een paar dagen voordat het oog weer tevoorschijn komt. Hebben ze je in je gezicht geschopt?'

Erik probeerde te bedenken wat hij zou antwoorden.

'Nee,' was het enige wat hij zei.

'Vreemd,' vervolgde George Bernard Shaw en boog zich voorover, 'het ziet er in elk geval uit alsof je geschopt bent en die ongelijkmatige wondranden zouden goed door de hak van een schoen veroorzaakt kunnen zijn, nietwaar?'

De arts gebruikte een derde verdovingsspuit, terwijl Erik nadacht over wat hij eigenlijk moest antwoorden.

Was het zo dat iedereen die hier belandde na een rondje in de ruit van Stjärnsberg loog over de oorzaak?

'Zo,' zei de arts, 'nu moeten we even wachten tot de verdoving gaat werken. Heb je overgegeven onderweg hier naar toe? Voel je je niet lekker? Zuster, we moeten misschien maar even een bekken pakken, als u zo vriendelijk wilt zijn.'

'Nee, met mij gaat het besjt goed,' antwoordde Erik.

De arts hield zijn instrumenten tegen het licht en reeg de eerste draad in zijn tang.

'Ja, ja, die trappen, die trappen,' verzuchtte hij. 'Maar ik heb ze wel erger gezien dan jij. In het begin van het semester was er eentje, ik geloof dat hij Lennart zus of zo heette. Hij miste drie tanden en zijn neusbeen was in vijf stukken gebroken. Jouw neus heeft alleen maar een tik gehad. Dat is met een paar weken weer in orde, hoewel je er wel een beetje een brede neus aan overhoudt.'

De arts begon aan de eerste hechting.

'Wil zuster hier even knippen, daar ja, dank u. Die jongen met dat neusbeen in vijf stukken en drie ontbrekende tanden was zeker van dezelfde trap gevallen als jij? Misschien heb je het zelfs wel zien gebeuren?'

De arts begon aan de tweede hechting.

Hij had het dus over Lelle. Begreep de arts de samenhang? Wist hij dat Erik de zogenaamde 'trap' van Lelle was geweest? Nee, waarschijnlijk niet.

'En dan knippen we hier weer, dank u.'

'Eigenlijk,' vervolgde de arts na een stilte en nog een paar hechtingen, 'zijn wij verplicht om vermeende gevallen van kindermishandeling te melden bij de politie. Voor de wet ben je nog een kind, jongeman. En als de politie dat nazi-bolwerk waar je vandaan komt, zou kunnen uitroken, dan konden wij ons misschien aan nuttiger zaken wijden dan om de haverklap mishandelde kinderen te moeten oplappen. Nou, wat vind jij ervan?'

'De sjaak isj sjo, dat ik op sjchool moe blijve tot ik op een gymnasjium in Sjtockholm teresjtkan,' antwoordde Erik na enige bedenktijd.

'Hm, tja, en daarom blijf je erbij dat je van de trap bent gevallen?'

'Ik heb nietsj gesjegd over die sjtomme trap en da ben ik ook niet van plan. Maar ik moet er sjelf nog twee sjemesjtersj blijve. Punt, uit.'

'Mijn god,' zuchtte de arts, 'als jullie je nu nog met mensuurvechten bezighielden, dan kregen we tenminste rechte en gelijkmatige wondranden om te hechten, in plaats van dit zootje. Zuster, knipje, dank u! Weet je wat dat is, mensuurvechten?'

'Nee, ik geloof het niet.'

'Niet te geloven, ik dacht dat jullie op Stjärnsberg daar alles vanaf wisten. Een dergelijk gevecht gaat tussen twee nazi's, bewapend met sabels, die zo dicht bij elkaar staan dat ze alleen elkaars wangen kunnen raken. Degene die het vaakst geraakt wordt en de mooiste littekens krijgt, heeft gewonnen. Leuk hè?'

'Klinkt nie normaal. Waarom willen sje littekensj hebbe?'

'Het ziet er mannelijk en stoer uit, vinden ze. Je moet je na dit akkefietje maar bij zo'n club aansluiten. Het werkt als een soort geheim ordeteken; wie zulke littekens heeft, wordt altijd met respect behandeld. Ja, dat wil zeggen respect van sommigen en meer gemengde gevoelens van anderen. Hun leven lang, want zolang blijven die littekens zichtbaar, net als die van jou, vermoedelijk.'

'Ja, mijn littekensj sjullen wel net sjo werken.'

De arts keek hem lang aan over zijn halve bril, voordat hij verderging met zijn werk.

'Ja, niet presjiesj sjo,' ging Erik onzeker verder, 'maar dusj, ja dat isj lasjtig uit te leggen.'

De arts die op George Bernard Shaw leek ging een tijdje in stilte verder met hechten. Toen verwijderde hij voorzichtig het gestolde bloed uit Eriks neusgaten en bewoog de neus een beetje heen en weer.

'Doet dit pijn?' vroeg hij.

'Ja, zo wel.'

'Mmm. Zoals gezegd zal je neus de komende tijd een beetje breed blijven en pijn doen, maar het neusbeen is heel.'

Hij deed een stap terug en bekeek zijn werk.

'Ja hoor, dat is heel netjes geworden; wat vindt zuster ervan?'

De zuster was het met hem eens en vroeg of ze moest sprayen.

'Nee, nog niet, de binnenkant moet nog gebeuren. Tja, jongeman, nu komt het lastige gedeelte, dus hierna wordt ons gesprek een beetje eenzijdig, vrees ik. Maar vertel me eerst eens wat je bedoelde met die functie van je littekens. Ik ben namelijk ongelooflijk nieuwsgierig aangelegd.'

'Ik gloof nie dat je dat kan uitlegge,' zei Erik, 'maar ten eersjte isj het sjo, da je geen jonge sjlaat die hesjtingen in sjijn gesjicht heeft.'

'Nee? En waarom dan niet?'

'Da isj gewoon sjo.'

'Zelfs niet op Stjärnsberg?'

'Nee, sjelfs nie op Stjernsjbersj.'

'Aha. En ten tweede?'

'Da kan ik nie uitlegge, da heef met die sjogenaamde trap te make. Alsj we elkaar over twee sjemesjtersj weer sjouden sjien, sjou ik het kunne sjegge. Maa alle jongensj sjijn bang voor sjlaag en door desje littekensj worden sje daaraan herinnerd. Ik kan het niet uitlegge, sjonder ietsj te sjegge wat ik nie wil sjegge. Hoe isj het met die losjgesjlagen tand?'

De arts had zijn bril op de punt van zijn neus geschoven en keek met zijn lichtblauwe ogen recht in Eriks ene oog.

'Ja, ja,' zei hij ten slotte, 'jij bent me er eentje. Dat met die tand is niet mijn pakkie-an. Je moet de ziekenzuster op Stjärnsberg maar vragen of ze een afspraak bij de tandarts wil maken. Nu gaan we je aan de binnenkant hechten en dat wordt wat ingewikkelder. Ga eens wat meer op je zij liggen en doe je mond wijdopen.'

Erik kreeg een doek over zijn gezicht met een gat voor zijn mond en terwijl de arts werkte werd zijn mond opengehouden met kompressen en een of andere plastic houder. Na afloop zaten er drie hechtingen aan de binnenkant van de linkerwang.

Vervolgens werd er op de wonden aan de buitenkant een laagje plastic gesprayd, voordat de ziekenzuster er met pleisters een paar gaasjes op plakte. Toen Erik ten slotte overeind mocht komen voelde hij zich wat stijf en een beetje misselijk.

De arts raadde een paar dagen rust aan, vanwege de hersenschudding. Normaal gesproken zou Erik een nacht hebben moeten blijven, maar hij kwam uit een ander district en er was immers een ziekenzaal op Stjärnsberg.

'Bedank voor allesj,' zei Erik en gaf hem een hand.

'*Das war aber nichts,*' antwoordde de arts op een moeilijk te interpreteren toon.

In de taxi terug naar Stjärnsberg zat Erik na te denken over de politie en de wet. Het zou echter nergens toe dienen. Het zou hem de komende drie semesters geen zier helpen. De wet gold niet op Stjärnsberg. Het was als een stad waar een uitzonderingstoestand was afgeroepen, waar de *Kommandantur* van de bezettingsmacht de wet voorschreef. Waarom had de arts het trouwens over mensuur gehad en waarom had hij hem in het Duits gedag gezegd? Dat moest ermee te maken hebben dat hij Stjärnsberg als een nazi-bolwerk beschouwde en dat klopte toch niet helemaal. Er was geen sterveling op Stjärnsberg die zei dat hij het nazisme goedkeurde. In elk geval zou hij de raad de Kommandantur kunnen gaan noemen.

En Silverhielm zou hij commandant Schijthelm gaan noemen. Gustaf Dahlén werd dan vice-commandant Knipperlicht. Zoals in die film, afgelopen zaterdag, over Engelse piloten die gevangen werden gehouden in Stalag 13. De Duitsers konden zich simpelweg niet verdedigen tegen de grappen van de Engelsen, omdat krijgsgevangenen in elk geval niet mochten worden terechtgesteld.

Hij deed het licht niet aan toen hij op zijn kamer kwam. Pierre sliep. Zou hij weer in de fauteuil gaan zitten met de bandystick? Nee, het moest voldoende zijn dat de bijbel tussen de deurknop en de deurpost geklemd zat. Dan zou hij in elk geval wakker worden als iemand de kamer probeerde binnen te dringen.

Hij kon zijn mond amper ver genoeg opendoen om de tandenborstel erin te krijgen. Op het moment dat zijn hoofd het kussen raakte, viel hij in slaap.

De volgende morgen verscheen hij met opzet een beetje laat aan het ontbijt, om er zeker van te zijn dat Silverhielm op zijn plaats zat, wanneer hij achter zijn rug langs zou lopen. Het werkte. Silverhielm zat op zijn plaats en zag hem niet de eetzaal binnenkomen, ook al had hij moeten merken dat de leerlingen tegenover hem op een heel bijzondere manier opkeken en stil werden.

Toen Erik recht achter Silverhielm was gekomen, bleef hij staan en snoof een paar maal in de lucht.

'Vreemd,' zei hij meer dan voldoende hard, 'heeft er soms iemand een wind gelaten? Of is het onze vriend, commandant Schijthelm, die zich nog steeds niet gewassen heeft?'

En toen Silverhielm wilde opspringen, drukte hij hem met zijn ene hand onmiddellijk terug op de stoel en liep demonstratief langzaam naar zijn plaats, terwijl hij aandachtig luisterde of Silverhielm opstond en hem volgde. Maar Silverhielm bleef zitten.

Niemand zei iets aan Eriks kant van de tafel. Heimelijk bekeken ze zijn gezicht. Erik had voorzichtig de kompressen losgemaakt, zodat de wonden met de hechtingen bloot lagen. Op die manier zou het minder kliederig worden en sneller helen. Maar dat was niet de enige reden; het was zelfs niet de belangrijkste reden.

Hij probeerde er zo ongedwongen mogelijk uit te zien, terwijl hij slechts met de ene helft van zijn mond at, langzaam kauwend, zodat hij niet op de zwelling en de hechtingen in zijn mond zou bijten.

De volgende dag was de zwelling boven zijn oog zoveel minder geworden, dat hij weer scherp begon te zien. De wisselende blauwgroene tekening in zijn gezicht strekte zich uit van de beide ogen omlaag via de opgezwollen neus en de gehechte wonden en tot aan het kaakbeen.

Tijdens de avondmaaltijd maakte hij een paar verholen opmerkingen over poeplucht en dergelijke om Silverhielm er vast aan te laten wennen hoe het vervolg zou worden. Silverhielm keek omlaag op zijn bord of omhoog naar het plafond en deed alsof hij niet hoorde wat iedereen aan tafel hoorde. Silverhielm zat immers klem. Hij kon in redelijkheid niet opspringen en weer beginnen te vechten – je kon niet in een gezicht slaan dat zo toegetakeld was als dat van Erik – en hij kon moeilijk een pepper uitdelen of verordonneren dat Erik de eetzaal moest verlaten, aangezien dat alleen maar tot gevolg zou hebben dat Erik zou weigeren. Nu had hij Silverhielm in de val gelokt. En zolang al die hechtingen nog in zijn gezicht zaten, was hij veilig, bijna veilig in elk geval.

Het was woensdag en na het eten zou de raad bijeenkomen. Tot zijn verbazing hoorde Erik dat hij tot degenen behoorde die werden opgeroepen. De raad had een tijdlang niet de moeite genomen om hem op te roepen voor het weigeren van orders, aangezien het geen verschil maakte of hij een weekend meer of minder in arrest moest blijven. Ook was hij niet gepakt voor stiekem roken. Waren ze zo stom dat ze werkelijk de kwestie van de emmer poep over Silverhielms gezicht ter sprake wilden brengen? Het had voor de hand gelegen dat ze die zaak gewoon zouden negeren. Zouden ze werkelijk proberen hem te veroordelen voor dat geintje met de poep? Het zou nooit lukken. Als hij het slim speelde zou het nooit lukken.

Na het eten nam Erik samen met Pierre de voorwaarden door. Ze hadden ongeveer een kwartier de tijd voordat de opgeroepen jongens moesten verschijnen. (Pierre was niet opgeroepen.)

Dus. Ze hadden de emmer in het washok gezet en waren gaan slapen. Afgezien van de diverse geruchten die ze hadden gehoord, wisten ze van niets. Moeilijker was het niet. Ontkennen en zeggen dat je van niets wist.

Ja, zo moest de zaak worden aangepakt.

Erik snuffelde demonstratief in de lucht tot hij lokaal zes binnenkwam en kon vervolgens maar met moeite zijn lachen bedwingen toen hij de mimiek van de nieuwe raadsleden zag.

'Je begrijpt waarom je hier bent, nietwaar?' begon Silverhielm ter inleiding.

'Nee, meneer de commandant, eigenlijk begrijp ik dat niet.'

'Ben je ook nog dom?'

'Nee, meneer de commandant. Moeten jullie de rechtszaal trouwens niet even luchten?'

De repliek kwam aan als een zweepslag. Silverhielm slikte een paar maal terwijl hij zich op het vervolg concentreerde.

'Ja, zoals je begrijpt gaat het hier om overtreding van paragraaf 13. En de straf voor degene die paragraaf 13 overtreedt is schorsing. Daar ben je van op de hoogte? In elk geval is het je plicht om daarvan op de hoogte te zijn.'

'Zeker, maar ik heb jou toch niet geslagen. Als ik mij in de eetzaal zou hebben verdedigd, had jij, zoals je zult begrijpen, hier vandaag niet gezeten. Maar ik hield mijn handen de hele tijd op de rug, terwijl jij me probeerde neer te slaan.'

'Stel je niet aan, daar gaat het hier niet om. Je begrijpt heel goed waar het hier over gaat.'

'Dat ik iemand, meneer de commandant zelf dus, "anderszins" zou hebben mishandeld door pis en poep van vierdeklassers en raadsleden over het gezicht van meneer de commandant te kieperen terwijl hij sliep? Bedoelen jullie dat?'

'Ja, en je kunt maar beter bekennen; we weten dat jij het was.'

Ze probeerden het dus met een oud blufspelletje. Immers, de enigen die van de zaak wisten waren hijzelf en Pierre. Om helemaal precies te zijn was er slechts één mens in de hele wereld die wist hoe het exact in zijn werk was gegaan en dat was hij zelf. Hoe zijn hart bonsde toen hij daar in het donker naar hun ademhaling stond te luisteren, hoe hij het licht had aangedaan om te zien wie wie was, hoe hij de stekkers van de bedlampjes eruit had getrokken en hoe hij vervolgens naar Silverhielms bed was gegaan en voordat hij de emmer had omgekieperd met zijn hand had rondgetast, zodat hij zijn doel niet zou missen. Als je erover nadacht vormden zelfs zijn vingerafdrukken op de emmer nog geen enkel bewijs. En Pierre zou hem nooit aangeven.

'Tja,' zei Erik na zijn bewust lange pauze, 'het spijt me, maar ik was het niet. Jullie hebben geen idee hoe leuk ik het zou hebben gevonden om meneer de commandant Schijthelm precies te geven wat hij nodig had. Maar helaas, iemand anders is dus vóór mij op dit uitstekende idee gekomen.'

'Het kan niemand anders dan jij zijn geweest,' zei vice-prefect Dahlén.

Erik zocht Dahléns blik en hield die blik vervolgens net zo lang vast tot Dahlén moest gaan knipperen.

'En hoe weet meneer de vice-commandant Knipperlicht dat, als ik vragen mag?'

'Hou op met die onbeschoftheden!' riep Silverhielm.

Jawohl, Herr Kommandant,' antwoordde Erik.

'We zullen je leven hier tot een hel maken, begrijp je wel?' siste een van de nieuwe raadsleden.

Erik wuifde even met zijn hand naar hem, alsof hij hem het zwijgen wilde opleggen en richtte zich tot Silverhielm.

'Het is jullie plicht om te bewijzen dat ik het was. Kom maar op met die bewijzen. Het enige wat we zeker weten is dat je zelf een emmer met pis en poep in de kamer van Pierre Tanguy en mij hebt gegooid. Zoals we hier in de zaal zitten, waren we immers allemaal betrokken bij die poging tot kloosteren. Maar als het gaat om wat er daarna gebeurd is, heb ik alleen maar lollige verhalen gehoord over hoe iemand dezelfde poep over Silverhielm, pardon, Schijthelm bedoel ik, heeft gegooid.'

'Als je niet bekent, maak je het alleen maar erger voor jezelf,' dreigde Silverhielm met samengeklemde tanden.

'Ook al was ik degene die je besmeurd heeft, dan nog zou het niet erg waarschijnlijk zijn dat ik zou bekennen, begrijpen jullie wel? Ik ben niet van plan om van school te worden gestuurd. Zijn we klaar, kan ik nu gaan?'

Erik maakte een beweging alsof hij weg wilde gaan.

Natuurlijk begonnen ze allemaal door elkaar te krijsen dat hij moest blijven en rechtop staan en dat hij pas mocht gaan als zij het zeiden.

'Nou, kom dan maar op met de bewijzen.'

'We kunnen er wel voor zorgen dat je bekent,' dreigde Gustaf Dahlén.

Erik probeerde opnieuw zijn blik te vangen, maar deze keer lukte het niet.

'Jullie kunnen me nooit laten bekennen,' antwoordde Erik.

'Nu heb je in elk geval bekend,' zei Silverhielm, 'want wat je bedoelde was dat je zou ontkennen, toch? En dat betekent dus dat je indirect bekent, we hebben het genotuleerd. Wil de secretaris opschrijven dat Erik zei dat hij niet van plan was te bekennen, omdat hij niet geschorst wil worden.'

'Dat was niet wat ik zei. Ik zei dat jullie me nooit kunnen laten bekennen, dat was alles.'

'Pas maar op wat wij allemaal kunnen, als we maar willen,' dreigde een van de nieuwelingen.

Erik spande zich in om zo breed mogelijk naar het nieuwe raadslid te lachen voordat hij antwoordde (de hechtingen in zijn mondhoek trokken).

'Een bekentenis onder dwang is al vanaf het midden van de negentiende eeuw waardeloos. Dat zou zelfs zo'n pummel van een raadslid moeten weten. En niet eens met de methoden waarmee je nu probeert te dreigen zal het jullie lukken.'

'Maar we kunnen je kamergenoot eens even een afstraffing geven,' antwoordde Silverhielm.

Erik stond op het punt een antwoord te geven met diverse dreigementen over wat er in dat geval zou gebeuren, maar hij vermoedde dat ze dan het verkeerde spoor zouden volgen en Pierre zouden gaan pijnigen.

'Zeker,' zei hij en maakte zijn grijns nog breder, zodat er uit de wond in de mondhoek een beetje bloed in zijn mond liep, 'zeker, jullie kunnen het natuurlijk proberen. Wie weet, misschien was het Pierre Tanguy. Ik weet van niets, ik heb die nacht geslapen als een roos. Dat wil zeggen, nadat we de excrementen van de heren hadden verwijderd, natuurlijk.'

'Beken dat jij het was!' schreeuwde Silverhielm. 'Dit is toch belachelijk, de hele school weet dat jij het was, sta daar geen toneel te spelen!'

'De hele school is zo vriendelijk om te *geloven* dat ik het was die poep over meneer de commandant kieperde. Maar ze *weten* het niet. De enige die dat weet is, als ik de zaak goed heb begrepen, degene die de daad heeft verricht. En zover ik weet heeft niemand hem gezien.'

'Hoe kun je dat weten?' zei Gustaf Dahlén en probeerde er listig uit te zien, 'hoe kun je weten dat niemand hem heeft gezien?'

'Omdat er in dat geval immers getuigen waren geweest en dan hadden wij hier nu niet zitten bekvechten.'

'Je bedoelt dus dat jij in dat geval gepakt was, als er getuigen waren geweest?'

'Nee, nu proberen jullie het weer. In dat geval was ik hier natuurlijk niet eens geweest, aangezien jullie dan de schuldige hadden gepakt. En dan zouden we dus niet hier zitten bekvechten.'

'Je moet niet denken dat je er onderuit komt,' zei weer een ander nieuw raadslid.

'Wel wis en zeker denk ik dat. Ik zou jullie wel eens naar de rector willen zien gaan om te zeggen dat jullie *geloven* dat ik poep over de commandant heb gekieperd. Wat denken jullie dat ik tegen de rector zou zeggen, als hij mij zou verhoren? En denken jullie dat hij mij zonder formele gronden van school zou sturen, met alle trammelant die dat met zich mee zou brengen? Mooi niet. Hier kan ik nooit voor gepakt worden.'

'Je hoeft echt niet te denken dat je er zo makkelijk van af komt,' zei het raadslid dat daarnet de dreigementen had geuit. 'Dan zul je wel wat minder praats krijgen, wacht maar af.'

'Ja, ik weet hoe het gaat met dat soort beloften. Iedereen weet toch hoe goed het kloosteren is geslaagd. En hoor eens even: mochten we elkaar ooit buiten de school tegenkomen, dan is je gouden krans rond Orion geen stuiver meer waard. Tof hè? Leuk voor jou als we elkaar een keer in Stockholm tegenkomen op een donkere avond.'

'Jij bedreigt de raad?!' schreeuwde Silverhielm met een stem die niet langer in balans was.

Erik lachte, terwijl hij nadacht. Om tijd te winnen snoof hij een paar keer alsof hij een vieze lucht rook en antwoordde toen dat het al dan niet bedreigen van de raad helemaal niet aan de orde was. Zolang hij hier op school zat en zolang ze zich binnen een straal van vijf kilometer van Stjärnsberg bevonden, zou hij de raadsleden geen haar krenken.

Maar als ze elkaar ergens in Zweden zouden ontmoeten waar de wetten van Stjärnsberg niet langer golden, dan werd het een andere zaak. Maar dat had Silverhielm uiteraard allang begrepen.

'Je begrijpt wel,' zei hij en wendde zich direct tot Silverhielm, 'als ik die poep over je heen had gegooid, zou ik daar misschien wel zo tevreden mee zijn dat ik me niet eens meer om wraak bekommerde. Je slaat als een oud wijf, je kunt nog niet eens een jongen neerslaan die zich niet verdedigt. Pas met veel pijn en moeite wist je een tand los te slaan. Probeer je eens voor te stellen wat er gebeurt als jij en ik elkaar ergens tegenkomen. Dan komt er meer aan te pas dan een tand, lijkt me zo.'

Terwijl hij oogcontact met Silverhielm zocht, sperde Erik opnieuw zijn mond open in een soort grijns. Ze bleven stil zitten. De twee dichtstbijzijnde raadsleden zaten motiefjes te krabbelen op hun notitieblok.

'Kan ik nu gaan?' vroeg Erik.

'Wegens een brutale houding tegenover de raad word je veroordeeld tot vier weekenden niet naar huis en in het vervolg moet je verdomd goed op je tellen passen. En nu opgesodemieterd.'

'Ja, ja, ja,' zei Erik met een theatrale zucht en liep de deur uit.

Toen hij in het donker buiten het schoolgebouw kwam, vielen de eerste grote sneeuwvlokken. Het herfstsemester zat er bijna op. Een kwart, dacht hij, ik heb al een kwart van de weg naar de vrijheid afgelegd.

~

'Was het dat echt waard, Erik? Je loopt nu al bijna twee weken met die hechtingen in je gezicht en nu pas begin je weer een beetje herkenbaar te worden. Een dag geleden zag je er nog belachelijk uit. Ze hebben je sindsdien niet meer aangeraakt, maar dat komt misschien omdat je hebt gezegd dat de wonden eerst moeten helen. Hoewel dat volgens mij geen enkele betekenis heeft voor zulke pummels. Je hebt zoveel weekenden arrest gekregen dat je er tot de zesde of zevende klas mee toe kunt. En zelfs al vertrek je hier over anderhalf jaar om naar het gymnasium te gaan, dan nog heb je voor die tijd geen enkel vrij weekend. Oké, het was goed om je wiskunde in te halen en zo, maar wat dan? Als je nog drie semesters op deze manier doorgaat, met hoeveel gouden tanden eindig je dan? Er is toch niemand die meedoet, alle anderen willen alles immers gewoon bij het oude laten hier op Stjärnsberg.

Snap je – hoe vreemd het ook moge klinken – dat zelfs de onderbouwleerlingen het zo willen hebben? De Kloosternacht werd een fiasco voor de raadsleden, maar daar zijn die lui alleen maar teleurgesteld over. Op een of andere manier zijn ze teleurgesteld, hoewel dat verhaal met Silverhielm in zeker opzicht het record heeft gebroken. Het was een lollig verhaal en Silverhielm heeft er flink de pest over in, want dat zal hij nog zolang hij hier op school zit moeten horen. Maar eigenlijk hebben de meesten in de onderbouw volgens mij gehoopt dat er met jou gebeurd was wat jij met Silverhielm hebt gedaan. Als de rollen waren omgekeerd, zou dat even lollig, maar meer zoals het hoort zijn geweest. En denk maar niet dat er iemand was die jou aanmoedigde, toen Silverhielm de dag erna in de eetzaal op je gezicht stond te timmeren. Ze wilden alleen maar zien hoeveel je kon verdragen. Oké, ik geef toe dat die vertoning effect had en dat iedereen het erover eens is dat je harder bent dan iemand had vermoed. En niemand zal het in zijn hoofd halen om ruzie met jou te zoeken, ik bedoel, niemand die geen raadslid is in ieder geval. Maar achter je rug trekken ze gekke gezichten en wijzen ze met hun vinger naar hun voorhoofd. Als je na mij niet de beste van de klas was geweest, zouden ze vast zeggen dat je niet goed bij je hoofd bent. Dan hadden ze een verklaring waardoor ze zich niets meer hoefden aan te trekken van jouw verzet. Nu is er nog weinig tijd over tot de kerstvakantie, maar als straks het voorjaarssemester begint, kan het maar op één manier eindigen. Ik bedoel: je zult nog meer slaag van de raad krijgen.'

'Het is duidelijk dat ze mij weer te lijf zullen gaan, dat snap ik ook wel. Maar ik geloof niet, zoals jij, dat er nog zoveel meer bezoekjes aan de kleermakerij van het ziekenhuis zullen volgen. Maar ja, dat begrijp jij niet, er is zoveel wat je niet begrijpt als het om geweld gaat. Maar zo is het. De reden dat ik, ondanks al mijn getetter over Silverhielms poeplucht enzovoort, met rust gelaten word, is niet alleen dat ik tot nu toe nog hechtingen in mijn gezicht heb. Dat is alleen wat je aan de buitenkant ziet. Maar geweld jaagt ook degene die slaat schrik aan. Er is niemand die niet op een of andere manier bang is als hij vecht, dat ben je altijd. En volgens mij is er niets wat angstaanjagender is dan een jongen keer op keer op keer recht in zijn gezicht te slaan, zonder dat hij wegduikt, zonder dat hij valt. Je zag het aan Silverhielm. Uiteindelijk werd hij helemaal wanhopig. En omdat hij bang was, kon ik overeind blijven. Ik kon blijven staan, omdat ik wist dat het zo werkte. En dat is ze bijgebleven. Ieder van hen loopt zich af te vragen wat hij in Silverhielms geval zou hebben gedaan. En hoever moeten ze gaan om niet

in Silverhielms situatie terecht te komen? Ze kunnen me immers niet dood-slaan; er zijn grenzen. Ik bedoel, het is net als met die wapenvoorraad, daar bij de burgerbescherming. Jij en ik hadden twee pistoolmitrailleurs en een paar handgranaten kunnen halen om de hele raad in één nacht uit te roei-en. Uiteraard hadden we dan kunnen doen, ik bedoel puur technisch gezien. Maar het spreekt vanzelf dat we dat niet doen. Begrijp je? Er is altijd een grens waar het verstand het wint van het gevoel.

Nee wacht, eigenlijk heb ik niet gezegd wat ik wilde zeggen. Het is ge-woon jouw manier van discussiëren, waardoor ik zo bezig ben met dat wat aan de buitenkant zit. We waren het immers helemaal eens over wat belang-rijk is. Die nacht, ik bedoel de Kloosternacht, toen we daar in het donker de aanval zaten af te wachten en het over de boosaardigheid van Polyphemos hadden, waren we het volkomen met elkaar eens over wat belangrijk was. Je moet het kwaad bestrijden. Je moet het altijd doen, je kunt niet zeggen dat je dat wel een andere keer of ergens anders zult doen, als je hier en nu op Stjärnsberg bent. Begrijp je wat ik bedoel, als ik zeg dat het belangrijk is hoe mijn gezicht eruitziet? Die eerste dagen na Silverhielms activiteiten in de eetzaal was het echt niet zo leuk om mezelf in de spiegel te zien. Maar – en luister goed, want hier gaat het om – als ik niet had gedaan wat ik heb ge-daan en dus geen schrammetje in mijn gezicht had gehad, was het nog moei-lijker geweest om mezelf in de spiegel aan te kijken. Ik wil niet worden zoals zij, nooit. Jij ook niet. Zeg me niet dat jij wilt worden zoals zij, want dat is niet waar. Het zal mij worst wezen of die idioten van de vakbond of anderen in de onderbouw het eens zijn met de raad. Ze hebben het simpelweg bij het verkeerde eind, ze zouden mee moeten doen, zodat we hier een eind aan kon-den maken. Maar voor een deel zijn ze laf en voor een deel willen ze zelf over een paar jaar raadslid worden, als een soort beloning. Het zijn gewoon quis-lingen. Als je quislingen aantreft onder de volwassenen van een heel land dat door de nazi's is bezet, dan zou het merkwaardig zijn als je ze niet onder de onderbouwleerlingen hier op Stjärnsberg zou aantreffen. Trouwens, de vak-bond wil me morgen spreken en het laat zich raden wat ze me willen zeggen. Verdomde quislingen.'

De vakbond wilde hem tot rede brengen. Heel kameraadschappelijk en als onderbouwleerlingen onder elkaar wilden ze hem tot rede brengen. Ze hadden Eriks geval besproken, zeiden ze, zowel onderling als met de raad. Zoals het nu ging, kon het in elk geval niet doorgaan. Als Erik vond dat hij niet op Stjärnsberg thuishoorde, kon hij immers van school gaan, dan waren alle problemen voor hem en de geest van kameraadschap opgelost.

Aha, hij kon niet van school gaan.

Nou ja, wat hier gebeurde was zoals gezegd niet goed voor de geest van kameraadschap. Er was een duidelijke meerderheid voor de kameradenopvoeding op school, dat kon Erik toch niet ontgaan zijn? Maar Eriks gedrag was schadelijk. Een aantal jochies had inmiddels Eriks bijnamen voor de prefect en de vice-prefect overgenomen. Nee maar, dat wist hij niet? Nou, zo was het in elk geval. En dat was niet goed. Het kon zich immers verspreiden en dat zou alleen maar tot herrie en onnodig veel bestraffingen leiden. Het zou toch jammer zijn als al die anderen gestraft zouden worden, alleen omdat Erik ze voor de gek had gehouden, die kleine jochies, dus. Het was niet solidair van Erik om zich op die manier te gedragen, hij trad op als een soort *Übermensch* en daar moest je toch op tegen zijn. Er was niemand anders die daar minutenlang kon staan en slaag krijgen zonder een spier te vertrekken, er was niemand anders die gewoon weg kon rennen bij een paar raadsleden, zoals Erik af en toe presteerde. Het was ondemocratisch en de vakbond moest natuurlijk tegen zulke manieren in het geweer komen. Bovendien waren er al een stuk of drie, vier die het idee om een pepper te weigeren hadden overgenomen en kozen voor een weekend arrest. Waar zou het eindigen? De onderbouw kon zo in twee groepen uiteenvallen, er kon tweedracht binnen de onderbouw ontstaan als de vakbond er niet in slaagde het geheel bij elkaar te houden. Het enige democratische was dat peppers en oppassersactiviteiten voor iedereen gelijk waren.

In elk geval had de vakbond een voorstel voor een compromis. Ja, men had met de raad gesproken en de raad was het met hen eens dat niets van dit alles naar buiten mocht komen. Natuurlijk mocht dit niet verder verspreid worden. Desgewenst zou je de zaak kunnen beschouwen als een proefballonnetje ter onderhandeling, of hoe dat maar heette.

Als Erik zich gedeisd hield en het komende voorjaarsemester geen heibel meer zou maken en de prefect niet langer Schijthelm zou noemen, zou de raad hem verder met rust laten. Dat zou voor iedereen het beste zijn. Je kon het in ieder geval een semester proberen. En als het goed ging, kon er vervolgens onderhandeld worden over al die weekenden arrest die Erik zich op de hals had gehaald. Het was eigenlijk toch onredelijk dat iemand tot zoveel arrest werd veroordeeld, dat het meer dan genoeg was voor een hele gymnasiumtijd. Als hij zich slechts één semester rustig wist te houden, kon misschien besloten worden om de rest te schrappen.

Daar zou iedereen bij gebaat zijn. Zelf zou hij met rust worden gelaten en de aframmelingen ontlopen die de raadsleden anders zouden moeten bedenken. En de raad zou tijd krijgen om zich met belangrijker zaken bezig te houden, dan alleen na te denken over hoe men Erik zou kunnen aftuigen. Daarbij zou het rustiger worden in de onderbouw. Bij zo'n compromis zouden ze allemaal gebaat zijn. Als hij niet met het compromisvoorstel akkoord ging, betekende dat een open conflict en daar zou hij zelf nog het meest onder lijden.

Hij kon toch in elk geval tijdens de kerstvakantie over de zaak nadenken.

'Er klopt iets niet met dat voorstel; er zit een luchtje aan,' zei Pierre. 'Ze stellen simpelweg een soort afschrikkingsevenwicht tussen jou en de raad voor, maar het mag niet naar buiten komen dat het een afspraak is?'

'Ja, zo ongeveer heb ik het begrepen.'

'Zij laten jou met rust als jij hen met rust laat. Dan heb jij dus gewonnen, dat had ik nooit gedacht.'

'Ik ook niet, ik bedoel, niet dat het zo gemakkelijk zou gaan. Maar er zit in elk geval een luchtje aan. Ze willen vrede met me sluiten, maar alleen om het precies zo te krijgen als met alle anderen in de onderbouw. Ze lijken zelf wel te geloven in dat gezeur van die schadelijke 'rooie invloed' of hoe ze het maar noemen.'

'Wat ga je nu doen?'

'Ik weet het niet. In de kerstvakantie over de zaak nadenken. Naar huis, naar een vredige kerst met mijn kleine huisprefect, m'n pa, je weet wel, zodat ik aan het begin van het voorjaarsemester mild genoeg gestemd ben.'

De kerstvakantie, ja. Dat was iets wat Pierre nog niet verteld had. Hij had namelijk niets willen zeggen voordat alles geregeld was. Maar nu wist hij zeker dat zijn pa, die in Zwitserland verbleef, in elk geval met de kerst zou thuiskomen. Ze zouden de hele vakantie doorbrengen in hun vakantiehuis in Sälen. Pierres pa zou hen met de auto komen halen en dan reden ze rechtstreeks naar Sälen. Erik was dus bij dezen uitgenodigd als hij zin had. Dan hoefde hij in elk geval niet met kerst naar huis.

Een week later was het de laatste schooldag. Na de psalmen werd een aantal studiebeurzen en sportprijzen uitgedeeld. Toen Erik de Lewenheusense bokaal voor de beste zwemmer van de school in ontvangst nam, was er hier en daar boegeroep te horen.

Erik stopte zijn rapport in een envelop met zijn huisadres. Die deed hij in de brievenbus van de school. Toen kwam Pierres vader om hen op te halen.

∿

Het geroep van de dwerguil was een kilometer ver te horen in de winternacht.

Het was eind februari. Erik en Pierre slopen al twee uur achter 'Tranan', de Kraanvogel, aan, voordat ze zo dicht bij de mannetjesuil kwamen dat ze het nest konden lokaliseren. De dwerguilen broedden in een gat van een grote esp in een bosje dat twee, drie kilometer van de school lag.

De achternaam van de biologieleraar was Tranströmer, vandaar dat hij zijn – voor een biologieleraar met die naam volkomen voor de hand liggende – bijnaam met berusting droeg. Ze mochten hem zelfs tijdens de lessen Kraanvogel noemen.

Erik en Pierre, die aan het einde van het voorjaarssemester een A-beoordeling voor biologie wilden halen, hadden als extra taak gekregen om in een straal van vijf kilometer rond de school zoveel mogelijk vogelsoorten te observeren. En aangezien dwerguilen al in februari broeden, werd de dwerguil hun eerste opdracht. Als je in hun geval tenminste van een opdracht kon spreken, want de Kraanvogel ging zelf twee of drie hele nachten met hen mee om de uil op te sporen.

Het was volle maan, er lag een harde ijslaag op de sneeuw en het was zo'n vijf, zes graden onder nul. Ze kwamen zo dichtbij dat ze de uil zelfs konden ontwaren in het maanlicht. Het was onbegrijpelijk dat hij zich niet door hen had laten storen, hoewel hij hun krakende stappen in de hard bevroren sneeuw moest hebben gehoord.

'Misschien komt het wel doordat liefde blind maakt,' fluisterde de Kraanvogel. 'Het is een drift die zo sterk is dat het dier de normale voorzorgsmaatregelen buiten werking stelt. Een auerhaan die aan het baltsen is, kan bijvoorbeeld zo opgewonden raken dat hij vee en zelfs mensen aanvalt. De geslachtsdrift zet het beoordelingsvermogen buiten spel, zou je misschien kunnen zeggen.'

Daarna liepen ze snel naar huis door de winternacht en vierden hun eerste belangrijke observatie met warme chocolademelk, thuis bij de Kraanvogel. Het was eigenlijk niet te begrijpen wat de Kraanvogel op Stjärnsberg te zoeken had. Hij was gepromoveerd en gold als een deskundige op het gebied van bepaalde veranderingen in vetzuurmoleculen die in verband konden worden gebracht met het ontstaan van het leven.

Volgens Pierre had het iets te maken met problemen op de universiteit. De Kraanvogel zou eigenlijk docent in Lund zijn geworden, maar iemand anders had die baan gekregen en een betrekking als docent op Stjärnsberg, met een hoog salaris, was geen al te slecht surrogaat als je geïnteresseerd was in de natuur. Stjärnsberg lag werkelijk schitterend, midden tussen de meren en de bossen. Vooral als het paringsspel van de dwerguil tot de grote interessegebieden van je leven behoorde, zat je hier goed.

Erik vond desondanks dat er iets vreemds was met de Kraanvogel. De Kraanvogel was verreweg de aardigste leraar. Hij werd nooit boos. En een keer had hij in verband met Charles Darwin terloops een antimilitaristische toespraak gehouden over het feit dat mensen geen dieren zijn en dat – hoewel hij het niet ronduit had gezegd – mensen eigenlijk zelfs de dienstplicht zouden moeten weigeren. Het was in elk geval duidelijk welke mening de Kraanvogel was toegedaan. En als dat zijn overtuiging was en hij zulke scherpe zintuigen had dat hij zonder problemen op kilometers afstand een dwerguil kon opsporen, hoe kon hij dan net als alle andere leraren op Stjärnsberg rondlopen en doen alsof hij niets hoorde en zag? Alleen al zo'n kwestie als geweld in de eetzaal; de Kraanvogel had immers net als alle andere leraren af en toe dienst als wachtdoend leraar aan de tafel van de rector. Dat zou de Kraanvogel hem toch eens moeten uitleggen.

Er waren al bijna twee maanden van het voorjaarssemester voorbij.

De raad had Erik volledig met rust gelaten en geen enkele vierdeklasser vroeg hem zelfs maar om een pakje sigaretten te gaan halen bij de kiosk.

Erik behandelde alle raadsleden alsof ze lucht waren, hij keek dwars door hen heen en sprak hen nooit aan.

Of dit nu dat afschrikkingsevenwicht was of niet, het had de afgelopen twee maanden zonder enige verstoring gefunctioneerd.

Erik en Pierre waren maar opgehouden te twisten over de oorzaak. Hadden de raadsleden het gewoon opgegeven en Erik een vrijbrief gegeven, om niet in situaties te belanden waar ze geen raad mee wisten?

Dat dacht Pierre.

Of wachtten ze gewoon op de juiste gelegenheid om weer toe te slaan? Hadden ze eerst tijd nodig om uit te zoeken of iets werkelijk effectief zou zijn?

Dat dacht Erik.

In elk geval was alles rustig geweest sinds het begin van het semester en was er in feite geen reden om nog meer te speculeren over de oorzaken. Over een tijdje zou het wel duidelijk worden wie gelijk had.

Erik had zijn zwemtraining uitgebreid met een morgenronde voor het ontbijt. Hij was toch maar matig in de wintersporten en kon net zo goed nog meer tijd besteden aan krachttraining en zwemmen, ook al voelde hij steeds duidelijker dat zijn techniek slechter en slechter werd in het bassin. Dat zijn tijden beter werden had niets met techniek te maken, dat kwam gewoon doordat hij meer energie had en zich bijna anderhalve minuut lang op volle kracht en maximale snelheid door het water kon slaan. Zijn huiswerk deed hij zoals gewoonlijk tijdens het weekend in arrest.

In maart, toen de sneeuw op sommige dagen van het dak begon te druppen, werd het afschrikkingsevenwicht uiteindelijk doorbroken.

Pierre had enkele weken geleden zijn laatste weekendarrest voor het weigeren van een pepper uitgezeten en zijn tafelchef, die lid van de raad was, had geen aanleiding gevonden om hem naar voren te roepen voor een nieuwe pepper.

Maar nu gebeurde het dus weer, zuiver op grond van een verzinsel naar het scheen. Pierre weigerde en moest dus veroordeeld worden tot een weekend niet naar huis.

De volgende dag kregen Arne uit hun klas en nog een van de pepperweigeraars te maken met hetzelfde, schijnbaar onverklaarbare bevel en ook zij weigerden zoals gewoonlijk. Er leek een of andere gedachte achter te zitten.

Toen Pierre terugkwam van de raadsvergadering waarvoor hij en de andere pepperweigeraars tegelijk waren opgeroepen, bleek duidelijk dat er een plan achter het geheel zat. Alledrie waren ze in één keer veroordeeld tot drie weekenden niet naar huis. Vervolgens was er gedreigd met de ruit als ze nog eens een pepper weigerden. Silverhielm had hen eraan herinnerd hoe het met die rooie rakker was afgelopen die vorige semester van school af was gegaan – Johan S., of hoe hij maar heette. De boodschap was niet mis te verstaan. De raad zou iedere tendens naar insubordinatie in de onderbouw de kop indrukken. Ze hadden een paar jongens uit 1^5 en 2^5 erbij gesleept en hen bijna even zwaar veroordeeld voor ongepaste uitlatingen tegen de raad, brutaliteit dus. (Waarschijnlijk was het zo dat ze Eriks bijnamen voor Silverhielm en Dahlén hadden gebruikt, het was vrijwel zeker dat het daarom ging.)

Ze zaten op hun gebruikelijke heimelijke rookplaats en probeerden het probleem van alle kanten te bekijken. Als de raadsleden A hadden gezegd, zouden ze binnenkort ook B zeggen. En dus zouden Pierre en alle anderen reeds de komende twee dagen naar voren worden gecommandeerd voor een pepper, ongeacht of ze aan tafel hadden zitten donderjagen of niet. Spoedig zou Pierre dus moeten kiezen tussen een pepper en meer arrest of dwangarbeid en bovendien een aframmeling in de ruit.

'Het is bijna niet uit te houden,' zei Pierre. 'Je snapt wel dat ik bang ben? Ik ben heel simpel bang om een pak slaag te krijgen.'

'Dat is iedereen, dus dat is niet zo vreemd,' antwoordde Erik.

'Nou, min of meer, ja. Heel veel meer of minder, er is een hemelsbreed verschil tussen jou en de anderen, onder wie ikzelf. Ik red het niet, ik ben er zeker van dat ik het niet red.'

'Natuurlijk red je het wel. Als je voldoende kracht hebt, kan iedereen zich er doorheen slaan. Het zit in de hersenen en niet in de gevoelszenuwen. Wat pijn doet zijn niet de klappen, maar het feit dat je hen moet gehoorzamen en voor hen moet kruipen.'

'Jij hebt gemakkelijk praten!'

'Nee, het is voor iedereen hetzelfde, het moet voor iedereen hetzelfde zijn. In elk geval voor jongens zoals jij en ik. Het ergste is dat je die idioten moet gehoorzamen en moet horen hoe de quislingen je uitlachen. Na de aframmeling voel je je ongeveer als na een zware training met aan het eind de sauna. Zolang je bezig bent is het afzien, maar naderhand ben je tevreden.'

'Maar hoe moet ik zo'n aframmeling in de ruit doorstaan?'

'Net als alle anderen, vermoed ik. Je krijgt een blauw oog en een bloedneus en dat is het dan.'

'Maar als ze nu net zo te werk gaan als bij Johan S., dat ze bijvoorbeeld mijn arm achter mijn rug dwingen en me vasthouden en steeds harder en harder tekeergaan, totdat je belooft geen peppers meer te weigeren? Wat moet je dan?'

Die vraag was niet zo gemakkelijk te beantwoorden. 'Laat ze maar doorgaan tot ze je arm breken' was immers geen antwoord. Omdat Pierre bang was en omdat hij hen niet voldoende haatte – hij verachtte ze alleen vanachter zijn brillenglazen – had hij geen sterke afweer tegen pijn. Angst versterkt de pijn, daarentegen. Haat vermindert de pijn tot de grens waar de pijn als het ware in een witte mist verdwijnt. Pierre was op zoek naar iets wat je een *intellectuele oplossing* kon noemen, maar dat was niet zo eenvoudig. Intellectueel verzet werkt meestal alleen maar op de lange termijn, maar zelden op de plaats van executie. Trouwens, ook daar zou het kunnen werken.

'Heb je er wel eens aan gedacht, Pierre, hoeveel verhalen je leest over mensen die het volkslied zingen of "lang leve de keizer" roepen terwijl ze naar het schavot gaan, of de Internationale zingen voor het vuurpeloton, zoals die rooien in Finland deden, je weet wel.'

'Ja, maar dat is niet hetzelfde. Als ze je gaan fusilleren is het niet vreemd dat je je concentreert op je laatste daad. Als de nazi's mij zouden doodschieten, zou ik ook wel het volkslied of weet ik wat kunnen zingen. Maar dat is niet aan de orde. Ze gaan bijvoorbeeld mijn arm net zolang verdraaien tot ik wat dan ook wil beloven.'

'Zo'n belofte heeft geen waarde.'

'Nee, maar daarna dan? Het resultaat van het weigeren van de volgende pepper – en reken maar dat ze er als de kippen bij zijn om dat uit te proberen – is toch alleen maar dat je nog eens in de ruit belandt. En dan beloof je het opnieuw.'

'Ja? En dan weiger je opnieuw.'

'Het is onmenselijk, je kunt niet verlangen dat ik... ik red het gewoon niet.'

'Nee, misschien niet. Maar ik geloof dat ik een idee heb. Tien tegen een dat Silverhielm en Knipperlicht je naar de ruit halen, een van hen of misschien allebei. Dan moet je dit doen: voordat ze beginnen te slaan, zeg je luid en duidelijk dat ze verdomde knipperlichten en schijthelmen zijn, laf en zielig, omdat ze iemand slaan die kleiner en zwakker is en dat het totaal geen rol speelt tot welke beloften ze je willen dwingen. Ze zijn in elk geval knipperlichten en schijthelmen. Begrijp je waar ik heen wil? Je kunt het nog veel verder uitwerken.'

'Ja? En dan krijg je nog meer slaag dan ze oorspronkelijk van plan waren en daarna moet je in elk geval peppers weigeren en beland je weer in de ruit. Daar wordt het allemaal niet beter van. Nou ja, in zekere zin wordt het beter, ik begrijp natuurlijk wel wat je bedoelt. Maar ik weet niet hoe vaak ik het volhoud om weer naar de ruit te moeten.'

Nee, het zou moeilijk worden om de hele rit uit te zitten. Ze hadden hooguit nog een paar dagen de tijd. Zou hij Pierre kunnen leren zich te verdedigen, zou hij hem een paar slagen of trappen kunnen leren waarmee hij de tegenstanders zou kunnen vellen?

Nee, zo werkte het niet bij Pierre. Het lag niet aan zijn gebrek aan kracht – het is niet zo belangrijk hoe hard een trap tegen het onderlijf is, alleen dat hij goed treft – waar het aan lag was dat Pierre zich er niet toe zou kunnen zetten. Het geweld zat in de hersenen en niet in de spieren. Zelfs met een lange training zou je Pierre niet zoiets eenvoudigs kunnen leren als twee snobs van Stjärnsberg, die nooit echt hadden leren vechten, een pak rammel te geven.

'Nee, Pierre, we weten niet hoe dit zal aflopen. Maar als je voor het eerst in de ruit komt, vind ik dat je hen zo belachelijk mogelijk moet maken. Voor jou wordt het daar niet erger van, maar voor hen wel. En je moet Silverhielm een draai om de oren verkopen. Ja, ik bedoel een draai om de oren, dus geen klap waardoor hij gewond raakt, maar een waarmee je hem beledigt en die hem nog belachelijker maakt, dan wanneer je hem zou hebben neergeslagen. Ik kan je laten zien hoe je hem een oplawaai kunt geven die honderd procent zeker raak is. Je houdt beide handen laag voor je buik, op deze manier. Vervolgens sla je schuin omhoog met je rechterhand, zodat je zijn rechterwang treft met de achterkant van je hand, begrijp je? Zo! Tegen slagen van links kun je je altijd het moeilijkst verdedigen, zelfs al kun je vechten, en Silverhielm kan dat gegarandeerd niet. Als je zo slaat, sla je raak, dat is een ding wat zeker is. Vooral als de slag schuin van onderen komt, heeft hij geen kans om zich te verdedigen. En slagen met de achterkant van de hand, zo, worden nog als een ergere belediging beschouwd dan een echte slag.'

'Ja, maar daarna dan?'

'Ja, daarna... o, Pierre, kon ik die tien minuten maar in jouw huid kruipen! Kon ik maar op een of andere manier met je ruilen, me vermommen met bril en al!'

'Tja. Leuk, maar dat gaat niet.'

'Nee, en ik kan je niet eens leren vechten.'

Het duurde maar twee dagen voor Silverhielm en Gustaf Dahlén Pierre naar de ruit commandeerden.

Erik stond boven aan op de heuvel van de onderbouw, met klamme handen en het zweet op zijn voorhoofd.

Het ritueel begon zoals altijd. De ceremoniemeester sloeg Pierre tot rat met zijn zilveren staf en lepelde daarna de regels op. Op de heuvel van de onderbouw hieven een paar jongens het rattenlied aan.

'Hou je kop!' schreeuwde Erik met overslaande stem. 'Hou je kop, anders ga je maar met mij in de ruit!'

Het gezang verstomde. Daarbeneden in de ruit waren de inleidende rituelen voorbij en was het tijd voor de eerste klappen.

'Zet je bril af!' commandeerde Silverhielm.

'Waarom zou ik een klootzak als jij gehoorzamen,' antwoordde Pierre volkomen rustig. Zelfs Erik hoorde niets bijzonders aan Pierres stem.

'Je zet hem gewoon af,' vervolgde Silverhielm.

Pierre kwam een stapje dichterbij en tilde voorzichtig zijn handen op tot voor zijn buik – ja, verdomd, hij was van plan om te slaan! – hij keek omhoog, recht in Silverhielms gezicht en snoof een paar keer in de lucht.

'Je ruikt nog steeds naar poep; zo iemand als jij kan die poeplucht nooit weg krijgen,' zei Pierre en sloeg zodra de zin was afgelopen.

Een perfecte treffer. Silverhielm deed verbaasd een stap achteruit, terwijl zijn woede oplaaide en de serveersters op de eerste rij applaudisseerden en de onderbouw een schreeuw van vreugde gaf.

Juist toen Silverhielm op hem wilde springen, deed Pierre met een afwerend gebaar zijn hand omhoog: 'Stop!' zei hij, 'laat me eerst mijn bril afzetten.'

En Silverhielm bleef dom staan, met zijn dekking omhoog, terwijl Pierre oneindig langzaam de bril in zijn borstzakje stopte.

'Zo, meneer de commandant Schijthelm, nu kunt u naar hartelust slaan,' zei Pierre en tijdens de allerlaatste lettergreep trof de eerst vuistslag hem op zijn mond.

Na een paar minuten bloedde Pierre uit mond en neus. Maar zover Erik kon zien, raakte noch Knipperlicht, noch Schijthelm hem hard genoeg om ernstig letsel toe te brengen. Pierre, die niets anders dan flauwe pogingen tot verdediging tegen de slagen ondernam, begon al snel te huilen en zakte ineen op de grond. De plas bloed onder zijn gezicht groeide niet verontrustend snel.

Natuurlijk begonnen ze hem tegen zijn achterwerk te schoppen en te oreren hoe ze die rooie rakkers die dachten dat ze een grote bek konden hebben als ze een pepper verdienden, een lesje zouden leren. In het begin schopten ze niet erg hard. Pierre had al zoveel tijd in de ruit doorgebracht dat het geen schande meer was om eruit te kruipen.

'Laat eens horen,' brulde Gustaf Dahlén, 'laat eens horen of je in het vervolg van plan bent een pepper te accepteren en je brutale bek te houden!'

Pierre probeerde iets te zeggen, maar werd onderbroken door een trap tegen zijn ribben van Silverhielm. Er klonk boegeroep uit het gymnasiumpubliek. 'Laat hem dat dan beloven!' schreeuwden ze.

Silverhielm hield even op met schoppen.

'Nou! Laat eens horen, kleine rat, beloof je gehoorzaam te zijn!' riep Silverhielm naar de ineengedoken jongen bij zijn voeten.

'Natuurlijk, op dit moment kan ik alles beloven; als je wilt beloof ik dat ik de maan voor je omlaag haal. Maar ik ben niet van plan mijn belofte te houden. Verdomd laf zwijn dat je bent! Jij naar schijt stinkend...'

De volgende trap deed Pierre naar adem happen. Deze keer had Silverhielm een serieuze schop uitgedeeld. Hij tilde zijn been op boven Pierre en trapte met de hak tegen zijn ribben. Zelfs Silverhielm kon ontzettend veel kracht zetten met zo'n trap. Je kon je afvragen waar hij dat geleerd had.

'Nou, hoe noemde je mij?' vroeg Silverhielm, maar Pierre antwoordde niet.

'Een zwijn!' schreeuwde Erik vanaf de onderbouwheuvel, 'een naar schijt stinkend zwijn ben je, Schijthelm!'

'Zo, zo,' zei Silverhielm en tilde zijn voet op om Pierre opnieuw te schoppen. 'Wat zei je daar? Mogen we dat nog even horen?'

'Schijthelm!' schreeuwde Erik.

Toen schopte Silverhielm Pierre opnieuw met volle kracht. Als hij hem verkeerd raakte, kon hij op die manier een paar ribben breken.

'Nou, krijgen we nog wat te horen?' vroeg Silverhielm en tilde opnieuw zijn voet op boven Pierre.

Erik antwoordde niet. De boodschap was duidelijk genoeg. Meer gescheld van Erik betekende meer trappen tegen de ribben van Pierre die daar op de grond lag. Het publiek was stil in afwachting van wat er komen ging.

'Schijthelm, stinkende commandantlul,' kreunde Pierre.

Daarna het doffe geluid van nieuwe trappen, het klonk als wanneer je een zware, slappe zak op een cementvloer laat vallen. Pierre was niet meer in staat naar buiten te kruipen, ze waren te ver gegaan. Ze sleepten hem naar buiten aan zijn voeten, zodat het hoofd en vervolgens de slappe armen vanaf het cementplatform op het grind neerploften.

Toen uitten ze nog een paar algemene dreigementen aan het adres van de onderbouw en liepen weg. De Finse serveersters op de eerste rij begonnen hun ramen te sluiten. Een van hen aarzelde een beetje, maar riep toen: 'Verduuvelde klooote Sjijthelm!'

Toen sloeg ze haar raam dicht.

Erik liep naar voren om Pierre op de been te helpen. Hij kreunde zwak. Het publiek begon zich te verspreiden en liep pratend weg, alsof het om een wedstrijd in de Zweedse eredivisie ging.

Een paar uur later kon Pierre voor het eerst weer grapjes maken over de gebeurtenis. Erik had het bloed weggepoetst en geconstateerd dat er niets gehecht hoefde te worden. De neus was heel en de lippen waren alleen hier en daar een beetje gebarsten. Natuurlijk zou hij twee blauwe ogen en een aantal stevige blauwe plekken op zijn rug krijgen door al dat schoppen.

'We zijn een mooi stel, hè,' zei Pierre. 'In zeker opzicht heb ik gewonnen, dat is wel duidelijk. Maar nog zo'n overwinning en ik ben verloren. Ik ben niet Sancho Panza, zoals ik dacht, ik ben Pyrrhus. Want dat jij de ridder van de droevige figuur bent, dat is wel duidelijk, vind ik. Maar zoals gezegd: ik dacht dat ik die kleine dikke lummel op de ezel was, maar zo was het niet.'

'Verdikkeme, heb ik me ingebeeld dat ik Spartacus was, de gladiator die in opstand kwam, en dan kom jij en zegt dat ik een idioot ben die tegen windmolens vecht. Je kunt zeggen wat je wilt over onze commandanten, maar ze zijn in elk geval een tikkeltje slimmer dan windmolens.'

'Oké, we laten Spartacus buiten beschouwing, ook al blijf ik erbij dat ik Sancho Panza ben. Hoewel, je weet toch hoe het met Spartacus afliep.'

'Ja, hij kreeg Janet Leigh ten slotte, althans de Spartacus aan wie ik denk, Kirk Douglas dus.'

'Hoe liep het dan af met Tony Curtis?'

'Weet ik niet meer, maar in elk geval kreeg hij Janet Leigh niet.'

'Zonder gekheid, Erik...'

Pierre aarzelde en Erik vermoedde wat hij zou gaan zeggen.

'... ik geloof niet dat ik dit nog een keer klaarspeel. Ik weet het niet. Het is wel zoals jij zegt, dat het achteraf bijna prettig aanvoelt. Maar... ach, je zou het toch niet begrijpen. Spartacus werd trouwens gekruisigd. De Romeinen wonnen.'

'Je bent in elk geval verdomd dapper. Wat een treffer was dat! Heb je stiekem getraind of zo?'

'Nee, ik sloeg gewoon maar wat.'

'Fantastisch, dan ben je een natuurtalent. Ik kon die slag nauwelijks zien aankomen.'

'Maar je zag hem wel?'

'Ja, ik zag hoe je dat voorzichtige stapje naar voren zette, terwijl je tegelijk je handen heel langzaam optilde om ze in positie te brengen. Dat was perfect.'

'Vreemd, ik kan me niet herinneren hoe het ging, ik herinner me nauwelijks dat die oplawaai hem raakte. Volgens mij was het de eerste keer dat ik iemand geslagen heb sinds mijn kindertijd.'

'Zoals gezegd, een zuiver natuurtalent, dus.'

'Ja, maar we dwalen af en dat is waarschijnlijk precies je bedoeling. Ik geloof niet dat ik dit nog een keer aan kan. De volgende keer kies ik toch voor de pepper. Ben je dan teleurgesteld in mij?'

Erik wist niet wat hij moest antwoorden. In zeker opzicht was het duidelijk dat hij teleurgesteld zou zijn. Maar wat kon je verlangen van een jongen die nooit gevochten had en die geen kans had om zich te verdedigen?

'Ik weet het niet,' zei Erik, 'ik weet niet wat ik moet zeggen en ik weet niet eens wat ik eigenlijk vind. We praten er niet meer over vandaag. Je was in elk geval verdomd dapper. Juist omdat je niet vechten kunt, was je verdomd dapper. Laten we gaan zwemmen, dan ben je morgen niet zo stijf in je lijf.'

'Nee, 's avonds is het toch alleen maar voor lui zoals jij en voor de raadsleden.'

'Je hebt gelijk. Ga dan maar een boek lezen. Tot zo, ik ga zwemmen.'

Het spelpatroon van de volgende dagen was zo goed als vanzelfsprekend. De drie voormalige pepperweigeraars mochten keer op keer bewijzen dat ze niet langer hun pepper weigerden, maar keurig netjes naar voren kwamen en op commando hun hoofd bogen. Ze kregen geen harde klappen, maar fysieke pijn was dan ook niet het punt waar het op aankwam. De orde moest hersteld worden.

Erik had zijn hooncampagne tegen de prefecten hervat, alhoewel er nauwelijks iemand was die waagde te gniffelen aan tafel of op het schoolplein als hij de prefecten belachelijk maakte.

De raad had getracht een verkliksysteem in te voeren. Wie veroordeeld was tot dwangarbeid of arrest kon een zaterdag afkopen, als hij leerlingen uit de onderbouw aangaf die bepaalde scheldnamen voor de prefecten gebruikten. Het werkte heel slecht, maar de raad wilde het idee nog niet opgeven. In plaats daarvan verspreidden ze het nieuws dat verklikkers, mochten ze veroordeeld worden, zouden worden beloond met aanzienlijk lichtere straffen en dat ze bovendien aan de activiteiten van de oppassers zouden ontsnappen. Dat werkte iets beter.

Erik stelde aan Pierre voor dat ze de verklikkers een pak rammel zouden geven. Pierre was vierkant tegen dat idee; dan zouden ze zelf de logica van die pummels toepassen. Hij vond het een beter idee om met rode verf een grote v op hun deur te schilderen. Dat was een goed idee en de volgende nacht slopen ze rond in de leerlingenhuizen van de onderbouw en schilderden op vijf deuren een v.

'Die gaan ze er natuurlijk afkrabben, maar dat geeft niet,' zei Pierre, 'want dan zie je nog de sporen van het afkrabben en iedereen weet wat dat betekent.'

'Ja,' zei Erik, 'een v voor verklikker was het beste. Q voor quisling zouden ze toch niet begrijpen. Overigens ben ik stom geweest, dat ik met dat afschrikkingsevenwicht akkoord ben gegaan.'

'Nou ja, eigenlijk ben je er nooit echt mee akkoord gegaan. Zij lieten jou met rust en jij liet hen met rust, dat was alles. Het was mooi zolang het duurde. Ik bedoel maar, het kan zogezegd nooit verkeerd zijn om een vreedzame oplossing te zoeken.'

'Ach, het was toch geen "vreedzame oplossing", wat een woord, trouwens. Ze wilden alleen maar wat tijd winnen om des te harder te kunnen toeslaan.'

'Ja, en de vraag is wat ze nu met jou van plan zijn.'

Dat was precies de vraag.

Opnieuw gonsde de school van de geruchten, net als voor de Kloosternacht het jaar ervoor. Het was duidelijk dat de raadsleden iets zouden doen om Erik uiteindelijk in het gareel te krijgen, maar niemand had een idee wat de raadsleden van plan waren. Er moest in elk geval snel iets gebeuren.

Die zaterdag was de kou teruggekomen en later in de middag groeiden de ijspegels aan het grote schoolgebouw. Erik was midden in het zevende deel van *Duizend-en-een-nacht* toen de deur van het arrestlokaal openging. Daar stonden twee raadsleden uit de vierde klas. Ze hadden een jochie bij zich dat veroordeeld was tot een weekend dwangarbeid wegens brutaliteit. Ze vertelden dat het joch een beetje verkouden was en daarom in plaats daarvan arrest zou krijgen, maar dat Erik zijn dwangarbeid moest overnemen. Daar kon hij niet zoveel van zeggen, vond Erik. De raadsleden namen hem mee naar het gravelveldje voor de dependance, een gebouwtje dat als extra leslokaal werd gebruikt. Op de grond lagen vier langwerpige stalen kloofbeitels, die eruitzagen alsof ze ooit gebruikt waren om graniet mee te klieven. De stalen beitels waren vrij smal, ongeveer als een koevoet en ruim een halve meter lang. Naast de stalen kloofbeitels lag een voorhamer.

De raadsleden tekenden vier merktekens in een bijna vierkant patroon. Hier moesten de vier kloofbeitels in de grond worden gedreven, dwars door sneeuw en ijs en omlaag in de bevroren grond, tot ze rotsvast zaten, begrepen! Als Erik klaar was met het karwei kon hij de voorhamer in het gereedschapsmagazijn leggen en naar huis gaan. Daarmee vertrokken de raadsleden.

Erik stond de stalen kloofbeitels en de voorhamer even te bekijken. Ze moesten een vierkant vormen met ongeveer twee meter tussen de beitels. Het leek onbegrijpelijk, deze dwangarbeid, bijna net als het graven van zinloze kuilen in het bos. Maar ze hadden gezegd dat hij naar huis mocht gaan als hij klaar was. Dit klusje zou niet meer dan een halfuur in beslag nemen en daarna zou hij dus voor het eerst sinds hij op Stjärnsberg zat een zaterdagmiddag vrij hebben. Hij woog de voorhamer op de hand. Waar zouden ze die stalen kloofbeitels voor gebruiken? Waarom wilden ze dat hij vrij had? Wat dachten ze dat hij zou doen als hij vrij had, ergens naartoe gaan? Hadden ze een hinderlaag op weg naar de kiosk gelegd of zo?

Het kostte hem minder dan een halfuur om de stalen beitels in de grond te drijven. Toen zaten ze werkelijk rotsvast. Hij zette de voorhamer in het magazijn en liep vervolgens naar zijn kamer. Zoals gewoonlijk lag Pierre op zijn bed te lezen.

Pierre was het met hem eens dat de hele vertoning iets vreemds en onheilspellends had. Maar ook hij had geen idee wat de raadsleden van plan waren.

'We moeten rustig afwachten, dat is het enige wat we kunnen doen,' zei Erik en sloeg het zevende deel van *Duizend-en-een-nacht* weer open.

Na een poosje sloeg hij het boek dicht en vroeg Pierre waarom Sindbad de Zeeman deels in dezelfde avonturen als Odysseus verzeild raakte. Wie had eigenlijk wie geplagieerd?

Pierre was ervan overtuigd dat de versie van *Duizend-en-een-nacht* van latere datum moest zijn dan het origineel van Homerus. Hij somde een aantal bewijzen daarvoor op.

Grappig trouwens, juist het verhaal van Polyphemos was een van de verhalen die vrijwel identiek waren in de *Odyssee* en in *Duizend-en-een-nacht*.

Bij het avondeten was alles net als anders. Daarom was Erik volkomen overrompeld toen hij de eetzaal uitkwam en de hele groep raadsleden hem buiten opwachtte. Aha, dacht Erik, vroeg of laat moest het gebeuren. Dat wordt nog een gouden tand, maar ze zullen niet winnen.

De raadsleden stormden van alle kanten op hem af en grepen hem bij armen en benen en begonnen hem onder gejuich en geschreeuw weg te slepen naar de vier kloofbeitels bij de dependance. Daar drukten ze hem tegen de grond – alle verzet was uitzichtloos – en bonden hem vast met touwen rond zijn polsen en enkels, sloegen de touwen om de kloofbeitels en trokken ze aan, zodat hij uiteindelijk als een kruis uitgespreid op de grond lag. Vol verwachting dromde de school eromheen. Er daalde een aantal schampere opmerkingen op Erik neer.

Het was bijna donker, aan de horizon achter het grote schoolgebouw was een brede rode streep. De hemel was donkerblauw en er waren al wat sterren te zien. Erik telde de sterren van de Wagen en bedacht dat dit misschien wel het gevoel was dat je had als je doodging. Als hij een of ander lied had kunnen zingen, zou hij dat gedaan hebben. Het was gewoon zo, dat ze hem zelf die beitels in de grond wilden laten slaan waaraan ze hem gingen vastbinden. Dat was de achterliggende gedachte van die vrije middag na afloop (zodat hij natuurlijk niet zou weigeren). Silverhielm stond ergens achter Eriks hoofd, zijn gelach was duidelijk hoorbaar.

'Nou, brutaaltje, je hebt zelf de beitels stevig in de grond geslagen, zodat je niet los kunt komen, hoe wanhopig je ook wordt!'

Ja hoor, het was de stem van Silverhielm. Vooralsnog leek het hem het beste om maar helemaal niet te antwoorden, in elk geval niet voordat hij wist wat ze van plan waren. Waren ze werkelijk van plan om de notenkraker te gebruiken? Hadden ze in dat geval niet eerst zijn broek moeten uittrekken, voordat ze hem als een kruis uitrekten?

Ten slotte stapte Silverhielm naar voren zodat Erik hem kon zien en trok langzaam, natuurlijk demonstratief langzaam, een mes dat hij vlak voor Eriks ogen hield.

'Nu ben je wel bang, hè, schijterd,' zei Silverhielm.

Hij had geen keuze. Ze zouden doen wat ze zich hadden voorgenomen, ongeacht wat Erik zei.

'Voor zo'n kleine zielenpiet als jij kun je toch niet bang zijn,' siste Erik. 'Je ruikt trouwens naar poep, Stinkhelm, Schijthelm.'

Het moest goed zijn om zo te antwoorden. Je moest gewoon niet buigen voor een vent als Silverhielm. Hij was de laatste op Stjärnsberg die niet voor hem door de knieën was gegaan en er moesten daar in het donkere publiek in elk geval een of meerdere personen zijn die hoopten dat hij niet zou buigen.

'Dat neem je terug,' zei Silverhielm en liet het mes zakken, zodat het tegen Eriks neusvleugels rustte.

Erik antwoordde niet.

'Je neemt het terug, zei ik,' herhaalde Silverhielm en drukte het mes harder tegen de neusvleugels. Erik voelde hoe er bloed in zijn ene neusgat liep.

'Nou? Kom op, voordat we die jodenneus van je afsnijden,' siste Silverhielm.

'Je bent een klootzak en je blijft de rest van je leven stinken,' antwoordde Erik en voelde hoe het mes nog iets harder tegen de neusvleugels drukte. Het snijvlak sneed al een stukje in het kraakbeen.

Plotseling haalde Silverhielm het mes weg en stond haastig op, zonder verder te snijden.

'Nu moet het varken gekookt worden!' brulde Silverhielm.

En er ontstond een beweging in de gelederen toen de raadsleden met emmers kokend water kwamen aandragen. Achter hen klonk gepiep en geklaag.

Toen Erik zijn hoofd optilde, zag hij in een flits hoe vier van zijn klasgenoten elk door een raadslid naar voren waren gesleept.

De raadsleden hielden de vier klasgenoten vast met een greep rond hun nek en de ene arm omhooggetrokken achter de rug.

'Aan de slag, we gaan het varken koken!' beval Silverhielm.

Voorop liep de Havik die zijn emmer naar voren zeulde en hem met een plof neerzette, waardoor hij vlak bij Eriks hoofd iets morste. Het water dampte.

'Je moet wel gek zijn dat je naar die nazi's luistert,' zei Erik en tilde zijn hoofd op om te proberen de blik van de Havik te vangen, daar ergens boven hem tegen de avondhemel.

'*Sorry old chap,* maar bevel is bevel,' antwoordde de Havik en kreunde een beetje van de inspanning toen hij de emmer boven Eriks hoofd tilde.

Toen kiepte hij de emmer om. Erik zag als het ware in slowmotion, tenminste zo zou hij het zich herinneren, hoe het kokende water over de rand viel, op weg omlaag naar zijn gezicht en borst.

Een seconde later brulde hij van de pijn en de shock en rukte als een waanzinnige aan de touwen die aan de rotsvast zittende kloofbeitels bevestigd waren.

Tumult in de hersenen als bij een blikseminslag in een computercentrum. Vervolgens een plotselinge stilte, waarin hij knipperde in de dampen en vaag zag hoe de volgende zijn water naar voren sjouwde. Het was Arne, de altijd geestige Arne, die aan de beurt was en het leek alsof, nee het was heel duidelijk dat Arne huilde.

Opnieuw brulde hij toen de volgende golf van pijn door zijn lichaam spoelde.

De volgende twee emmers waren gevuld met koud water en de eerste keer dat een van de vier – hij kon niet meer zien wie wie was – het koude water over hem uitgoot, voelde het in het begin net als het hete water, totdat zijn gecrashte hersenen hem even later weer konden bijbenen. De laatste emmer voelde al vanaf het begin ijskoud aan, tenminste zo zou hij het zich naderhand herinneren. De Wagen draaide zachtjes rond daar boven in de nevel. Een paar lange ogenblikken hoorde hij alleen het geluid van zijn eigen snelle ademhaling.

Toen stond Silverhielm achter zijn hoofd en zei woorden die Erik niet verstond en vervolgens waren er waarschijnlijk een paar – hij zag ze niet – die naar voren kwamen en op hem spuugden. Zo klonk het in elk geval. Toen werd het stil.

Ze waren weggegaan. Iedereen was weggegaan en het was volkomen stil. Zijn lichaam begon te bibberen en te beven. Maar terwijl de kou zijn lichaam begon binnen te dringen, kwam ook zijn bewustzijn terug. Hij zag heel duidelijk de sterren daarboven, hoog daarboven en als hij zijn hoofd bewoog kraakte het ijs dat zich in zijn haar had gevormd een beetje; zijn kleren begonnen stijf te worden. Hij sloot zijn ogen.

Maar zijn trillende lichaam hield hem bij bewustzijn.

Hij was alle besef van tijd kwijt. Misschien had hij daar een uur gelegen, misschien maar vijf minuten, toen hij van achteren voetstappen hoorde naderen.

Het was de zuster. Toen ze naast hem knielde, zag hij hoe haar bril glom. Maar ze had ook iets in haar hand, het zag eruit als een scalpel. Eerst zei ze niets. Ze legde haar ene hand op zijn borst en verplaatste die vervolgens naar de halsslagader. Toen raakte haar hand het scalpel aan.

Met een paar snelle bewegingen sneed ze de touwen door waarmee hij aan de rotsvast zittende stalen kloofbeitels was gebonden. Erik bracht langzaam zijn handen naar elkaar en wreef half onbewust zijn verdoofde polsen. Toen gingen de touwen rond zijn enkels los.

'Ziezo, probeer maar eens te gaan staan,' zei ze en pakte hem bij zijn armen.

Het ijs waarmee zijn kleren aan de grond waren vastgevroren kraakte toen hij zich wankelend losrukte en op de been kwam.

'Kom mee,' zei ze en tilde zijn ene zware, loodzware arm over haar tengere schouders, waarna ze hem zover kreeg dat hij de eerste wankelende stappen naar Cassiopeia zette. Er was geen mens te zien.

Toen ze halverwege waren gekomen, kreunde hij dat hij zelf kon lopen en bevrijdde zich bijna met geweld uit haar steunende arm. Toen ze aangekomen waren – hij rilde over zijn hele lichaam en had moeite een woord uit te brengen – vroeg hij wat het beste was. Zich warm douchen in de doucheruimte en dan naar bed gaan?

Ze moest 'ja' geantwoord hebben en ze moest hem daar gelaten hebben, want een hele tijd later wankelde hij door de gang naar zijn kamer. Hij kwam twee klasgenoten tegen die als versteend bleven staan, maar ze zeiden niets.

Het licht was uit in de kamer en hij moest even tasten voordat hij het lichtknopje vond. Toen hij het licht aandeed, ontdekte hij dat Pierre in zijn bed lag met het dekbed tot zijn kin opgetrokken, hoewel hij klaarwakker was.

'Ze hebben me vastgebonden,' zei Pierre, 'daarom kon ik niet komen om je los te maken.'

Erik strompelde naar Pierres bed en trok met een onhandig gebaar het dekbed weg. Daar lag Pierre, vastgebonden als een rollade.

Maar Eriks handen waren te stijf om de knopen los te krijgen en hij zag niet scherp. Af en toe trok er als het ware een nevel voor zijn ogen.

'Je moet nog even vastgebonden blijven,' mompelde hij en ging naar de doucheruimte, stapte zonder zich uit te kleden onder de douche en draaide de kraan open.

Het lauwe water deed pijn aan zijn lichaam. Hij bleef lang voorover geleund tegen de tegelwand staan en masseerde zijn polsen. Toen liet hij het water warmer worden en begon stukje bij beetje zijn kleren uit te trekken. Hij herinnerde zich niet hoe lang hij zo had gestaan, voordat hij terugging naar Pierre, een ochtendjas aantrok en Pierres touwen begon los te snijden.

Zijn lichaam gloeide hier en daar, maar zijn hoofd was weer helder geworden.

'Ze gaven de instructie dat niemand mij los mocht maken,' verklaarde Pierre. 'Wie dat wel deed zou vijf weekenden niet naar huis mogen.'

'Want jij zou mij hebben losgemaakt?'

'Ja, dat spreekt vanzelf.'

'Ze zijn niet goed wijs, niemand vond dat vijf weekenden waard. En gold dezelfde straf als iemand mij daarbuiten zou hebben losgemaakt?'

'Ja, ze joegen iedereen weg en daarna namen ze mij te pakken.'

'Hoelang waren ze van plan mij daar te laten liggen? Snapten ze niet waar ze mee bezig waren?'

Die vraag was niet gemakkelijk te beantwoorden. Erik trok twee pyjamas aan en kroop in bed en golven warmte spoelden over zijn lichaam, waardoor het pijn deed rond zijn enkels en polsen en op een paar plaatsen op zijn borst en in zijn gezicht.

Snapten ze dan niet waar ze mee bezig waren? Vonden ze dat het niemands fout was als een paar jongens iemand vastbonden en een stel anderen emmers water over hem gooiden en iedereen weigerde om hem los te maken?

'Ik dacht dat ik dood zou gaan,' mompelde Erik, 'ik dacht het, maar het is niet waar dat je je hele leven als een film aan je voorbij ziet trekken. Ik zag alleen maar de sterren.'

Hij viel bijna in slaap. Toen kwam de zuster binnen en gaf hem een paar witte tabletten en een glas water en zei dat hij moest gaan slapen.

Tegelijk met de slaap kwam de koorts.

Hij ging gewichtloos, bijna zwevend naar het magazijn van de burgerbescherming. Toen hij de voorhamer ophief naar het slot voelde die zo licht als een veertje en vervolgens sloeg hij het dikke hangslot aan stukken, alsof het van vermolmd hout was. De karabijnen stonden lichtgevend geelgroen te glimmen op een rij en een mus fladderde vertwijfeld van het ene raampje naar het andere om weg te komen. De sluittoestellen van de pistoolmitrailleurs waren helemaal kleverig van al het geelbruine wapenvet, maar met zijn natte kleren kon hij ze gemakkelijk schoonvegen. Het was in het wapenmagazijn warm als op een zomerdag, hoewel buiten het raam waar de mus keer op keer tegenaan fladderde het snorrende en zoemende geluid van de slagpennen van de watersnippen te horen was. De magazijnen van de pistoolmitrailleurs wogen zwaar door hun lading en hij hield ze als vruchten in zijn hand.

Hij schoot korte vuurregens vanaf het dak van de school omlaag naar de raadsleden die als lucifers omvielen, totdat iedereen ten slotte gevallen was. En toen de raad vervolgens bijeen wilde komen om hem te veroordelen op grond van paragraaf 13 schoot hij ze opnieuw neer, waarbij de kogels dwars door hun lichamen in de muren van het klaslokaal terechtkwamen en de metselspecie in het rond vloog, terwijl de muziek van Chopin steeds luider klonk.

Hij zwom in zee en het water was warm als in een badkuip, het deed pijn in zijn gezicht wanneer hij ademhaalde, terwijl hij met steeds snellere armslagen zwom zonder vooruit te komen; in plaats daarvan werd hij teruggetrokken door de rubber stang, terug, terug.

Hij werd wakker van de dorst. Zijn mond was helemaal droog. Pierre was weg en het was licht in de kamer. Toen hij de wekker greep, zag hij dat de eetzaal over acht minuten dicht zou gaan voor het ontbijt.

Hij huiverde toen hij zijn gezicht waste en dronk water uit de kraan. De lakens lagen ineengedraaid als een touw op het bed. Aan de ene kant was zijn gezicht vlekkerig rood.

Hij kleedde zich snel aan en haastte zich vervolgens tussen een paar andere laatkomers naar de eetzaal. De koele lucht deed pijn in zijn gezicht en zijn polsslag was onnatuurlijk snel.

Toen hij in de eetzaal kwam, liep hij snel naar Silverhielms brede rug, vooraan bij tafel twee, zodat Silverhielm niet op tijd zou merken dat de jongens die tegenover hem zaten stil werden. Hij greep Silverhielm stevig in zijn kuif, boog zich voorover en fluisterde een paar woorden. Toen liet hij hem met een ruk los, liep naar zijn plaats, ging zitten en reikte naar de kan met chocolademelk. Aan het andere einde van de tafel was men doodstil.

'Goedemorgen,' zei hij met zijn tanden op elkaar geklemd.

Niemand antwoordde. Ze keken omlaag in hun kopjes, roerden in de chocolademelk of smeerden zonder op te kijken hun brood. Niemand keek hem in de ogen.

Hij boog zich voorover naar rechts om de boter te pakken, zodat hij een glimp van Silverhielm kon opvangen. Ja, zijn boodschap was aangekomen. Hij zat daar bijna als versteend.

Niemand in de buurt gaf een kik zolang het ontbijt duurde. Erik wachtte tot Silverhielm was opgestaan en weggelopen. Toen ging hij rechtstreeks terug naar zijn kamer, maakte het bed op en kroop erin om de koorts uit zijn lijf te slapen.

Hij werd wakker doordat de zuster met een natte doek zijn gezicht bette. Het was even over elf. Ze had een koortsthermometer in haar hand die ze hem aanreikte zonder iets te zeggen. Ze frunnikte wat aan haar grijze knoetje in de nek terwijl hij met de thermometer in zijn achterwerk lag, maar ze zei nog steeds niets.

'Bedankt dat u me hebt losgemaakt,' zei hij toen hij haar de thermometer gaf.

Ze keek op de thermometer voor ze antwoord gaf.

'Dat is 38,5. Het had veel erger kunnen zijn. Heb je vannacht gehoest?'

'Nee, niet dat ik weet, ik heb vanmorgen in elk geval niet gehoest. O ja, ik zei "bedankt dat u me hebt losgemaakt".'

'Ik ben nu eenmaal verpleegster en dan kun je niet alles over zijn kant laten gaan. Je hebt het gestel van een hengst, lijkt het, maar als je daar nog langer gelegen had, had zelfs jij een longontsteking en... (ze aarzelde) ... de complicaties niet overleefd. Ik kom na het avondeten weer even langs, maar dit zal wel goed gaan, als je vandaag en morgen tenminste in bed blijft.'

Ze frunnikte aan haar knoetje en keek hem lange tijd nadenkend aan zonder iets te zeggen. Toen stond ze op en liep naar de deur. In de deuropening draaide ze zich om.

'In het vervolg moet je ze gehoorzamen,' zei ze.

Toen sloot ze de deur zonder Eriks antwoord af te wachten.

Hij viel vrijwel onmiddellijk in slaap en sliep droomloos door tot de avond.

~

'Daar!' schreeuwde de Kraanvogel en wees triomfantelijk naar de eerste snip die met snorrende vleugels omlaag dook naar het weiland.

De weilanden waren overstroomd en de snoeken waren erheen gezwommen om te spelen. De avond ervoor hadden ze wulpen gezien. De avondzon gloeide en van de akkers in de buurt van Stjärnsberg dreef een zwakke geur van gier hun kant op.

Het was een vroege lente en al een week geleden hadden ze de eerste leeuweriken waargenomen. Spoedig zouden de roofvogels volgen. Zodra het ijs weg was, kon je de eerste visarenden verwachten.

Het sopte om hun laarzen, ze hadden nog een kilometerslange wandeling voor de boeg voor ze weer bij de school kwamen. Ze zouden het avondeten mislopen, maar dat gaf niets omdat ze bij de Kraanvogel waren en de Kraanvogel kon A-leerlingen bijzondere toestemming geven om de natuur in te gaan, waar en wanneer dat ook maar nodig was voor de observaties.

Toen ze bij de akkers in de buurt van de school waren gekomen begon het donker te worden. Ergens ver weg hoorden ze een klagende, droevige kreet.

'Nu is ook de kieviet gekomen,' constateerde de Kraanvogel.

Daarna begon hij te vertellen over een vogelsoort in Latijns-Amerika die tot op de dag van vandaag nog grijpklauwen aan het uiteinde van de vleugelbotjes had, net zoals de eerste vliegende hagedissen en hun nakomelingen hadden gehad.

In de relatie ten opzichte van de raad heerste een status-quo.

Er was een maand verstreken sinds het 'koken' voor de dependance, maar noch Pierre, noch Erik had andere conflicten met de raadsleden gehad dan de zuiver routinematige: een paar razzia's en wat visaties die niets opleverden.

Het koken was geen triomf voor de raad geworden. Er deed zelfs een gerucht de ronde dat de rector voor het eerst in de geschiedenis van de school de prefect bij zich had geroepen en hem achter gesloten deuren de oren had gewassen. Het was echter niet meer dan een gerucht en noch de rector, noch een van de leraren scheen iets af te weten van het koken. Maar het kon best waar zijn, want een tijdlang nam Silverhielm geen enkel nieuw initiatief en hield de raad zich alleen bezig met het routinematig opsporen van voldoende stiekeme rokers om zichzelf gratis sigaretten te kunnen verschaffen. (Het was heel ongebruikelijk dat een gevangengenomen stiekeme roker ervoor koos de sigaretten te vernietigen in plaats van ze aan de raadsleden te geven.)

De Havik en Arne en de twee anderen uit de klas die bij het koken hadden geassisteerd, werden bijna volledig buitengesloten. Erik en Pierre weigerden consequent hen aan te spreken of te luisteren wanneer ze wat zeiden en dat werd door een aantal jongens in de klas overgenomen. Met het koken was de grens van de kameradenopvoeding overschreden en de gebeurtenis was omgeven door een soort collectieve schaamte.

'Het is omdat ze bang zijn; ze zijn bang dat hen ooit hetzelfde zou kunnen overkomen,' meende Erik.

Volgens Pierre kwam het doordat er op school in elk geval een zeker gevoel voor fair play was. En als ze Erik de hele nacht buiten hadden gelaten en als de zuster niet haar verstand had gebruikt, had Erik kunnen sterven en niemand wist wat er dan zou zijn gebeurd. Het was immers niet zeker dat de zaak in de doofpot had kunnen worden gestopt, zoals ze naar verluidt tien jaar geleden hadden gedaan, toen iemand uit 2⁵ tijdens een oefening van de burgerbescherming een bajonet recht door zijn hart en long kreeg. De jongen was gewoon naar het ziekenhuis gebracht en nooit meer teruggekomen en er had geen woord over in de krant gestaan of zo.

'Kun je me niet zeggen wat je Silverhielm de volgende morgen in zijn oor fluisterde?' vroeg Pierre. 'Ik beloof je op mijn erewoord dat ik niets zal zeggen.'

Die vraag had Erik al honderdmaal gekregen. Zelfs lui van het gymnasium hadden hem op zijn rug geklopt en aardige dingen tegen hem gezegd, maar uiteindelijk vroegen ze allemaal hetzelfde. Silverhielm had er nog een halve dag lang heel vreemd uitgezien.

'Nee,' zei Erik, 'ik heb mezelf beloofd dat ik het aan niemand vertel. Op een of andere manier schaam ik me ervoor. Ja, je begrijpt wel dat ik hem met iets verdomd vervelends heb gedreigd, iets wat ik nooit zou hebben gedaan. Maar dat kon hij immers niet zeker weten. In elk geval wil ik het aan niemand vertellen. Het liefst wil ik het vergeten, als dat me lukt.'

'Ze hadden je vast niet een tweede keer durven koken.'

'Nee, maar dat kon ik toch niet zeker weten.'

'Denk je dat het nu eindelijk uit is met die ellende?'

'Nee, dat denk ik niet, maar als het waar is dat de rector Silverhielm op zijn donder heeft gegeven, zal hij zich wel een paar dagen koest houden. Maar ze zullen in elk geval wel weer iets bedenken. Zo zijn ze gewoon.'

Maar de status-quo bleef voortduren en de periode strekte zich uit tot de dag voor Walpurgisnacht.

Erik en Pierre liepen over het verlaten schoolplein. Zoals gewoonlijk hadden ze na Eriks zwemtraining stiekem gerookt. Nu rook hun adem fris door de Vademecum die ze met sparrennaalden hadden geneutraliseerd. Ze praatten over de proefwerken van de afgelopen tijd.

Het was een kwartier voordat de avondbel zou gaan en alle onderbouwleerlingen op hun kamer moesten zijn.

Toen werd op de tweede verdieping van het schoolgebouw een raam opgedaan. Het was Gustaf Dahlén die daar zijn kamer had. Het was de enige leerlingenkamer in het hele schoolgebouw en hij lag pal naast het appartement van de geschiedenisleraar.

'Stiekeme rokers! Kom naar boven voor inspectie en visitatie!' schreeuwde Gustaf Dahlén uit zijn raam.

Het was zo'n order die moest worden opgevolgd. Ze haalden hun schouders op en gingen het gebouw binnen. Knipperlicht zou nog niet eens een tabaksschilfer bij hen kunnen vinden en overigens ook geen rook- of Vademecum-lucht ruiken. Het ging slechts om een routinepesterijtje.

Maar Knipperlicht was niet alleen op zijn kamer. Ook Silverhielm zat er languit in een grote leren fauteuil. Knipperlicht was gekleed in een soort ochtendjas van zijde en had een witte halsdoek om, zodat hij eruitzag als een gangster uit een film, hoewel hij waarschijnlijk op een Engelse edelman van het type Leslie Howard wilde lijken. Maar dat was nog niet het merkwaardigste.

Het merkwaardigste was dat zowel Knipperlicht als Silverhielm ieder een cigarillo rookte. Zelfs leden van de raad moesten in principe onmiddellijk geschorst worden als ze binnenshuis rookten.

'Tja,' zei Silverhielm, hij stond op en liep een paar rondjes om Erik en Pierre die midden in de kamer stonden. Silverhielm trok demonstratief aan zijn cigarillo en probeerde kringetjes rook naar het plafond te blazen.

'Hier hebben we de heimelijke rokers die gevisiteerd moeten worden,' ging hij verder.

'Maar jullie zijn toch degenen die stiekem roken,' zei Pierre, 'zelfs raadsleden worden daarvoor van school gestuurd.'

'Zeker, en dat kunnen jullie natuurlijk proberen te bewijzen,' hoonde Silverhielm. 'Twee notoire brutaaltjes uit de onderbouw beschuldigden de prefect en de vice-prefect en dan is het jullie woord tegen het onze. Dan ben ik bang dat we jullie moeten veroordelen wegens brutaliteit en valse aangifte.'

Waarna hij opnieuw een kringetje rook blies. Deze keer lukte het hem.

'Kleed je uit,' commandeerde Gustaf Dahlén.

'Kom, we gaan,' zei Erik en maakte een beweging naar de deur, maar Silverhielm was hem net voor en versperde de weg.

Ze zouden niet buiten kunnen komen zonder paragraaf 13 te overtreden, hetgeen misschien wel de bedoeling was van de hele voorstelling.

'Als jullie mij ooit willen pakken op paragraaf 13,' zei Erik, 'dan wordt het niet een beetje "anderszins geweld". In dat geval krijgen jullie zo'n pak rammel dat zelfs je moeder je daarna niet meer herkent. Is dat risico niet een beetje te groot?'

'Dat geloof ik niet,' antwoordde Gustaf Dahlén en knikte zwijgend naar Pierre, 'deze keer niet in elk geval.'

De inhoud van het dreigement was niet helemaal kristalhelder, maar het ging erom dat ze niet van school zouden worden gestuurd. Erik begon zich rustig uit te kleden en na een poosje deed Pierre hetzelfde. Ten slotte stonden ze in hun onderbroek voor de prefecten.

'De onderbroeken ook, stel dat jullie daar iets verstopt hebben,' commandeerde Knipperlicht.

Ze aarzelden en wisselden een snelle blik van verstandhouding. Erik knikte en toen trokken ze hun onderbroek uit.

'Zo, zo,' zei Silverhielm en liep een rondje om hen heen, 'dan kunnen jullie je nu weer aankleden.'

Vervolgens kleedden ze zich aan.

Toen ze zich hadden aangekleed, herinnerde Knipperlicht zich dat ze de visitatie waren vergeten en dus moesten ze zich weer uitkleden. Zwijgend kleedden ze zich uit.

Nu was het Knipperlicht die met langzame tred om hen heen liep en met zijn pantoffel in de hoopjes kleding zat te porren. Plotseling boog hij zich voorover en kneep in een van Pierres zwembandjes.

Pierre kreunde zachtjes van de pijn.

Ze hadden er dus op gerekend dat ze een gevecht konden uitlokken. Maar de opzet was zo duidelijk, dat Pierre en Erik zich volkomen passief opstelden zonder ook maar een kik te geven. Erik kookte inwendig.

Toen bracht Knipperlicht zogenaamd toevallig zijn cigarillo vlak bij Pierres tepel. Pierre schrok op en deed een halve stap naar achteren, maar zei nog steeds niets.

Knipperlicht liep naar de asbak op de marmeren tafel en tikte de askegel van zijn cigarillo. Toen liep hij langzaam terug naar Pierre met de gloeiende punt demonstratief voor zich uitgestrekt. Hij ging op slechts een paar decimeter afstand van Pierre staan. Silverhielm stond afwachtend bij de deur.

Toen bracht Knipperlicht langzaam de cigarillo naar zijn mond en nam een lange trek. Vervolgens blies hij de rook in Pierres gezicht en bracht de gloeiende punt dichter en dichter en langzaam nog dichter bij Pierres tepel.

'Ik geloof dat het tijd wordt om hem te doven,' zei hij.

Erik fixeerde zijn aandacht op een punt in de nek onder het oor van Knipperlicht, waar de slag terecht moest komen. Er was geen andere uitweg.

'We zullen zien wat voor vlees we in de kuip hebben,' hoonde Knipperlicht en bracht de gloeiende punt nog een centimeter dichter naar Pierres tepel.

Pierre zei nog steeds niets, hoewel de gloed nu zo dichtbij was dat hij de warmte wel moest voelen.

'Hier,' zei Erik en zette zijn wijsvinger midden op zijn eigen borst, 'hier kun je hem uitdrukken, klootzak, als je durft.'

Knipperlicht aarzelde.

'Hier,' vervolgde Erik, 'kun je die peuk uitdrukken, dan zullen we wel eens zien of het zoveel pijn doet als jij je inbeeldt. Ik krijg je nog wel, klootzak, ik beloof dat ik het je betaald zal zetten, verdomde knipperende klootzak. Laat maar zien hoe laf je bent, laat maar eens zien.'

Knipperlicht deed een stap naar Erik.

'Met jouw toestemming in het bijzijn van getuigen, dus?' vroeg Knipperlicht.

Godallemachtig, nu was Knipperlicht vastbesloten!

De haat pulseerde in een beschermende schokgolf, het was alsof zijn lichaam zachtjes hard als cement werd. De kamer werd afgeschermd en verdween uit zijn krimpende gezichtsveld, dat uiteindelijk alleen nog het gezicht van Knipperlicht bevatte. Rondom was alleen een zwarte ruimte. Ver weg hoorde Erik zijn eigen stem.

'Je bent een klootzak, Knipperlicht, je bent zo laf dat je het volgens mij niet eens durft, ook al zeg ik dat ik me niet zal bewegen en jou naderhand niet zal aanraken. Druk die peuk maar uit, dan zien we wel wat er gebeurt.'

Knipperlicht knipperde. Zijn hand beefde toen hij de gloeiende punt dichter bij Eriks borst bracht. Het siste toen een van de dun verspreide borstharen verbrandde. Erik ving de blik van Knipperlicht en verbreedde zijn lippen in een lach, terwijl hij zijn tanden op elkaar geklemd hield.

'Nou, je durft het niet, hè, rotzak!'

Knipperlicht aarzelde en op zijn voorhoofd verschenen zweetdruppeltjes. Maar nu zou hij er niet meer aan ontkomen. Hij hoefde maar één stap achteruit te doen om de blokkade te doorbreken, maar hij zou niet meer ontkomen.

Ergens in het donker naast hem was te horen dat Silverhielm iets zei. Toen kermde Knipperlicht en drukte de peuk uit op Eriks borst, terwijl zijn gezicht vertrok in nerveuze spasmen.

Erik hield zijn glimlach in een wurggreep. Het stonk, maar hij voelde niets anders dan de suizende, bonkende hartslag in zijn oren. Knipperlicht schreeuwde nog iets wat op beginnend gehuil leek toen hij de peuk heen en weer draaide in de wond, totdat er geen gloed meer over was.

Het beeld verwijdde zich, de cirkel rond Knipperlichts verwrongen gezicht werd ruimer en langzaam kwam de kamer tevoorschijn, de marmeren tafel werd zichtbaar, vervolgens het raam met de schemering, daarna Silverhielm die met wijd opengesperde ogen naast de leren fauteuil stond en naar lucht hapte als een vis op het droge.

Het was volkomen stil in de kamer.

Erik boog voorover om zijn kleren op te rapen en begon zich aan te kleden zonder zijn blik van Knipperlicht af te wenden en zonder de wurggreep rond zijn glimlach te laten verslappen.

Knipperlicht zakte in de leren fauteuil, zijn handen trilden. Ook Pierre kleedde zich aan.

Erik boog voorover en raapte de peuk op van het tapijt. Hij hield hem tussen duim en wijsvinger en deed twee stappen in de richting van Knipperlicht. Toen strekte hij zijn arm uit en liet de peuk recht omlaag in de asbak vallen, draaide zich om en liep naar de deur.

Op de houten trap, op weg naar beneden met Pierre achter zich aan, bleef Erik staan en klemde zich vast aan de trapleuning. Plotseling had de pijn zich als een speer in zijn lichaam geboord. Hij kreunde en zakte even op zijn knieën, voor hij zich vermande en verder kon lopen de trap af.

De wond was zo groot als een muntstuk van één kroon en vuil van de as en de tabak. Erik liep naar de douche met een nagelborstel, haalde diep adem, kneep zijn ogen dicht en boende snel de as, huidresten en het wondvocht uit de wond. Het bloedde flink. Het bloed vermengde zich met het douchewater en wervelde omlaag in het afvoerputje met de iets te kleine gaatjes in de zinkplaat.

Pierre had een desinfecterend middel en pleisters in zijn toilettas. 's Nachts begon de wond te kloppen. Erik telde: achtendertig slagen, dan was hij in absolute rust.

∼

Medio april waren de sintelbanen en het kleine voetbalveld al voldoende opgedroogd om weer buiten te kunnen sporten. Eriks waanzinnige krachttraining gedurende de herfst en de winter had resultaat gehad. De eerste keer dat Tosse Berg hem klokte op de 100 meter liep hij al twee-tiende onder zijn persoonlijk record, zonder dat hij vooraf een behoorlijke warming-up had gedaan. Misschien had het er ook mee te maken dat hij behoorlijk gegroeid was. De spikes begonnen een beetje te klein te worden.

'Dat ziet er goed uit voor de wedstrijd tegen Lundshov,' zei Tosse Berg, 'bereid je er maar op voor dat jij de laatste etappe van de estafette loopt.'

Alle internaten van het land hielden namelijk een atletiekcompetitie die aan het einde van het voorjaarssemester begon en in de herfst werd afgesloten. Om beurten gingen de scholen bij elkaar op bezoek en de volgende keer waren de jongens van Lundshov aan de beurt om met de bus naar Stjärnsberg te komen.

Het was een zeer prestigieus toernooi, vooral voor Stjärnsberg. Dat kwam niet alleen omdat Stjärnsberg in de loop der jaren het vaakst had gewonnen, maar ook vanwege het idee-fixe dat leerlingen van Stjärnsberg altijd harder, sneller en beter waren dan alle anderen. Als Stjärnsberg won, werd die stelling gestaafd. Als Stjärnsberg niet won, was dat altijd te wijten aan iets bijzonders. Als die en die niet in de tweede etappe van de estafette een spier had verrekt, als A zich niet had verstapt bij de derde sprong, als B niet met zijn broek de lat had aangeraakt bij zijn derde poging op de 1 meter 78, *als* dit of dat niet was gebeurd, dan zouden ze gewonnen hebben. Maar ondanks het feit dat Stjärnsberg zonder twijfel de particuliere school met de beste trainingsmogelijkheden was, waren de wedstrijden meestal verbazingwekkend gelijkmatig. En aangezien dezelfde puntentelling werd aangehouden als bij nationale atletiekwedstrijden, met dubbele punten voor de estafette, was het vaak de slotestafette op de vier keer 100 meter die de hele wedstrijd besliste.

Zo ging het ook deze keer. Laat in de middag, toen alle takken van sport behalve de estafette waren afgewerkt, stond Stjärnsberg slechts drie punten voor op Lundshov. De estafette zou de beslissing brengen en Erik zou de laatste etappe lopen. Het was krankzinnig, het was net als in de sportbladen.

De publiekstribunes zaten vol toen het estafetteteam zijn warming-up deed. Het was duidelijk dat het een gelijk opgaande strijd zou worden. 's Middags, tijdens de individuele 100 meter, had Erik heel gemakkelijk gewonnen, maar de jongens van Lundshov waren tweede, derde en zesde geworden. En bij de estafette deden de vier beste 100-meterlopers van beide scholen mee, dus het kon nog alle kanten op.

Erik had zich grondig voorbereid. Hij had zijn nieuwe rode Puma-spikes van kangoeroeleer aan, die eigenlijk veel te duur waren (advocaat Ekengren zou ongetwijfeld vraagtekens plaatsen bij die post, wanneer de rekening van de schoolwinkel kwam). Hij was voldoende opgewarmd, nu mocht er niets meer misgaan.

Ze waren bijna klaar voor de start en de concurrerende yells schalden van de grote tribunes langs het laatste rechte stuk naar de finish, dat Erik moest lopen. Toen, in diepe concentratie, hoorde hij hoe het supporterslegioen van Stjärnsberg zijn naam scandeerde:

'*Erik! Erik! Erik! Wij-willen-onze-Erik!*'

Nu verdomme! Nu moest hij winnen. Het moest.

Het startschot klonk en tot de eerste wissel ging het precies gelijk op. Het publiek brulde. De tweede wissel werd door de jongens van Lundshov een beetje verprutst, waardoor de loper een paar meter achter kwam. En het publiek brulde. Bij de derde wissel, godallemachtig nu kwam het erop aan, maakten de Stjärnsbergers een nog grotere blunder. Bovendien was het die verdomde Silverhielm die nu een paar meter achterlag – het publiek brulde – en die voorsprong van de tegenpartij bleef de gehele laatste bocht gehandhaafd. Het publiek begon al 'Erik, Erik, Erik' te gillen.

Hun laatste man was tweede geworden bij de individuele wedstrijd, maar Erik had niet gezien wat zijn achterstand was. Was twee meter te veel om in te halen? Over slechts een paar seconden zou hij het stokje overnemen en op weg zijn op het laatste rechte stuk naar de finish. Waarom zou hij winnen voor deze rotschool? Jawel, hij moest.

Toen hij het stokje overnam – de wissel ging redelijk, maar dat gold ook voor het andere team – was de afstand twee meter. Het kon lukken, het *moest* lukken!

Na de halve afstand, midden voor de grote tribune, moest hij nog een meter inhalen. De afstand slonk langzaam, zoals in een nachtmerrie. Hij hoorde de ademhaling van de ander; hij kreunde en kermde en spande zich meer en meer en meer in en lag de laatste meters naast hem, die tien oneindige laatste meters met elke meter een krijtstreep op de rode sintel.

De witte katoenen lijn bleef om Eriks borst hangen en fladderde een beetje in de wind toen hij afremde. En daar stond Tosse Berg met open armen om hem op te vangen en hij vloog Tosse Berg om de hals.

'Hé, schoffie! Je hebt het geflikt, je hebt gewonnen!'

Met het estafettestokje nog in de hand jogde hij terug tot midden voor de grote tribune. Ze riepen zijn naam en zwaaiden de schoolvlag met Orion erop met grote halen heen en weer. Hij stak het estafettestokje boven zijn hoofd, balde zijn linkervuist en stak die recht omhoog – op dat moment ontdekte hij dat hij tranen in zijn ogen had – en vervolgens gooide hij het estafettestokje over de tribune en keerde nog steeds joggend terug naar het grote grasveld, waar hij discreet zijn tranen wegveegde met de rug van zijn hand.

Tosse Berg haalde hem in, legde een arm om zijn schouders en voerde hem terug naar de tribune.

'Het is krankzinnig,' zei Tosse Berg, 'krankzinnig, ik heb je slotetappe geklokt, weet je wat je tijd was?'

'Nee, maar fatsoenlijk, neem ik aan?'

'Het was elf rond! Weliswaar met een vliegende start, maar toch.'

'Ja, het was me de race wel, maar dat doe ik nooit meer.'

'Ach joh, natuurlijk wel, wat dacht je van de schoolwedstrijden van komende herfst, bijvoorbeeld. Je veegt de vloer aan met je eigen jaargang.'

Tosse Berg hield nog steeds vaderlijk een arm om zijn schouders, hief zijn ene arm en wees naar het Stjärnsberg-publiek dat bleef juichen en met vlaggen zwaaide en in koor Eriks naam riep.

'Zo zie je maar,' zei de gymnastiekleraar en trainer, 'zo zie je welke positieve kracht er van sport uitgaat. Wat zijn alle pesterijen van de raadsleden ten opzichte van dit hier!'

Er was een heerlijke maaltijd in colbert voor het bezoekende sportteam en het was krap in de eetzaal. Er werd niet één pepper uitgedeeld. Vlak voor het nagerecht tikte de rector tegen zijn glas. Toen de stilte was neergedaald, nadat alle raadsleden bedrijvig 'sst' hadden geroepen, hield de rector een korte toespraak, waarin hij allerlei open deuren intrapte over verbroedering in een nobele wedstrijd en waardevolle tradities en de geweldige prestaties van het bezoekende team.

Eriks hart bonkte in zijn keel. Nu zou het komen, nu zou de kleine bokaal worden uitgereikt aan degene die de beste individuele prestatie had geleverd. Een van de jongens van Lundshov had bij zowel discuswerpen als kogelstoten gewonnen, maar Erik had drie overwinningen als je de estafette meerekende. De tirade van de rector werd langer en langer, alsof hij nooit ter zake zou komen. Maar toen haalde hij de kleine zilveren bokaal met de gegraveerde namen van alle eerdere bekerhouders tevoorschijn.

'...en de jury, bestaande uit mijzelf en de hoofddocenten in gymnastiek en sport van onze scholen, is tot een volkomen unanieme beslissing gekomen.' Er viel een kunstmatige pauze. 'Na een prima prestatie op zowel de 100 als de 200 meter...' Op dat moment werd de rector onderbroken door gejuich en de jongens die naast Erik zaten sloegen hem op de rug... 'heeft Erik deze dag afgesloten met een razend mooie slotetappe van de estafette. Wil Erik naar voren komen om deze welverdiende prijs in ontvangst te nemen!'

Erik, die sinds hij op Stjärnsberg was gekomen niet gehuild had, kreeg nogmaals de tranen in de ogen toen hij naar voren liep, boog en de bokaal in ontvangst nam. Samen met de yells van de school steeg een luid applaus op. Erik hief de bokaal boven zijn hoofd en zocht de blik van Silverhielm, vier meter verderop aan de tafel van de nummers twee. Maar Silverhielm wendde zijn blik af.

's Avonds nadat de lichten waren uitgegaan, was het nog steeds licht in de kamer, ondanks het feit dat ze al een uur later naar bed mochten. Erik lag met zijn armen onder zijn hoofd naar het plafond te kijken. Als hij zijn hoofd een beetje draaide, kon hij de bokaal op de boekenplank zien. Het laatste korstje jeukte op zijn borst, maar de wond van Knipperlichts cigarillo was bijna geheeld.

'Je begrijpt wel dat dit betekent?' zei Pierre.

'Nee, ik weet niet wat je bedoelt. Maar ik voel me bijna gelukkig, geloof ik. Dat vind jij misschien heel dom, ik bedoel voor zoiets simpels als rennen met een stokje in je hand.'

'Het is helemaal niet belachelijk, tenminste niet voor jou, hier en nu op Stjärnsberg. Begrijp je wel dat ze je nu niets meer kunnen maken? Je had moeten zien wat een drukte het was op de tribune. Hierna kunnen ze al hun gebroei wel vergeten.'

'Daar had ik niet eens aan gedacht.'

'Ja, en volgende week doen de vierdeklassers eindexamen en dan zijn we ze kwijt.'

'Dan worden de derdeklassers vierdeklassers en begint alles van voren af aan.'

'Dat is pas volgend semester. We krijgen een prima voorjaar. Hoor je de vogels daarbuiten? Zijn het oeverlopers?'

'Ja, ik geloof het wel, het zijn vast oeverlopers.'

'Wat ga jij deze zomer doen?'

'Werken in de haven van Stockholm, denk ik. Een jongen die ik ken vertelde dat je daar 's zomers duizend ballen per week kunt verdienen. Eigenlijk moet je zestien zijn, maar dat ben ik immers bijna.'

'Ik ga naar Zwitserland om mijn vader op te zoeken. En daarna ga ik naar een zomercursus in Engeland.'

'Je hoeft toch geen Engels te studeren, je hebt immers al een A.'

'Nee, maar mijn vader vond dat een goed idee, dan word ik er nog beter in. Het is in augustus, twee weken voordat de school hier weer begint.'

'Weet je wat het kost?'

'Geen idee. Een duizendje of twee misschien.'

'Dan kom ik ook, ik bedoel als het in augustus is. Dan heb ik een hele hoop geld verdiend als dat baantje in de haven doorgaat. En dan kan ik ook betalen wat ik je schuldig ben omdat je mij met wiskunde hebt geholpen. Ekengren wilde immers alleen maar privé-lessen van een leraar betalen, weet je nog.'

'Ach, dat doet er niet toe, we zijn toch vrienden.'

'Ja, daarom juist. Ik wil je absoluut betalen, daar loop ik al een hele tijd over te denken.'

'Geld speelt geen rol, hoor.'

'Nee, niet als je rijk bent, zoals jij. Maar dat ben ik immers niet.'

'In elk geval krijgen we een prima voorjaar. Nu hoor ik de oeverlopers weer.'

~

De zon brandde over de vrijhaven van Stockholm.

Er waren twee trucjes om de koffiezakken op te pakken als ze op pallets moesten worden geladen. Of je pakte de zak bij de hoeken, of je prikte vier vingers in de hoeken, zodat er een handvat ontstond voordat je de zak optilde. Je kon geen beschermende handschoenen dragen als je koffie op pallets laadde, want dan had je geen grip. Maar als je er niet aan gewend was en dunne schooljongenshuid op je handen had, kreeg je blaren in je handpalmen en langs je wijsvinger wanneer je de zakken bij de hoeken pakte. Als je het trucje van de vingers in de hoeken gebruikte, kreeg je na een tijdje gevoelloze vingertoppen en steeds verder uitscheurende nagelriemen.

Sinaasappelkistjes en appelkistjes moest je omarmen, voordat je ze op een pallet zette. Eriks armen waren een tikje te kort voor sinaasappelkistjes, waardoor de ene hoekpunt in zijn bovenarm sneed en de andere in zijn pols.

Maar de tijd verstreek en zijn handen werden harder. De arbeiders waren vriendelijk, ondanks dat hij een schooljochie was. Ze plaagden hem een beetje om de manier waarop hij de 'i' uitsprak, maar klopten hem af en toe op de rug omdat hij goed werk leverde.

Op vrijdag moest je in de rij staan voor het betaalkantoor en dan kreeg je een bruine, dichtgeplakte envelop met bankbiljetten. Als Erik daar tussen de arbeiders stond hield hij zijn sigaret tussen duim en wijsvinger, zoals de meeste anderen, of in zijn mondhoek. Hij stond een beetje gebogen en voelde zich Marlon Brando in *On the Waterfront*.

Het werk begon om half zeven 's ochtends. Hij fietste fluitend door de lege wijk Vasastan naar de Odenstraat en verder langs de Valhallaweg. Slechts een paar morgens regende het.

Zijn vader was niet thuis.

Het was een gelukkig toeval, het beste wat hem kon gebeuren: zijn vader was niet thuis. Vader werkte die zomer tijdelijk als restaurateur in een vakantieoord en hij had Eriks broertje meegenomen.

's Avonds ging Erik naar de bioscoop of zat een tijdje te luisteren naar zijn moeders muziek. Ze speelde nog steeds het meest Chopin.

Soms ging hij naar het zwembad waar hij de Vlo ontmoette.

De Vlo had natuurlijk hard gelachen om alle technische eigenaardigheden die hij zich had aangeleerd tijdens zijn eenzame training in het korte bad van Stjärnsberg. Maar de fouten waren niet vastgeroest, ze konden nog gemakkelijk stukje bij beetje gecorrigeerd worden. En omdat zijn kracht en uithoudingsvermogen enorm waren toegenomen, ging hij nog steeds vooruit. Een aantal van zijn oude trainingsmaten had hem ingehaald, maar de afstand was heel klein.

'Tja, Rome kunnen we wel vergeten,' zei de Vlo, 'maar dat is niet zo erg. Als je volgend jaar was meegegaan naar Rome, was dat in feite alleen maar om te leren en een sprinter van zestien jaar heeft immers nog lang niet zijn top bereikt. Maar daarna, verdomme, Erik, daarna moet je er een schepje bovenop doen, want over vijf jaar in Tokio gaan we het beleven.'

Over vijf jaar in Tokio. Dan zou het 1964 zijn en dat klonk even ver weg als jaartallen in sciencefictionromans, het kon net zo goed 1984 zijn geweest. Als de Olympische Spelen in Tokio werden gehouden, zou hij twintig zijn, volwassen. Dan zou hij eindexamen hebben gedaan en op de universiteit zitten. Vijf jaar in de toekomst was een eeuwigheid.

'Kun je niet af en toe van die school van jou naar de stad komen, zodat we je techniek kunnen corrigeren?' vroeg de Vlo. 'Ik vind het zonde als je zo nog een jaar doormoddert, dan heb je daarna zoveel in te halen.'

'Nee,' zei Erik, 'ik heb iedere zaterdag en zondag dwangarbeid of arrest'.

De Vlo staarde hem aan en schudde zijn hoofd.

'Het lijkt verdomme wel een gekkenhuis,' zei hij.

De zomer was helemaal perfect.

De eerste twee maanden vlogen voorbij, de Marlon Brando-dagen leken allemaal op elkaar. En de dag voordat zijn vader thuis zou komen uit Ronnebybrunn vertrok hij naar Engeland. Het was alsof hogere machten hem hielpen.

In Engeland dronken ze thee met melk en lichtbruin bier waar minder koolzuur in zat dan in het Zweedse.

~

Het najaarssemester begon met twee snelle triomfen. Eerst was er de Dag van de Scholen met de atletiekwedstrijden. Erik deed mee aan vier onderdelen: 400 meter, verspringen en de twee sprintafstanden. Hij won ze alle vier. Dankzij de hoge snelheid bij de aanloop sprong hij 6 meter en een beetje en dat was voldoende voor de overwinning bij verspringen. Door de krachttraining het jaar ervoor en misschien ook door het baantje in de haven was zijn spiervolume toegenomen, zodat hij zijn snelheid bijna de hele 400-meterrace wist te handhaven.

Bovendien maakte hij in de eerste wedstrijd van het voetbalteam van de school tegen Sigtuna twee doelpunten. Het eerste en het laatste doelpunt in een wedstrijd die Stjärnsberg met 3–2 won. Gejuich op de tribune en een nog sterker vaccin tegen de raad.

Althans, zo leek het in eerste instantie. Het keerpunt kwam in oktober. Hij werd naar een vergadering van de vakbond geroepen.

De Havik was voorzitter van de vakbond en tikte met zijn potlood op de tafel, net als de voorzitter van de raad placht te doen voordat een nieuw punt ter sprake kwam.

'Ja,' zei de Havik, 'het betreft een serieuze kwestie in verband met jouw brutaliteit, die we met je willen bespreken.'

Tegenover de anderen verklaarde Erik dat iemand anders dan de Havik hun zaak zou moeten bepleiten als ze iets wilden bespreken. Hij sprak niet met de Havik. Je spreekt niet met iemand die *'sorry, old chap'* zegt, terwijl hij een emmer kokend water over iemand heen kiepert die vastgebonden op de grond ligt.

Nou?

De vakbond besloot voor het onderhavige agendapunt tijdelijk een andere voorzitter aan te wijzen. In principe was het fout om aan dit soort pressie toe te geven, maar de vakbond wilde aan de andere kant zijn goede wil tonen om een gesprek tot stand te brengen.

Lieve hemel, nu begonnen ze ook al net zo te praten als de raad.

Nou?

Wel, het ging dus om Eriks brutaliteit. Het afgelopen studiejaar was immers sterk gekenmerkt door het conflict op school dat ontstaan was doordat Erik consequent de fundamentele principes van de school, de kameradenopvoeding dus, had gesaboteerd. Maar nu was Erik in elk geval

236

een jaar ouder (en minstens vijf kilo spieren zwaarder, dacht Erik), dus het moest toch mogelijk zijn om een vreedzame oplossing voor de hele problematiek te vinden. Het probleem was in zeker opzicht des te erger, aangezien Eriks prestaties een positieve invloed op de reputatie van de school naar buiten toe hadden gehad, dat wil zeggen op het gebied van sport. Maar het had wel het ongelukkige gevolg gehad dat een aantal jongere en misschien minder rijpe en oordeelkundige kameraden in de lagere klassen van de onderbouw – maar om eerlijk te zijn niet alleen daar – Eriks positie op school verkeerd hadden geïnterpreteerd. Zij hadden als het ware niet het onderscheid kunnen maken tussen sport en... ja, niet direct politiek, maar sport en fatsoen en stijl. En dat was een serieus probleem dat op een of andere manier moest worden opgelost. De vakbond had informeel overleg gehad met vertegenwoordigers van de raad en men was na enige discussie op verscheidene punten tot dezelfde conclusie gekomen.

Nou?

Ja, Erik moest simpelweg ophouden met die brutaliteiten. Zoals het nu ging kon het niet langer. Of de raad moest werkelijk harde maatregelen nemen, of Erik moest buigen en orders accepteren, net als alle anderen. Waarom zou hij dat trouwens niet doen? De regels waren precies gelijk voor iedereen, behalve voor Erik die zijn eigen wetten stelde. Het was toch ondemocratisch dat iemand zich op die manier bepaalde privileges kon verschaffen, alleen omdat hij sterker was dan anderen. Dergelijke zaken moest de vakbond met hand en tand bestrijden. In feite was het voor de anderen erger om een pepper te krijgen dan voor Erik. Een pepper was toch niets voor Erik, die zelfs bestand was tegen een gloeiende cigarillo... Tja, er was geen reden voor de vakbond om die zaak nu op te rakelen, maar het was bekend hoe dat in zijn werk was gegaan. Maar precies daarom was een pepper niet iets om herrie over te schoppen. En als het om iets persoonlijks ging, omdat Silverhielm zijn tafelchef was – men kon zich indenken dat Erik het moeilijk vond om juist van Silverhielm een pepper te krijgen, na alles wat er gebeurd was – dan kon de vakbond vast wel een andere tafelschikking voor Erik regelen. Als hij aan een nieuwe tafel kwam kon hij trouwens ook een andere plaats krijgen dan aan het uiteinde, waar je altijd de lege schalen aan de serveersters moest geven. Er was immers geen reden om aan te nemen dat Erik bijzonder veel peppers moest hebben als hij hiermee akkoord ging. Integendeel, zou je haast kunnen zeggen. En een enkel klusje voor de nieuwe vierdeklassers, zo nu en dan? Dat was toch niet iets om hemel en aarde voor te bewegen?

De nieuwe vierdeklassers waren overigens verontrust, omdat Eriks insubordinatie aanhield. Als je erover nadacht was het toch ook ondemocratisch en gemeen tegenover de nieuwe vierdeklassers. Velen van hen hadden hier jaar in, jaar uit op Stjärnsberg gezeten en peppers gekregen en klusjes gedaan en bedden opgemaakt net als alle anderen. Eindelijk waren ze dan zelf vierdeklassers geworden en nu leek het of ze allerlei onnodige problemen kregen. Dat was gewoon onrechtvaardig.

Nou?

Ja, nou? Kon Erik zich niet voorstellen dat...

Nee. Nee, punt, uit. Was er nog meer te zeggen?

Ja, helaas was er nog een punt. De vakbond moest immers zijn verantwoordelijkheid nemen en dan moesten er maatregelen volgen. Als Erik niet wilde onderhandelen, moest de vakbond maatregelen treffen. Men had hem in elk geval hiervoor gewaarschuwd. Het speet de vakbond dat er nu maatregelen moesten worden genomen, want in feite zou dat de hele school schade toebrengen. Maar je moest altijd van twee kwaden de minste kiezen.

Nou?

Ja, helaas. De vakbond zag zich nu genoodzaakt ervoor te zorgen dat Erik tot nader order geschorst werd en werd uitgesloten van het voetbalteam, de atletiekteams en het zwemteam van de school.

Hoe kon in godsnaam een belachelijk groepje van vijf jochies uit de onderbouw, van wie iedereen wist dat het de loopjongens van de raad waren, zulke beslissingen nemen over uitsluiting van voetbal, zwemmen en atletiek?

Ja, de vakbond vertegenwoordigde dus de onderbouw. En als de vakbond overeenstemming kon bereiken met de gekozen vertegenwoordigers van de raad, waren er betere mogelijkheden om langs democratische weg bepaalde besluiten te nemen. Het was weliswaar niet de raad die besloot over uitsluiting van sportevenementen, maar behalve de drie raadsleden waren de meeste spelers van het voetbalteam vierdeklassers. En hetzelfde was het geval bij het atletiekteam. Dan zou een uiteenzetting, een gemeenschappelijke, democratisch geregelde uiteenzetting van de vakbond en de raad in deze kwestie zeer veel begrip wekken, nietwaar? Dus, zou Erik de zaak misschien willen heroverwegen...

Nee.

Tja, dan was de vakbond helaas genoodzaakt bepaalde maatregelen te treffen. Wellicht konden ze halverwege het semester de zaak nog eens opnemen?

Nee. Nooit meer.

Daarmee was de bijeenkomst afgelopen. De tijdelijke voorzitter tikte met het potlood op de bank, waarna de Havik op zijn plaats ging zitten en met het potlood op de bank tikte om het volgende agendapunt aan de orde te stellen.

Erik had zijn laatste 100-meterrace gelopen en zijn laatste doelpunt in het voetbalteam gemaakt.

'Dit gaat nooit lukken,' zei Pierre. 'Enerzijds zal Tosse Berg gek worden als hij dit hoort en anderzijds krijgen ze de halve onderbouw over zich heen als ze jou verbieden om nog aan wedstrijden mee te doen.'

'Jawel, het is duidelijk dat het wel gaat lukken,' zuchtte Erik. 'Het is bijna vanzelfsprekend als je erover nadenkt. Wat kan een leraar als Tosse Berg doen wanneer de raad, de vakbond en alle anderen in het voetbalteam zeggen dat er helaas langs democratische weg is besloten en dat de kameradenopvoeding, waar de leraren niets mee te maken hebben, in het geding is.'

'Ze maken het zichzelf moeilijk. Ga maar na hoe populair je was na de estafette tegen Lundshov, vorige herfst.'

'Ja, maar dat is precies waar de schoen wringt. Iedereen zal dat juist tegen mij gaan gebruiken, begrijp je wel?'

'Nee, hoe dan?'

'Nou, dat is wel duidelijk. Omdat ik zo lastig ben en dus niet als alle anderen een klap op mijn kop wil hebben en Silverhielms bed wil opmaken, weiger ik aan het schoolteam deel te nemen. In plaats van te doen wat alle anderen doen, weiger ik liever, nietwaar?'

'Ja, verdomme, op een of andere perverse manier is het volkomen logisch.'

'Zeker, niet alleen verschaf ik mezelf ondemocratische privileges, nu weiger ik ook nog de 100 meter te winnen voor de school. Alles bij elkaar weiger ik minstens twintig belangrijke atletiekpunten te scoren in ieder schoolkampioenschap. Je reinste verraad volgens die perverse logica.'

'Ja, hoewel het eigenlijk wel te verwachten was. Ze willen van je af zijn, van jou als sportheld. Heel slim eigenlijk, ongewoon slim als je bedenkt dat het afkomstig is van het kwaad zelve.'

'Het kwaad is niet dom, Pierre. Heb je dat nu nog niet geleerd?'

Het sportverbod werkte.

Eriks rode spikes van het merk Puma hingen te verdrogen, achter in de kast. Maar iedere morgen voor het ontbijt en iedere avond na het eten zwom hij zijn baantjes. Hij zwom niet met plezier – de resultaten gingen steeds langzamer vooruit – maar uit een vage woede verhoogde hij het gewicht aan de halter tot 50 kilo. Acht keer liggend op de bank, de halter met gestrekte armen in een boog naar achteren over zijn lichaam en omlaag naar zijn buik. Dan weer terug.

Acht keer achter de nek en omhoog met gestrekte armen. Acht keer met een omgekeerde greep van de dijbenen naar de borst. Acht keer over de schouders, ver door de knieën en met de benen gestrekt. Acht keer met een rechte greep vanaf de dijbenen omhoog naar de borst zodat het draaide voor zijn ogen. Telkens en telkens en telkens opnieuw, met de haat en het beeld van zijn vader of Silverhielm of de rechtbank van de raad of Knipperlicht achter de gesloten oogleden, zodra de spieren die extra brandstof nodig hadden voor een zevende en achtste keer. Telkens opnieuw, zonder een woord. Totaal geconcentreerd, opgesloten in de wisselende blauwe beelden achter zijn oogleden, zonder ook maar een woord te zeggen tegen de gymnasiasten die in de buurt waren tijdens de avondronde, de gymnasiasten die hem heimelijk bekeken als ze dachten dat hij het niet zag; dat alles was een soort voorbereiding, alsof het onvermijdelijke zou komen op het moment dat nieuwe stalen kloofbeitels met een voorhamer de grond in werden gedreven voor de dependance en hij paragraaf 13 zou overtreden. Telkens en telkens opnieuw. Avond na avond.

En daarna de eerste kilometer in het bad in een langzaam tempo met de muziek ergens binnen in het kabbelen en borrelen van de waterstroom rond zijn hoofd en de lucht die hij uitademde. Steeds vaker hoorde hij het moeilijkste muziekstuk van zijn moeder, wat eigenlijk alleen door een professionele pianist gespeeld kon worden: Fantasie Impromptu, in cis kleine terts, opus 66.

De status-quo was hersteld. De raadsleden vielen hem niet lastig, gaven hem geen bevelen en spraken hem niet aan. Ze namen niet eens de moeite om hem te wekken tijdens zijn inleidende dutje op zaterdagmorgen in het arrestlokaal.

Aan de andere kant had de campagne van de raad en de vakbond over zijn niet-solidaire instelling ten opzichte van de sportteams van de school wel effect. Met een beetje geluk had het voetbalteam de eerstvolgende wedstrijd na de 3-2 zege gewonnen, maar het atletiekteam had voor het eerst in zeven jaar verloren van die sullige Sigtunaschool. Het verlies bedroeg elf punten en je kon op je vingers natellen wat er gebeurd zou zijn *als...* dus *als* ze de twee sprintafstanden zouden hebben gewonnen en *als* Erik in het estafetteteam had gezeten dat nu met amper een meter verschil verloren had op de vier keer 100 meter. De duivelse logica functioneerde uitstekend. Dat was vooral te wijten aan het feit dat de vakbondsvertegenwoordigers voortdurend over de zaak liepen te zeuren: Erik liet de school in de steek en beschaamde de geest van kameraadschap.

De verkiezingscampagne naderde. Pierre had gedacht dat de ondoorgrondelijke rector zou bepalen dat iemand anders dan Silverhielm de democratische verkiezing voor de positie van prefect moest winnen. Maar toen de nominaties op het publicatiebord bij de eetzaal werden gehangen, bleek het tegendeel waar te zijn.

Silverhielm was natuurlijk een verkiesbare kandidaat voor de positie, aangezien hij de zittende prefect was, maar als tegenkandidaat had de rector een aanstellerig homotype uit de derde klas aangewezen, die weliswaar hoge cijfers haalde maar als provoost een aanfluiting zou zijn. Om een of andere reden wilde de rector Silverhielm terug hebben, al was het onduidelijk waarom.

De verkiezingsuitslag stond al bij voorbaat vast. Erik en Pierre hoorden dat de aula niet eens halfvol was toen de tamme verkiezingscampagne werd gehouden. Net als de meeste anderen in de onderbouw hadden Erik en Pierre die avond iets anders gedaan.

'Ze zullen het niet opgeven, Pierre. Ik voel gewoon dat het op een of andere manier weer van voren af aan begint. Ja, ik weet dat jij vindt dat we eigenlijk al gewonnen hebben en dat iedereen, die ook maar een greintje verstand heeft zal begrijpen hoe het zit met mijn sportverbod. Maar het gaat niet alleen om het verstand, Pierre, het gaat ook om gevoel. Jij vindt het misschien onnozel klinken, maar het enige moment waarop ik gelukkig ben geweest hier op school, was toen ik vorig semester met de estafette door het finishlint ging en het er even naar uitzag dat alles anders zou worden. Alsof hun domheid niet tegen mijn sportprestaties was opgewassen. Trouwens, ze zijn niet dom, jij en ik maken een vergissing als we altijd op die manier over

*hen denken. Ik doe dat in elk geval onbewust, ook al weet ik dat het eigenlijk
niet waar is. Jij zeurt dat het intellect het altijd moet winnen van de brutaliteit, maar af en toe weet ik eigenlijk niet wat er met intellect en wreedheid
wordt bedoeld. Neem het voorbeeld van Knipperlicht toen hij zijn cigarillo
uitdrukte op mijn borst, zonder dat ik iets voelde. Dat kwam omdat ik hem
op dat moment zozeer haatte, dat de haat als een verdovingsmiddel werkte.
Ik wist dat hij op een of andere manier zou breken als ik maar bleef staan en
hem in de ogen keek terwijl hij dat deed. Wat was dat, Pierre? Zeg het me,
was het intellect of wreedheid? De grenzen waarover jij het hebt zijn er niet,
je doet alles volgens het boekje, als je zo redeneert. Er is geen verschil tussen
jouw en mijn gevoelszenuwen, we zijn biologisch identiek, zoals twee zebra's
van dezelfde leeftijd. Als jij Knipperlicht evenzeer haatte als ik had je destijds
hetzelfde kunnen doen. Wat is daar voor intellectueels aan?'*

*'Ja, één ding is waar, Erik. Knipperlicht is sinds die keer niet meer bij je in
de buurt geweest en het is duidelijk dat hij bang werd. Ik weet niet of jij hem
zo duidelijk hebt gezien als ik, ik stond er immers naast en zag jullie beiden.
Maar ik heb nog nooit iemand zo bang zien worden als hij en ik geloof ook
niet dat ik dat ooit opnieuw zal meemaken. Maar toch geloof ik dat je het
mis hebt. Je zegt dat het om haat gaat, alsof haat een vorm van het kwaad
is en het tegenovergestelde van het intellectuele is. Maar denk eens na. Wat
is het verschil tussen jou en mij, als we de spieren even wegdenken? Dan is
het verschil dat jij het weet, op een of andere manier weet je hoe een vent als
Knipperlicht na zo'n akkefietje in elkaar zal storten. En dat weet je omdat
je dat op een of andere manier geleerd hebt. Je hebt het geleerd van die verdomde pa van je, je hebt het geleerd in al die jaren dat jij anderen in elkaar
sloeg. Trouwens, heb jij je dat wel eens gerealiseerd? Sinds je hier bent heb je
maar één keer gevochten, alleen die keer in de ruit. Is dat eigenlijk niet merkwaardig? Maar sinds die keer heb je hier geen mens ook maar met een vinger aangeraakt. En toch ben je nu in een situatie gekomen dat ze je met rust
laten. Dus heb je in elk geval, zonder te vechten, de domheid en het geweld
overwonnen, omdat je je intelligentie gebruikte. Als je zegt dat het haat was,
moet je het misschien intelligente haat noemen, omdat je geen geweld hebt
gebruikt. Haat moet verschillende dingen kunnen zijn. Laten we eens aannemen dat Knipperlicht jou evenzeer haat als jij hem, dat is toch een redelijke veronderstelling; dan noemen we de haat x, ongeveer zoals in een vergelijking, x is gegeven in beide leden. Maar het verschil is dan dat jouw lid
zwaarder weegt, omdat jij weet dat je gelijk hebt en dat Knipperlicht niets*

meer is dan een verdomde commandant. Zo eenvoudig is het. Dus gaat het om de overwinning van het intellectuele op de wreedheid en het kwaad. Quod erat demonstrandum.'

'Ja, ja. Het is alsof je en passant nog even een A voor een rekentoets haalt. Quod erat demonstrandum. Het is om gek van te worden, want je hebt altijd maar voor de helft gelijk. Maar je weet de zaak altijd zo overtuigend te brengen. En toch zit er een fout in wat je daarnet zei. Oké, we nemen aan dat de haat in beide leden gelijk is. Laten we de haat X noemen. Vervolgens zeg je dat het verschil is dat ik weet dat ik gelijk heb: ik ben wit en hij is zwart. Maar dat zeg je alleen maar omdat je aan mijn kant staat. Zou Knipperlicht niet even overtuigd kunnen zijn als ik? Zit de wereld niet vol van mensen die het regelrecht verkeerd hebben, maar keihard overtuigd zijn van hun gelijk? Denk je dat alle nazi's deden alsof ze nazi's waren? Van de miljoenen nazi's moeten velen er rotsvast van overtuigd zijn geweest dat ze gelijk hadden, net zoals jij en ik er rotsvast van overtuigd zijn dat wij gelijk hebben en Knipperlicht ongelijk heeft. Ergo: hij kan net zo overtuigd zijn als wij. Quod erat demonstrandum. Nee, val me niet in de rede, ik moet de moeilijkste vraag nog beantwoorden. Waarom zijn lui van het type Silverhielm en Knipperlicht zoals ze zijn? Laten we voor de grap eens aannemen dat ze even intelligent zijn als wij, dan kun je volgens jouw eigen redenering zeggen dat we de intelligentie Y noemen en Y in beide leden van de vergelijking plaatsen. Waarom denken ze dat je jongens uit de onderbouw moet koken, dat ze mij een sportverbod moeten opleggen, dat ze tot elke prijs het recht moeten verdedigen om de hoofdhuid van jochies te mogen doorboren met de stop van de azijnkaraf en waarom noemen ze ons trouwens rooie rakkers? Het is toch duidelijk dat wij net zo min rooie rakkers zijn als zijzelf. Ach, dat hoort hier ook niet thuis; wat hier thuishoort, is de vraag waarom ze denken dat het goed is om de hoofdhuid van jochies te doorboren.'

Er was geen antwoord. Zelfs Pierre, aan de overkant in zijn bed, zweeg. Na een poosje draaiden ze in een kringetje rond, op zoek naar houvast. Waren er eigenlijk niet altijd nazi's geweest? Intelligente, hoogopgeleide, deskundige, gecultiveerde nazi's.

En hoe werd dat kwaad overwonnen? Wat had Gandhi beter kunnen doen dan het Rode Leger en generaal Patton als het om Hitler ging?

De raad was niet van plan het op te geven. Silverhielm en Knipperlicht zouden bijna tot aan hun eindexamen door blijven gaan om te winnen. Vroeg of laat zou het tot meer geweld leiden. De raadsleden zouden het opnieuw proberen en Erik hield rekening met een of meer nieuwe gouden tanden voordat het voorjaarssemester voorbij was.

Maar hij zat ernaast.

Tijdens de Kloosternacht trok de raad hard van leer tegen de nieuwelingen in de onderbouw en hield er nauwelijks rekening mee of ze nu erg brutaal waren geweest of niet. Die Kloosternacht zou de geschiedenis ingaan als 'de nacht van de lange messen'. Heel wat griezelverhalen deden de ronde in de onderbouw.

Ze hadden alles uit de kast gehaald. Ze hadden klappen uitgedeeld, jongens tot moes geslagen, met loodmenie beschilderd, geschoren, in de vlaggenmast opgehesen, vastgebonden en ondergeplast. Alles.

Erik en Pierre hadden hun bureau in stelling gebracht en de hele nacht zitten wachten, maar er kwam niemand.

Ongeveer een week na de Kloosternacht begon het echter toch. Pierre moest keer op keer tijdens het avondeten naar voren komen voor een pepper en was naar de tafel van Knipperlicht overgeplaatst. Wanneer Pierre alleen over het schoolplein liep, maar net zo goed wanneer hij en Erik samen over het schoolplein liepen, kwamen de raadsleden naar hem toe om zogenaamd een rookvisitatie te houden, knepen hem in een vetrol en gaven hem af en toe een draai om de oren. Langzamerhand werd het geweld tegen Pierre opgevoerd. Nooit tegen Erik, altijd tegen Pierre.

In november had Pierre al drie eensteeksslagen moeten laten hechten. Toen was hij weer peppers gaan weigeren en korte tijd later had hij opnieuw in de ruit moeten verschijnen. Daarna begon het weer van voren af aan.

Ze grepen hem met een stel tegelijk op het schoolplein, trokken zijn broek omlaag en rukten zijn onderbroek uit, waarna ze zijn broek heen en weer gooiden, terwijl ze hem belachelijk maakten vanwege zijn naakte onderlijf.

Zodra ze de gelegenheid hadden, trapten ze hem tegen zijn achterwerk, rukten zijn bril af en gooiden die met een grote boog over het schoolplein, sloegen hem op zijn hoofd, gaven hem felle elleboogstoten in zijn nieren als ze vlak langs hem liepen op de trap naar de eetzaal, knepen hem in zijn neus en gaven hem knietjes in zijn onderlijf – dag na dag en nacht na nacht. Af en toe hielden ze drie, vier nachten achtereen een razzia in de kamer van Erik en Pierre. Ze haalden dan Pierres bed overhoop en spoten er tandpasta en andere dingen overheen terwijl ze er nauwkeurig op toezagen dat ze niets aanraakten wat van Erik was.

In november kreeg Erik een onderhandelingsbod van de vakbond. Natuurlijk was het een officieus proefballonnetje waar hij zich naar buiten toe nooit op zou kunnen beroepen en dat in het voorkomende geval door iedereen zou worden ontkend. In elk geval hadden de gekozen leden van de vakbond reden om aan te nemen – aangezien ze op informele basis overleg hadden gehad met de betrokkenen – dat de raad van plan was Pierre niet langer te treiteren. Maar er was een tegenprestatie voor nodig. Misschien kon Erik wel bedenken welke tegenprestatie dat was? Jawel, maar het antwoord was nee. Dat zou toch betekenen dat hij niet solidair was met een vriend? Jawel, dat klopte. Het was walgelijk. Maar het antwoord was nee. Erik was echter helemaal niet meer zeker van zijn zaak. Wat maakte het uit als Silverhielm hem eens een keer op zijn schedel sloeg? Het najaarssemester was bijna voorbij, spoedig zou de eerste sneeuw vallen. Dan de kerstvakantie en daarna nog vijf maanden, het laatste semester. Vijf maanden tijdelijke capitulatie. Maar hoe kon je er zeker van zijn dat zij zich van hun kant aan de stilzwijgende afspraak zouden houden? Als Erik hen liet zien dat dit zijn grote zwakke punt was, wat zou hen er dan van weerhouden om gewoon door te gaan met Pierre te treiteren? Het was toch zonneklaar dat ze een overtreding van paragraaf 13 wilden forceren? En als hij nu toegaf, zouden ze begrijpen dat dit de juiste methode was, dat Erik als ze zo door zouden gaan uiteindelijk een raadslid in elkaar zou slaan en dan was het over en uit voor hem.

Maar je kon niet zeker weten of ze zo dachten. Misschien zouden ze er genoegen mee nemen dat Erik in het vervolg zijn hoofd boog voor een pepper, misschien zouden ze dan in elk geval kunnen zeggen dat ze gewonnen hadden en de orde hadden hersteld. Het ging niet goed met Pierre en het was duidelijk aan hem te merken dat hij het op den duur niet zou volhouden.

'Ik word er gek van, Pierre. Toen ze mij dat onderhandelingsbod deden, deed ik alsof ik er geen woorden aan vuil wilde maken, alsof ik er geen seconde over na wilde denken. Maar ik houd het niet uit, wat moeten we doen?'

'In wezen ben ik het met je eens. Als jij nu toegeeft, zullen ze mij des te harder aanpakken om te zorgen dat jij over de schreef gaat, zodat je van school wordt gestuurd.'

'Ja, maar in dat geval... nee, je kunt er niet zeker van zijn.'

'Nee, natuurlijk niet.'

'Dan moeten we er maar mee akkoord gaan.'

'Nee, we proberen in plaats daarvan om tijd te winnen. Over veertien dagen en misschien nog eerder vertrek ik naar Zwitserland. Het maakt niet uit of ik het laatste deel van het semester mis, omdat ik toch de beste van de klas ben. Ik ben dan met de kerstdagen en tot het begin van het voorjaarssemester bij mijn vader in Zwitserland. We gaan niet naar Genève, waar mijn vader werkt, maar naar Zermatt om te skiën.'

'Dan ga ik ook naar Zermatt. Ik heb nog bijna zesduizend op m'n spaarbankboekje staan en ik heb m'n paspoort bij me, hier op school. Maar ik wacht tot het semester is afgelopen.'

'Ik weet niet of je bij ons kunt logeren. Ja, wat mij betreft is het natuurlijk prima, maar dan moet ik mijn vader schrijven.'

'Dat doet er niet toe, ik heb immers geld, ik neem wel een hotel. Jij regelt een kamer voor mij zodra je daar bent.'

'Ja, zo winnen we in elk geval tijd. En daarna zijn ze het misschien wel beu, dan denken ze misschien wel dat het bij jou toch nooit werkt.'

'Houd je het nog tien dagen vol?'

'Ik denk het wel. Als je iedere dag een kruisje op de muur zet, zie je hoe je telkens een stukje dichterbij komt.'

'Mmm. Maar daarna dan, in het voorjaar?'

'Dat zien we dan wel weer.'

Het werden tien onbeschrijfelijke dagen voor Pierre, voordat hij eindelijk in de taxi zat op weg naar het station van Solhov. Op de muur boven zijn bed stonden tien discrete kruisjes gekrabbeld met een scherp potlood.

～

Zermatt lag aan de voet van de ontzagwekkende berg Matterhorn. Op de dag voor kerst volgden ze de besneeuwde route een stukje naar boven tot het laatste kabelbaanstation. Het zonlicht schitterde in de witte toppen rondom, het uitzicht was prachtig. Pierre wees een aantal van de andere toppen aan. Daarginds in de verte lag de Weisshorn, daar lagen de Breithorn en de Lyskam en daar vlak naast Castor en Pollux. Aan de andere kant van de Monte Rosa lag Italië. Maar die bergen waren niets vergeleken met de Matterhorn.

Ze keken omhoog naar de top en bleven lange tijd zwijgend staan.

'Ooit ga ik die top beklimmen,' zei Erik.

'Je zult doodvallen als je dat probeert.'

'Misschien, misschien niet. Maar als ik de top bereik, ga ik daar staan en dan schreeuw ik naar de raadsleden: *Kom op, pak me dan als je kan!* De echo rolde omlaag langs de witte berghelling. Daar in de diepte lag Zermatt als een kerstbuffet in een deftige Stockholmse lunchroom.

'Eigenlijk zou ik schrijver willen worden,' zei Pierre, 'maar waarschijnlijk word ik iets wat met cijfers en zaken te maken heeft. Wat wil jij worden?'

'Ik wil advocaat worden,' antwoordde Erik.

∼

De eerste week na de kerstvakantie werd Pierre door de raadsleden met rust gelaten, maar de tweede week begonnen ze weer. Elke maaltijd werd Pierre naar voren gecommandeerd voor een pepper. Elke dag sloegen ze hem een paar keer en elke avond hielden ze een razzia, nog steeds zonder Eriks deel van de kamer aan te raken. Toen Erik op zaterdagavond terugkwam uit het arrestlokaal trof hij Pierre in de kamer aan met zijn ene oog dichtgetimmerd. Pierre lag op zijn bed, het kussen zat onder het bloed.

'Niet zo erg,' zei Pierre, 'alleen maar een bloedneus.'

'Zo gaat het niet langer, Pierre, dit is niet uit te houden.'

'Maar je kunt toch niet toegeven aan zulke zwijnen.'

'Soms moet je wel, als ze met te veel zijn. Soms winnen de zwijnen. De Romeinen wonnen van Spartacus.'

'Maar we kunnen er nog wel even over doordenken. Misschien schiet ons iets te binnen?'

'Ik denk het niet, er zijn maar twee mogelijkheden: óf we geven het op, óf we slaan ze in elkaar en worden van school gestuurd. Een andere keuze hebben we niet.'

'Dan word jij nooit advocaat, ik bedoel als je van school wordt gestuurd.'

'Nee, maar wat zou ik voor een waardeloze advocaat zijn, als ik niet eens mijn beste vriend verdedigde als het erop aan kwam?'

'Zullen we nog even over de zaak doordenken?'

'Ja, maar niet te lang.'

Erik had een hele zondag in arrest om na te denken. Het was nog vijf maanden tot de zomervakantie. Was dat een korte of een lange periode? Voor Pierre zou het een verschrikkelijk lange periode kunnen worden. Voor Erik was het maar vijf maanden en dan was het over en uit. Vijf maanden lang een paar peppers en zo. Wat was erger: slaag krijgen, de vernederende klusjes, schoenen poetsen en bedden opmaken of verliezen van de zwijnen? Verliezen van de zwijnen was natuurlijk het ergste.

Was er een tegenwapen? Aangezien Erik na het voorjaarssemester van school zou gaan en nooit meer terug zou komen, kon hij de laatste week of in elk geval de laatste dagen doen wat hij wilde als het ging om het overtreden van paragraaf 13. Hij kon Silverhielm dus meedelen dat de laatste dagen zo erg zouden worden als Silverhielm nog nooit van zijn leven had meegemaakt.

Nee, verdomme dat ging niet. Nog afgezien van het feit dat een dreigement zover van tevoren natuurlijk zijn beperkingen had, zou zowel Knipperlicht als Silverhielm een maand voordat de andere lessen ophielden eindexamen doen. En daarna zouden ze weg zijn.

Als je vergelding zocht, als je nu eens 's nachts Silverhielms kamer binnensloop en, in het donker, zonder te worden opgemerkt, net als die keer met de gele plastic emmer... Als je opnieuw dat geintje met die plastic emmer zou uithalen?

Dan zou Pierre de volgende dag de prijs moeten betalen.

Als je het dan nog eens deed?

Dan zouden ze in alle hevigheid doorgaan met Pierre te koeioneren. Ze waren immers met twaalf raadsleden, plus een aantal behulpzame vierdeklassers. Het zou niet lukken om ze een voor een 's nachts te besluipen zonder ten slotte te worden opgepakt en dan kon je net zo goed op klaarlichte dag terugslaan.

Maar als hij nu naar de vakbond ging en zei dat hij zich overgaf, dat ze de raad konden zeggen dat hij hun bevelen zou opvolgen op het moment dat de pesterijtjes tegen Pierre ophielden...

Als ze dan toch doorgingen met Pierre?

Nee, waarom zouden ze dat doen, dan hadden ze immers niets bereikt in verhouding tot Erik, want dan liet het zich raden wat Erik met hun verdere orders zou doen.

Het meest logische was ervan uit te gaan dat de overeenkomst zou werken. Als later bleek dat dit niet het geval was, dan hadden ze het in elk geval geprobeerd.

Zo zou het gaan. Alle andere mogelijkheden zouden nog immoreler zijn.

Het was het langste zondagsarrest dat hij ooit gehad had. Hij had geen boek opengedaan. Maar hoe hij de zaak ook wendde of keerde, het resultaat was steeds hetzelfde. Hij moest het opgeven. Er moesten situaties zijn waarin het juist was om het op te geven, zelfs tegenover zoiets als de raad.

In zekere zin was hij opgelucht toen het wachtdoende raadslid met zijn sleutelbos rammelde en de deur opendeed. Hij haastte zich naar zijn kamer om te vertellen dat niemand hem meer van zijn besluit af kon brengen.

'Pierre,' zei hij, toen hij de deur openrukte, 'ik heb besloten...'

Hij bleef als versteend in de deuropening staan.

De kamer zag er koud en leeg uit. Pierres boekenplank was bijna leeg en al zijn spullen waren van de schrijftafel verdwenen.

Hij rukte de deur van de hangkast open. Pierres kleren waren weg. Van Pierres bezittingen was alleen de bandystick achtergebleven.

Op de schrijftafel lag een wit envelopje. *Voor Erik* stond erop, in Pierres keurige handschrift.

Hij ging op het bed zitten met de brief in de hand. Het was niet waar, het mocht niet waar zijn. De brief leek wel te branden in zijn hand. Hij moest hem wel openmaken en de bevestiging krijgen van wat reeds zichtbaar was in de kamer. Pierre was weg. Die klootzakken hadden Pierre weggejaagd.

Beste Erik,

Als je dit leest bevind ik me waarschijnlijk ergens boven Duitsland. Ik hield het niet langer uit. Ik ga beginnen op het zogenaamde College Commercial in Genève, dus wat mij betreft zullen het inderdaad wel cijfertjes en zaken worden.

Je moet niet denken dat ik laf ben. Ik heb het geprobeerd, zolang ik kon.

Ik zou je nog zoveel meer willen zeggen, maar dat red ik niet want de taxi komt zo. Eén ding moet je in elk geval weten, vind ik, en dat is dat je de beste vriend bent die ik ooit heb gehad. Je kunt me schrijven op het adres van mijn vader in Genève. Stel je eens voor dat Algerije vrij wordt!

Je toegenegen vriend Pierre

PS: Ik had geen plaats meer voor de verzamelde werken van Strindberg, veel plezier ermee!

Hij bleef zitten met de brief in zijn hand en las hem telkens opnieuw. Toen liet hij zich langzaam op het bed zakken en boorde zijn gezicht in het kussen. Niets kon de stroom tranen nog tegenhouden. Hij bleef nog lang zo liggen.

Laat in de avond ging hij naar buiten om af te koelen en zijn gedachten te ordenen. De lichten waren al uit, maar een straf voor het feit dat hij nog buiten was zou niet de minste betekenis hebben. Het schoolplein was leeg en donker en het sneeuwde hevig. Om een of andere reden ging hij naar het Forum, het kleine betegelde pleintje naast de woning van de rector, dat gebruikt werd voor officiële toespraken en dergelijke. Op de kalkstenen muur had de koning ooit met krijt zijn handtekening gezet, waarna men de tekst had uitgehouwen en verguld. *Gustaf Adolf* stond er met gouden letters.

Hij voelde aan de tekst en liet zijn wijsvinger de letters van Adolf volgen. Boven hem, in de woning van de rector, brandde licht.

'Ik beloof je, Pierre,' zei hij hardop in zichzelf, 'dat ik dit zal wreken, ik zal het ze betaald zetten. Maar net als toen je nog hier was, zal ik er eerst zorgvuldig over nadenken, zodat ik niet zoiets stoms doe als waar ik nu zin in heb. Maar ik zweer het, Pierre, dat ik dit zal wreken. Ik zweer het.'

Toen hij in bed lag, kwamen de tranen opnieuw.

De volgende middag zag de Kraanvogel lijkbleek toen hij met de lippen op elkaar geklemd binnenkwam voor de biologieles.

'Wat zijn jullie eigenlijk voor klootzakken,' begon hij, 'begrijpen jullie niet wat je gedaan hebt!'

De klas staarde omlaag naar de banken.

'Jij bijvoorbeeld, Erik! Jullie waren goede vrienden. Had jij hem niet kunnen verdedigen!'

Erik bloosde en keek niet op van de cirkel die hij met zijn potlood aan het tekenen was.

'Geef me in elk geval antwoord, waarom heb je hem niet verdedigd? Ben je net zo laf als de anderen?'

'Je wordt van school gestuurd als je een raadslid slaat,' mompelde Erik.

De Kraanvogel bleef er wel een kwartier over doorgaan. Pierre was een van de meest begaafde leerlingen geweest die ooit op Stjärnsberg hadden gezeten. En hier zat een hele groep klasgenoten die geen van allen een vinger hadden uitgestoken. Waarom waren ze bijvoorbeeld niet naar de vakbond gegaan (de Kraanvogel begreep dus absoluut niet hoe het in elkaar zat), waarom hadden ze niet met een paar man de handen ineengeslagen en Pierre beschermd? Zo op het oog leken het in elk geval mensen, die de Kraanvogel voor zich had. In de dierenwereld gaan de exemplaren die fysiek zwakker zijn dan hun omgeving ten onder, maar de mens had zijn leven toch al miljoenen jaren lang anders ingericht. Wat de mens onderscheidde van de dieren was niet alleen de intelligentie, maar ook de moraal, het vermogen onderscheid te maken tussen goed en kwaad. Maar ze hadden zich als dieren gedragen, als aasgieren die erop zaten te wachten tot de leeuw de prooi zou doden. Het was onwaardig, onbehoorlijk, ongelofelijk. Hadden ze dan geen fantasie? Wat zouden zij ervan vinden als een van hen in Pierres situatie belandde en hun klasgenoten geen vinger uitstaken om te helpen? Er moest een eind aan komen, hij zou de zaak persoonlijk opnemen met de rector. Wat zij daarna moesten doen was wel het minste wat je kon eisen: ze zouden die tirannie niet langer moeten accepteren.

Toen ging hij met de les verder – net als anders, maar toch anders dan anders.

Toen de les voorbij was, ging de klas bedrukt zwijgend naar buiten. Een stukje verderop in de gang begon de Havik plotseling de Kraanvogel na te doen: 'Waarom gaan jullie niet naar de vakbond?'

En hij begon te lachen.

Maar toen sloeg de verdeeldheid als een bliksem in onder de klasgenoten. Erik deed twee stappen naar voren, draaide de Havik om en duwde hem tegen de muur. De anderen verzamelden zich achter zijn rug en ondanks het geluid van zijn woest kloppende pols hoorde hij hoe ze hem aanmoedigden om die rotzak zijn verdiende loon te geven. De Havik was doodsbang. Erik verstevigde zijn greep en stootte hem langzaam en heel zachtjes tegen de muur achter hem.

'Weet je waarom ik je niet ga slaan, rotzak?' vroeg hij. 'Nee, dat weet je niet, omdat je nu eenmaal zo stom bent als je bent. Maar als ik je zo'n aframmeling zou geven als je verdiend hebt, zou dat je dood worden en dat ben je me niet waard. Verdomde kip die je bent, vanaf nu heet je Haantje in plaats van Havik!'

Achter hem stonden de klasgenoten juichend te applaudisseren. 'Haantje! Haantje!' riepen ze in koor en klapten in hun handen om de bijnaam in de maat te scanderen.

Erik liet het Haantje los en draaide zich om.

'Nou,' zei hij, 'is er hier iemand die in het vervolg nog iets met die zogenaamde vakbond te maken wil hebben? Met dat kippenhok, nou?'

'We maken een lijst en eisen dat ze aftreden,' stelde iemand voor.

De hele klas ondertekende de lijst – behalve het Haantje en zijn twee vrienden – en in de volgende pauzes en tijdens de lunch ging een aantal klasgenoten rond in de onderbouw om handtekeningen te verzamelen. Aan het einde van de dag had meer dan negentig procent zijn handtekening gezet. De vakbond moest worden afgezet, dat schreef het reglement voor. De raad was verplicht het te accepteren. Op dit punt was het reglement niet mis te verstaan. Als de onderbouw aantoonbaar geen vertrouwen meer in de vakbond had, moest deze worden afgezet. In het geval van Pierre waren ze te ver gegaan. Op één uitzondering na bleek er in de hele onderbouw niemand te zijn die vond dat wat ze Pierre hadden aangedaan een staaltje van goede kameradenopvoeding was. Toch was er een vonk nodig geweest om de revolte op gang te brengen.

Opmerkelijk genoeg had een leraar de lont in het kruitvat gestoken.

Het sneeuwde stilletjes die avond. Na een stiekeme sigaret op hun vaste schuilplaats liep Erik een blokje om over de grote weg rond de school. Hier en daar stonden jongens met rookpermissie te roken. Hier en daar probeerden vierdeklassers indruk te maken op de Finse serveersters, die 's avonds gewoonlijk een poosje buiten wandelden. Erik had zich niet bekommerd om de Vademecum-procedure; ze hadden al een hele tijd geen rookvisitaties meer bij hem uitgevoerd. Toen hij echter dicht bij een paar jongens kwam die zo hard stonden te praten dat het duidelijk was dat er een stel Finse meisjes in de buurt moest zijn, herkende hij een van de raadsleden aan zijn stem. Hij kon natuurlijk voor alle zekerheid omkeren.

Maar in een plotselinge opwelling trok hij alleen de gebreide muts over zijn gezicht toen hij de groep naderde. Met enige moeite kon hij dwars door het gebreide patroon heen kijken. Toen hij vlakbij de groep was gekomen werd de eigenaardige vermomming natuurlijk ontdekt.

'Hé daar, stop eens even? Wie ben je?' vroeg het raadslid, een vierdeklasser.

Erik liep rustig verder en toen hij recht voor de anderen stond nam het raadslid, precies zoals verwacht, een aanloopje om hem in de kraag te grijpen. Erik sprintte snel weg voor de verbaasde vierdeklasser en op een veilige afstand trok hij de muts op tot boven zijn ogen en liep verder alsof er niets gebeurd was. De vierdeklasser nam opnieuw een aanloop en Erik liet hem heel dichtbij komen, voordat hij er spelenderwijs vandoor ging.

Ver weg in het donker hoorde hij de verschillende dreigementen van het raadslid en het bevel om onmiddellijk te blijven staan voor een rookvisitatie. Erik liep met een omweg rond de school om een eventuele achtervolger op een dwaalspoor te brengen.

Op zijn troosteloze kamer gekomen, gooide hij zijn kleren over de schrijftafel en ging op zijn rug op bed liggen. Het bracht hem op een idee. Als je er goed over nadacht ging de halve onderbouw gelijk gekleed. Bijna iedereen had een *yacht-jacket*, een ruim blauw jack met dikke voering, waarmee je volgens de reclame zou blijven drijven als je overboord sloeg. Het waren die zeilfanaten uit Gothenburg die deze mode op school hadden ingevoerd en nu had bijna iedereen hetzelfde jack.

De spijkerbroek was het meest gebruikelijke type broek en als schoeisel droegen de meesten een paar *duffel boots*, een soort vilten schoenen met rits die op overschoenen leken. Erik stond op van zijn bed en zette zijn blauwe gebreide muts op. Ook dat klopte, de meesten hadden net zo'n muts.

Hij pakte een schaar uit de la van de schrijftafel en knipte drie gaten in de muts, voor de ogen en voor de mond. Toen trok hij het jack aan, trok de muts over zijn hoofd en liep naar de spiegel.

Door het onhandige jack zag iedereen er ongeveer even groot uit, je kon niet zien of er een dikke of dunne jongen onder schuilging.

In het donker kon je niemand aan de ogen herkennen. En als ze de muts met gaten niet vonden, zouden ze nooit...

Als je de muts dus maar ergens buitenshuis verstopte en je sporen in de sneeuw in de gaten hield...

Erik gebruikte de volgende dag om de details van het plan verder uit te werken, een nieuwe muts te kopen en handschoenen en andere details te bestuderen die hem zouden kunnen verraden, bijvoorbeeld een horloge. Hij moest zijn horloge afdoen als hij aan de slag ging. Het plan kon vrijwel niet mislukken. En hij had het Pierre beloofd, hij had zelfs gezworen om dit te doen.

'Oké, Pierre,' mompelde hij in zichzelf toen hij die avond naar buiten liep, 'ik heb maar één keer gevochten terwijl jij hier was. We moesten immers intellectuele methoden gebruiken. Maar nu is het afgelopen, Pierre.'

Hij boog af naar het stukje weg waar de vierdeklassers gewoonlijk stonden en trok de muts over zijn gezicht.

In de eerste groep stonden geen raadsleden of vierdeklassers. Ze riepen verwonderde kreten naar hem toen hij voorbijliep, maar hij antwoordde niet. Het was van belang dat hij absoluut niets zei.

In de volgende groep stonden twee raadsleden, een stel jongens van het gymnasium en drie meisjes van het bedienend personeel. Toen hij op vijf meter afstand was bleef hij staan. Het duurde een poosje voordat ze hem ontdekten, het was tamelijk donker. Toen vroeg iemand wie hij was. Hij antwoordde niet.

'Hier komen voor visitatie,' commandeerde een van de raadsleden.

Hij antwoordde niet, maar besloot welk raadslid het zou worden: de vierdeklasser links was degene die zich het meest vermaakt had met het omlaag trekken van Pierres broek.

'Hier komen, zei ik!' schreeuwde het raadslid, alsof hij een hond commandeerde.

Als het juiste raadslid naar voren kwam, zou hij blijven staan. Anders zou hij wegrennen, zodat ze een stukje achter hem aan moesten lopen voordat hij zich omkeerde en... dan zou hij ze dus allebei te lijf gaan.

Maar het was het juiste raadslid dat plotseling een paar vastberaden stappen in zijn richting zette en zijn hand uitstrekte om de muts weg te rukken.

Erik sloeg hem recht in de maag en stootte het dubbelgeklapte raadslid met zijn rechterknie in het gezicht. Toen deze op de grond viel, ging hij snel boven op hem zitten en hief zijn rechterarm ver omhoog om voldoende kracht te hebben om met de zijkant van zijn hand tegen de neusrug te slaan.

Toen stond hij op en deed een stap terug. Het raadslid aan zijn voeten kreunde en kronkelde een beetje. De plas bloed in de sneeuw werd snel groter. De anderen stonden stokstijf van verbazing. Raadslid nummer twee schreeuwde zoiets als dat hij verdomme wel gek leek.

'Wie ben je, zeg wie je bent? Je bent Erik, hè?'

Erik maakte een lokkend gebaar met zijn rechterhand, alsof het raadslid dichterbij moest komen. Maar in plaats daarvan deed het raadslid een korte, aarzelende stap terug. Toen begon Erik op hem af te lopen. Geen van de anderen maakte een beweging die erop duidde dat ze zich ermee wilden gaan bemoeien.

'Nee, je bent niet goed wijs, je wordt van school gestuurd, snap je niet...' zei het raadslid en begon achteruit te lopen.

Erik vergrootte zijn passen en het raadslid begon te rennen. Toen Erik achter hem aan rende constateerde hij met een snelle blik over de schouder dat geen van de anderen hem volgde. Toen versnelde hij, haalde het raadslid in en liet hem vallen door hem van achter beentje te lichten.

Het raadslid lag op zijn rug en hield zijn handen voor zijn gezicht.

'Erik, je bent gek, je mag niet... laat los, niet doen, ik zal nooit...'
Erik bracht zijn linkerhand naar het kruis van het raadslid, terwijl hij zijn rechterarm hoog optilde. Toen greep hij de testikels vast en terwijl het raadslid in een reflex zijn handen voor zijn gezicht weghaalde om de pijn in de testikels af te weren, sloeg hij tegen de neusrug. Twee keer, voor alle zekerheid.

Toen stond hij op en keek in het donker naar de anderen. Ze stonden daar nog steeds. Iemand had zich over de bloedende vierdeklasser gebogen en probeerde hem op de been te krijgen.

Erik bekeek het raadslid dat op de grond voor hem lag. Het neusbeen, dacht hij, het werd weer het neusbeen. Die twee kwamen voorlopig niet terug en dan waren er nog maar tien over.

Toen ging hij terug naar de andere groep. Het beste en het veiligste zou zijn om in die richting te verdwijnen. Toen hij ter hoogte van de groep was gekomen, hadden ze het raadslid weer op de been gekregen. De jongen stond voorovergebogen en wankelde zijdelings heen en weer. In de witte sneeuw lag minstens een deciliter bloed.

Erik bleef op twee meter afstand staan. Ze staarden hem aan alsof ze betoverd waren, maar zeiden niets. Toen liep hij verder over de weg en liet zich door het donker opslokken.

De volgende dag was de school één gonzende bijenkorf van geruchten. Twee raadsleden waren 's nachts naar het ziekenhuis gebracht en iemand had van de zuster gehoord dat ze er zo slecht aan toe waren, dat ze de eerste weken niet terug zouden komen. Een jongen met een soort zwart masker was gewoon op ze afgestormd en had ze in elkaar geslagen en het was zo snel gegaan dat niemand die in de buurt was iets had kunnen doen. Het was een grote jongen geweest, minstens een meter vijfentachtig lang. (Dat wilde zeggen dat ze een decimeter overdreven.) Hij had geen kik gegeven, maar ze gewoon neergeslagen.

Tijdens de eerste pauze deden de wildste speculaties de ronde in de klas. Stel je voor dat het iemand van buiten was, een of andere idiote boerenpummel of zoiets? Een ontsnapte moordenaar? Want er zat toch niemand op school die...

Plotseling stopten de speculaties.

'Was jij het, Erik?' vroeg Arne.

'Als ik dat gedaan had, zou ik van school worden gestuurd als ik die vraag met "ja" beantwoordde.'

Ze stormden op hem af en sloegen hem op de rug. Verdomme, dat was pas goed! Dat was precies wat ze nodig hadden na dat gedoe met Pierre. Het zou wel net zo gegaan zijn als die keer in de ruit, toen hij nieuw was. Wat was dat ook weer voor een slag en hoe deed hij dat?

'Ik heb geen idee, ik was er gisteravond niet bij,' lachte Erik, 'maar ik kan wel raden hoe het toeging. Als het klopt dat hun neus gebroken is, dan is het de vraag of iemand ze met een baton heeft geslagen of met de zijkant van de hand, zo ongeveer!'

Erik sloeg met zijn hand op het blad van een schoolbank, zodat het daverde door de klas.

'Zo moet het volgens mij gebeurd zijn,' zei hij.

Tijdens de lunch staarde Silverhielm hem langdurig aan. Hij sperde zijn mond open en liet Silverhielm zijn tanden zien in een grimas die absoluut niet als een glimlach bedoeld was. Silverhielm wendde zijn blik af.

's Avonds na de krachttraining en het zwemmen ging hij naar zijn kamer om de razzia af te wachten.

De razzia – die natuurlijk alleen zijn kamer betrof – kwam al vijf minuten voordat de lichten uitgingen. Er stormden vijf raadsleden tegelijk naar binnen die in zijn kleding in de bureaula en de hangkast begonnen te wroeten. Ze bekeken zorgvuldig zijn handschoenen, maar Erik had ze al gecontroleerd en gezien dat er geen spatje bloed op zat. Een van hen trok triomfantelijk een blauwe muts uit zijn jaszak, maar toen ze hem ijverig uitvouwden, merkten ze tot hun teleurstelling dat de muts helemaal heel was. (De andere muts had hij veilig opgeborgen, diep in het bos.)

'Nou, vinden jullie nog iets spannends?' schamperde Erik vanaf zijn bed. 'Jullie zoeken toch niet naar een soort zwart masker, hè?'

'Doe niet zo stom!' schreeuwde Silverhielm. 'We weten wel dat jij het was!'

'Nee maar, Schijthelmpje, begin je nu weer? Dat hele verhaal hebben we toch al eens gehad? Ik wil je eraan herinneren dat je mij brutaal hebt aangeklaagd omdat ik ooit "anderzins" poep en pis over je gezicht zou hebben gegooid, zo was het toch?'

'Het kan niemand anders dan jij zijn geweest! Waag het niet!'

'Ach, stel je voor dat Pierre hier rondsluipt in de bosjes...'

'We zullen het hier tot een hel voor je maken. Je moet niet denken dat je hiermee weg komt!' schreeuwde Silverhielm.

Silverhielm stond midden in de kamer en keek rond alsof hij onmiddellijk tot de aanval wilde overgaan. Toen stond Erik op en liep twee stappen door de kamer, zodat hij met zijn gezicht slechts een decimeter van Silverhielms gezicht verwijderd was.

'Je kunt dreigen wat je wilt, klootzak, maar onthoud één ding: je moet vooral proberen om het voor mij tot een hel te maken, dan zal ik je één goede raad geven en dat is dat je nooit alleen in het donker moet lopen en altijd over je schouders moet kijken als je 's avonds nog naar buiten wilt. Nou, waar wacht je op, sla toe als je wilt.'

'Je be... bekent,' stamelde Silverhielm.

'Ach wat! We hebben het veel te lang laten slepen, Schijthelm. Natuurlijk ken ik die jongen die hier 's nachts wraak neemt. Ik kan net zo goed de groeten van hem aan jou overbrengen, als van jou aan hem. Je begrijpt heel goed wat ik bedoel. Lever de bewijzen maar, als je mij wilt laten schorsen.'

Silverhielm brabbelde nog een paar dreigementen voordat hij zijn mensen meenam en vertrok.

Nu moest hij zorgvuldig nadenken. De enige manier waarop ze bewijzen konden krijgen was als ze hem met muts en al zouden grijpen. Dat was niet zo moeilijk te vermijden. Maar in zeker opzicht hadden ze geen bewijzen nodig. Ze konden een kookpartij of iets dergelijks organiseren en hoe moest je daarop reageren?

Ze konden alle tien komen en hem op de grond dwingen en met een knuppel in zijn gezicht slaan. Dat was eigenlijk het meest logische antwoord.

Op dit moment zaten ze dat natuurlijk te bespreken. Als ze met meerdere jongens zaten te argumenteren, wilden ze tegenover de anderen hun angst niet laten zien. Dan ging het in de richting van een discussie over verschillende wraakacties. Maar als ze nadachten zouden ze tot de conclusie komen dat het het beste zou zijn om Erik op heterdaad te betrappen, aangezien ze dan voorgoed met hem zouden kunnen afrekenen. Als ze de zaak van alle kanten hadden bekeken, zouden ze zeker voor die oplossing kiezen, vooral omdat ze diep vanbinnen eraan twijfelden of Erik zich nogmaals zou laten koken. Tien raadsleden en mogelijk enkele vierdeklassers zouden de komende tijd als een lynchmenigte rondtrekken over de wegen. Ze zouden de eerste avonden het waakzaamst, het ijverigst en met de meeste personen zijn. Maar na drie of vier avonden zou de situatie beter worden. Het was pas midden januari en het zou nog tot begin maart donker blijven.

De meeste raadsleden zouden dit jaar eindexamen doen. Hoe meer het eindexamen naderbij kwam, hoe minder bereid ze zouden zijn om een ongeval te krijgen. Dat was een even redelijke als belangrijke conclusie. Hij moest avondwandelingen gaan maken. In plaats van het zwemmen moest hij 's avonds gaan wandelen over de wegen. Anders zou het onvermijdelijk uitkomen dat de onbekende met het masker alleen toesloeg op de avonden dat Erik niet zwom. Het zou immers kunnen zijn dat de rector dat gegeven, in samenhang met alle andere aanwijzingen, als bewijs zou beschouwen. Avondwandelingen, dat was de oplossing. Met of zonder muts met gaten.

Wellicht was er nog een manier om al hun geweld in één keer te vertragen en hen ertoe te brengen om in plaats daarvan bewijs te gaan verzamelen. Hij kon zijn weerzinwekkende dreigement aan het adres van Silverhielm herhalen. Hij kon zich aan het ontbijt nogmaals over Silverhielm heen buigen en datgene fluisteren wat hij het liefst wilde vergeten. Zoals de situatie nu was, zou Silverhielm nog sneller geneigd zijn het te geloven dan de vorige keer.

Toen Erik de volgende morgen langs Silverhielm liep, boog hij zich snel voorover en fluisterde de weerzinwekkende woorden in Silverhielms oor.

's Avonds ging hij wandelen.

De lucht was helder en het was halve maan. Hier en daar langs de weg stonden groepjes gymnasiasten met of zonder de meisjes van de mess. Alles zag er bijna net zo uit als anders, als je buiten beschouwing liet dat de groepen op merkwaardig gelijkmatige afstand van elkaar stonden en dat er hier en daar in de sneeuw duidelijke sporen naar het bos zichtbaar waren. Dachten ze dat het zo eenvoudig zou gaan?

In de eerste groep stonden geen raadsleden, maar twee vierdeklassers. Ze keken hem lang na terwijl hij voorbijliep, iemand gaf hem een schimpscheut.

In de tweede groep stonden drie raadsleden die zich achter de rug van de anderen in het gezelschap probeerden te verschuilen. Toen hij op gelijke hoogte met het gezelschap was gekomen, stormden de raadsleden op hem af, rukten aan zijn armen en begonnen de muts met gaten te zoeken. Maar vanavond was zijn muts heel.

'Nou, zijn jullie klaar met de visitatie?' vroeg hij, terwijl hij een blik over zijn schouder wierp. Ja, degenen die zich in het bos hadden schuilgehouden, waren tevoorschijn gekomen, naar het scheen om een vlucht naar achteren te blokkeren. Dachten ze dat hij per se langs die weg zou vluchten, als hij ervandoor moest?

Met zachte dwang maakte hij zich los uit hun greep.

'Nu heb ik dus de visitatie niet geweigerd,' zei hij, 'dus ik kan gaan.'

Ze aarzelden en keken elkaar aan.

'Of wegrennen als ik daar zin in heb,' zei hij, keerde zich om en liep met zijn oren gespitst, zodat hij wist wanneer hij er bliksemsnel vandoor moest gaan.

Kennelijk liep een van hen hem achterna. Naar de stappen te oordelen was het er maar één. Als het er maar één was zou hij zich gemakkelijk kunnen losrukken en wegrennen. Zonder paragraaf 13 te overtreden.

'Wacht,' zei ze, 'loop niet zo snel.'

Hij draaide zich verbaasd om. De groep met de anderen stond inmiddels dertig meter verderop en ze was alleen.

'Hoi,' zei ze, 'ik ben het, Marja.'

Ze had een zwaar Fins accent.

'Wat wil je?' vroeg hij zonder de groep raadsleden in de verte, die nu versterking had gekregen van degenen die zich in het bos hadden verstopt, aan zijn aandacht te laten ontsnappen.

'Wees eens niet zo ontzettend achterdochtig,' zei ze in haar zingende taaltje, 'ik wil alleen maar met je praten. Ben jij Erik?'

'Ja, dat ben ik.'

Ze kwam rustig naar hem toe en pakte hem zonder te aarzelen bij de arm.

'Kom, we gaan een stukje lopen,' zei ze.

Ze liepen langs de volgende hinderlaag. De situatie was hen duidelijk en ze hadden begrepen dat Erik voldoende gefouilleerd was.

Bovendien maakte haar aanwezigheid het wellicht een beetje moeilijker om naar voren te springen en het bevel tot visitatie te geven. Ze konden voorbijlopen zonder dat iemand ingreep.

'Ik zag je hier laatst op een avond,' zei Marja, 'het was sjietterend om te zien.'

Hij dacht even na. De sneeuw knerpte onder hun voeten.

'Ik begrijp niet wat je bedoelt,' zei hij op een toon alsof hij helemaal niet nieuwsgierig was.

'Toen je die verduuvelde keejrels op hun bek timmerde.'

Hij had dat eerder gehoord. Het kon niet missen.

'Dat weet ik,' zei hij, 'die keer dat ze mijn beste vriend in de ruit in elkaar wilden timmeren, was er iemand daarboven die *verduuvelde Sjijthelm* schreeuwde. Dat moet jij geweest zijn.'

'Ja, zeker was ik dat,' zei ze.

De sneeuw knerpte onder hun voeten. Ze waren blijkbaar de laatste groep gepasseerd.

'Was jij hier op die avond dat de raadsleden een aframmeling kregen?' vroeg hij.

'Ja, ik heb het allemaal gezien. Het was sjietterend om te zien.'

'Waarom denk je dat ik het was?'

Een poosje liep ze zwijgend verder en keek naar de grond, naar haar spitse Finse leren laarzen. Ze was een stukje langer dan hij en waarschijnlijk twee of drie jaar ouder.

'Thuis heb ik een broer die net zo is als jij,' zei ze. 'Hij zegt niet zoveel, maar hij kan ontzettend boos worden als hij onrecht ziet. Hij heet Mikko.'

Vervolgens weer die stilte.

'Waar kom je vandaan in Finland? Helsingfors?'

'Nee, niet uit Helsinki. Uit Savolaks.'

Savolaks. Het klonk mooi, maar het zei hem niets.

'Ben je van plan ze allemaal te pakken te nemen, een voor een?' vroeg ze met een vanzelfsprekende toonval.

Ze *was* het die naar Schijthelm had geschreeuwd en het raam had dichtgeslagen, die keer. Het was onwaarschijnlijk dat het een valstrik was. Hij geloofde niet dat ze samenwerkte met de raad.

'Ja,' zei hij. 'Het liefst zou ik ze allemaal te pakken nemen. Een voor een.'

'Je bent net als Mikko,' zei ze na een poosje. 'Toen ik laatst thuis was en vertelde over je vriend, zei hij dat lui zoals de raadsleden een collectieve afstraffing moesten hebben, dat het precies was zoals je je de "witte kant" voorstelt. Tijdens de klassenoorlog, je weet wel.'

Hij begreep het, maar begreep het ook niet. De Finse Winteroorlog? De witte kant? Nee, maar dat Silverhielm een 'collectieve afstraffing' moest hebben, was zo klaar als een klontje.

'We moeten omkeren,' zei hij, 'over twintig minuten gaat de bel en dan moeten jochies zoals ik binnen zijn.'

Ze hield nog steeds zijn arm vast. Ze zeiden niets; alleen de sneeuw knerpte in de maat onder hun stappen.

Ze kwamen onvermijdelijk bij het kleine trapje dat naar de mess leidde, dat streng verboden terrein voor hem was.

Hij zag haar gezicht duidelijk, van dichtbij.

'Kom je morgenavond weer buiten?' vroeg hij en keek omlaag naar haar spitse leren laarzen.

'Ja,' zei ze, 'zeker doe ik dat. Om acht uur bij de kiosk aan de weg.'
Toen keerde ze zich om en was weg. Hij bleef een tijdje staan luisteren
naar haar knerpende stappen tot hij niets meer hoorde.

~

De volgende avond kuste ze hem. Toen ze de anderen ver genoeg achter
zich hadden gelaten, boog hij zich naar haar voorover om – dat zei hij
tenminste – haar wangen te ruiken, die geur van lelietjes-van-dalen die
hem nog jaren zou achtervolgen, die nog lang een symbool van schoon-
heid zou zijn, waarvan je later zou weten dat het heel goedkope eau de
cologne was en die nog veel later zou wegzakken in het geheugen als een
klein korreltje onverwoestbare astrale materie; die geur was de aanleiding of de oorzaak dat hij zich vooroverboog naar haar wang en zij langzaam haar handen ophief en de uitgestrekte handpalmen tegen zijn wangen legde, zodat ze hem voorzichtig naar zich toe kon trekken om hem
te kussen.

Zijn verliefdheid was even vanzelfsprekend en onweerstaanbaar als de
watervallen wanneer een dam in de bovenloop van een rivier doorbreekt.
Maar aanvankelijk kon hij niet begrijpen waarom ze hem die avond achterna was gelopen. Hij had haar wel eens gezien door de ronde ramen
van de keukendeuren, ja, en misschien had hij gezien dat ze hem goed in
zich opgenomen had en zeker, hij had wel eens naar haar gegluurd, maar
toch?

Ze vertelde over die andere wereld op Stjärnsberg, over de mess waar
iedereen 's avonds Fins praatte, over hoe ze soms nog tot diep in de
nacht bleven doorpraten over Stjärnsberg als een plek voor *de witten*,
voor lui die zouden opgroeien tot onderdrukkers, kortom tot klassenvij-
anden. Hoe ze toch om diverse redenen 's avonds naar buiten gingen en
zich het hof lieten maken door de rijke jongens, die meer zakgeld hadden dan zij in twee weken als loon verdienden. En iedereen had daarvoor
zo zijn eigen motief, zoals een bekende van haar uit Savolaks, die dacht
dat ze een rijke vent aan de haak kon slaan. Begreep hij trouwens niet dat
het daarom zo streng verboden was om 's nachts de mess te bezoeken? Er
waren echter ook meisjes zoals zijzelf, die zich niet konden indenken dat
ze zich aan zo'n klassenvijand zouden overgeven.

Er was iets liefs en angstigs in de duidelijke, directe manier waarop ze over de vijand sprak, ook al was haar manier van denken over de vijand anders dan die van hem. Kon je mensen haten, alleen omdat ze veel geld hadden? Ja, misschien als je uit Savolaks kwam en 125 kronen per week verdiende en geen lid mocht zijn van een vakbond.

'Maar in dat geval ben ik toch ook...?' vroeg hij ongerust omdat hij de vraag had opgeworpen, maar tegelijkertijd ontzettend nieuwsgierig.

'Nee, jij bent niet zo,' antwoordde ze kort. 'Ik heb je ook gezien toen je de eerste keer in de ruit was. Het was mooi om te zien. En toen vorige week, je weet wel.'

'Hoe wist je dat ik het was?'

'Wie had het, verdorie, anders moeten zijn?'

Ze voerde hem almaar verder mee op haar eigen pad. Als een betoverd wezen, dacht hij euforisch, als een wezen uit een sprookje; haar zingende taaltje, haar volkomen natuurlijke wens dat hij de raadsleden zoveel slaag zou geven als ze konden verdragen en meer dan dat – hoe kon een meisje zo zijn? Haar eigen geheimzinnige land was het land Savolaks, waar goed en kwaad even gemakkelijk te onderscheiden waren als zwart en wit; waar raadsleden een collectieve afstraffing moesten hebben en ook zouden krijgen van Mikko en haar andere broer.

Daarbij de zwakke geur van lelietjes-van-dalen in de winternacht, haar volkomen pure gezicht en soepele lichaam, haar handen die hem vastpakten alsof alles wat moeilijk was of wat achteraf veranderde in verhalen in een taal zoals die van de burgerbescherming, helemaal niet moeilijk was. Door dat alles werd hij steeds verder meegesleurd in de verliefdheid.

Ze werkte vier avonden en had vier avonden vrij in een voortdurende kringloop, de zaterdag of zondag uitgezonderd.

Toen haar volgende dienst van vier avonden werken begon, ging Erik naar zijn verstopte muts in het bos. Hij was ondergesneeuwd, er waren geen sporen in de buurt, niemand was hem gevolgd. Hij liep door het bos, voorbij de plek waar ze vorig voorjaar een koperwiek hadden gezien (al die plekken in het bos kenden hij en Pierre op hun duimpje), zodat hij midden op de weg uitkwam, dus noch uit de richting van de school, noch uit die van de kiosk.

Toen naderde hij de eerste groep rokers en praters in het donker. Het laatste stukje hield hij zijn pas een beetje in, zodat ze niet meteen de muts met de drie gaten zouden ontdekken. Nee, hier was geen van de jongens naar wie hij op zoek was. Ze werden stil toen hij voorbijliep. Toen hij een stukje verder was versnelde hij zijn pas, zodat niemand op tijd op het pad naast de grote weg zou kunnen wegrennen om de anderen te waarschuwen die wellicht verderop zaten; in de verte ontwaarde hij al een paar gloeiende sigaretten.

Maar niemand leek hem achterna te willen gaan. Hij bleef staan luisteren. Nee, niemand bewoog zich op het pad in het bos. Het was tien dagen geleden en er waren nog steeds maar tien raadsleden. Twee lagen er in het ziekenhuis.

Algauw was hij zo dicht bij de volgende groep, dat hij hun stemmen kon horen. Hij kwam een paar stappen dichterbij en bleef staan luisteren. Nog een paar stappen. Het was half bewolkt en af en toe verdween de maan helemaal achter de wolken, maar nu en dan werd het plotseling onberekenbaar licht.

Hij kwam nog wat dichterbij en luisterde. De wolken bedekten de maan, ze konden hem vast nog niet zien.

Nee, er was geen twijfel mogelijk. Een van de stemmen was van Knipperlicht. Het zag er naar uit dat er nog vijf of zes anderen bij waren. Twee vrouwenstemmen. Dan waren er dus drie of vier jongens bij Knipperlicht, en dan hing het er dus vanaf wie dat waren. Het was niet goed om langer te wachten, want de jongens die hadden gezien dat hij verder liep, zouden hulp kunnen halen. Nu was het van belang dat hij recht op de groep daarginds afliep en vervolgens besliste of hij hen voorbij zou rennen of zou stoppen.

Hij liep verder en stopte op vijf meter afstand. Het *was* Knipperlicht. Het gezelschap bestond verder uit twee andere jongens uit de derde klas, die zich er wel buiten zouden houden, en dan de twee Finse meisjes.

Hij wachtte tot ze hem ontdekten en stil werden. Het liefst zou hij Knipperlicht afzonderen van de anderen.

'Wie is... kom eens hier!' commandeerde Knipperlicht met een stem die nu al snerpte van angst.

Erik deed drie stappen naar voren, bleef staan en sloeg demonstratief en luid zijn ene gehandschoende vuist tegen de andere. Toen deed hij nog een langzame stap naar voren en nog een.

'Ben jij het, Erik, antwoord me, rotzak, en probeer geen geintjes uit te halen want dan...'

Knipperlicht deed een paar aarzelende stappen naar achteren, waardoor hij zich afscheidde van de groep. Erik liep hem voorzichtig achterna en toen begon Knipperlicht te rennen.

Erik liep langs de anderen en gaf Knipperlicht een voorsprong van vijftien meter, voordat hij zelf vaart maakte. Hij had hem al snel ingehaald en stak een been uit, zodat Knipperlicht struikelde en nog een paar meter doorgleed op de harde, gladde ijslaag op de weg. Toen hij bij hem was gekomen, ging hij zitten met een knie op de beide bovenarmen van de vice-prefect. Toen luisterde hij en tuurde de weg af. Nee, er leek niemand in de onmiddellijke nabijheid te zijn.

Knipperlicht kreunde en kronkelde om los te komen.

'Niet mijn neus,' piepte hij, 'alsjeblieft, we kunnen toch vrede sluiten, niet mijn neus...'

Erik keek achterom. Nee, om een of andere reden waren de anderen hen niet achterna gekomen – merkwaardig, waarom deden ze dat niet? – maar als er iemand in de buurt was geweest, dan had hij het toch moeten merken en hij had niet veel tijd meer te verliezen.

'Niet m'n neus, alsjeblieft Erik, we zullen nooit meer...'

Met zijn linkerhand greep Erik stevig de keel van Knipperlicht vast, zodat zijn hoofd in de juiste positie lag met een goede ondersteuning van de harde ijslaag eronder.

'Nu, Pierre, nu Pierre!' dacht hij.

En toen sloeg hij drie, vier, vijf, zes keer schuin omhoog met zijn rechtervuist tot hij er zeker van was dat de meeste voortanden weg waren.

Toen stond hij op en luisterde. Nog steeds was er niets anders te horen dan het gesnik van Knipperlicht. In de verte een uil, maar verder niets.

Hij bekeek Knipperlicht die voorover lag met zijn gezicht in het bloed en zijn achterwerk omhoog, alsof hij midden in een gebedsritueel zat. Erik liep erheen, tilde zijn rechterbeen op boven hem en schopte een keer, niet bijzonder hard, met zijn hak tegen de ribben. Dat hadden ze ook met Pierre gedaan. Knipperlicht zou de betekenis wel begrijpen.

Daarna liep hij weg. Toen hij zo ver weg was dat het onwaarschijnlijk was dat er nog groepen raadsleden of anderen zouden staan begon hij te rennen. Hij rende een bosweg in die in een ruime cirkel terugliep naar school. De weg was goed platgereden door de tractoren van de boeren, dus hier zou hij geen sporen achterlaten.

Hij bleef staan bij een houtstapel en stopte de muts en voor de zekerheid ook de handschoenen erin. Er zou bloed op de handschoenen kunnen zitten. Toen haalde hij zijn andere muts tevoorschijn en rende verder.

Een halfuur later naderde hij Cassiopeia vanuit de tegenovergestelde richting. Natuurlijk stonden ze hem op te wachten. Hij deed alsof hij de raadsleden uit de tweede klas die zich achter een van de iepen voor de ingang verstopten, niet zag, maar liep recht naar het ontvangstcomité op zijn kamer. Hij lachte toen hij ontdekte dat er licht brandde in zijn kamer. Ze hadden niet eens het benul om in het donker te wachten.

Toen rukte hij de deur open en liet zich met gespeelde verbazing door hen overmannen, waarna ze in zijn zakken wroetten en zijn muts zonder gaten onderzochten.

'Is er iets gebeurd of zo?' vroeg hij met een glimlach die hij de afgelopen dagen voor de spiegel had geoefend.

'We pakken je nog wel, daar kun je donder op zeggen!' siste Silverhielm en hief zijn hand op alsof hij wilde slaan.

'Denk goed na,' zei Erik, 'denk goed na voordat je toeslaat. Doe niet iets waar je spijt van krijgt... zoals een onschuldig man slaan, bedoel ik.'

Silverhielm aarzelde lang genoeg met zijn hand in de lucht, waardoor Erik zich met een ruk kon bevrijden uit de greep rond zijn armen. Toen liep hij om Silverhielm heen die met half opgeheven arm was blijven staan en ging op bed zitten met zijn benen opgetrokken.

'Nou,' zei hij, 'is de razzia klaar?'

'Morgen zullen we je bont en blauw slaan,' gromde een van Silverhielms secondanten.

Op dat moment ging de deur open en stapte het raadslid binnen dat buiten gepost had en zei dat hij van de andere kant was gekomen.

'Ik brand van nieuwsgierigheid. Kunnen jullie niet vertellen wat er gebeurd is?' vroeg Erik en knipperde een paar maal met zijn ogen in een beweging die wellicht aan Knipperlicht deed denken.

'Je weet het best,' zei Silverhielm. 'Gustaf Dahlén. Ze hebben hem naar Flen gebracht en je weet verduveld goed waarom.'

'Nee maar, Gustaf Dahlén is van de trap gevallen en heeft zijn neus gebroken?'

'Niet zijn neus, jij...'

'O, ik dacht dat het gewoonlijk de neus was.'

'Morgen krijgen we je wel, rotzak.'

'Ik denk het niet,' zei Erik en wachtte lang genoeg voordat hij verderging, 'ik denk het niet.'

'Nee? En waarom dan niet?' vroeg een van de secondanten.

'Ten eerste omdat jullie die nachtelijke vechtersbaas moeten vinden voordat jullie iets onbezonnen doen en ten tweede... tja, nu zijn jullie nog maar met zijn negenen. Eerst is een van jullie aan de beurt. En als jullie mij willen pakken op dat gedoe met paragraaf 13, bedenk dan dat een van jullie eerst aan de beurt is en dat zoiets er misschien een beetje vreemd uitziet op het eindexamen. Als jullie absoluut in bloedige ernst willen vechten, dan begrijpen jullie wel dat ik niet van plan ben me nog eens vrijwillig te laten vastbinden om te worden gekookt. Een van jullie is het eerst aan de beurt.'

Ze uitten nog wat dreigementen die bij de situatie pasten, waarna ze weggingen en de deur achter zich dichtsloegen, zonder dat ze eerst de kamer op z'n kop hadden gezet.

Zouden ze erin trappen? Dat was meer dan twijfelachtig. Eigenlijk kon een kind nagaan dat hij niemand ernstige schade zou kunnen toebrengen als ze hem allemaal tegelijk aanvielen. Maar aan de andere kant wisten ze zo weinig over het soort geweld waarvan Erik zich bediende. Misschien dachten ze dat het niet uitmaakte of iemand zich in het tumult bewoog of stil op de grond lag als je zijn neusbeen wilde stukslaan. Wellicht begrepen ze het grote verschil niet, omdat ze het resultaat nog maar drie keer hadden gezien en dachten ze echt dat het hun ook zou overkomen. Maar waren ze dan zo laf? Ja, misschien, ook al was het niet waarschijnlijk, misschien waren ze het toch, omdat ze alleen maar gewend waren om kleine jochies te slaan die zich niet konden verdedigen. Dat zou al bij de volgende maaltijd blijken. Kwamen ze, dan zat er in feite niets anders op dan opgeven, als hij niet van school gestuurd wilde worden. Het duurde immers nog meer dan drie maanden voor zijn entreekaartje voor de toekomst klaarlag. Toch was hij niet helemaal overtuigd van zijn keuze.

Maar ze kwamen niet. Om een of andere volkomen onbegrijpelijke reden kwamen ze de volgende dag niet na het avondeten. Dan waren ze onwaarschijnlijk stom. In elk geval was het beter om de muts met de drie gaten maar een tijdje te laten liggen. Misschien was het verstandiger om er in het vervolg maar helemaal van af te zien.

De volgende drie dagen gebeurde er vrijwel niets. Maar iemand had met een rode viltstift en kinderlijk ronde letters *Zet hem op, Erik* geschreven op het houten paneel naast de trap naar de mess. Natuurlijk kreeg de conciërge het bevel de lasterlijke woorden weg te poetsen, maar de lichtrode vlek die achterbleef had zo ongeveer dezelfde uitwerking als de vlekken op de deuren waar Pierre en Erik op een nacht grote rode v's voor verklikker op hadden geschilderd.

Op een avond kwamen zeven raadsleden plotseling de gymnastiekzaal binnen toen Erik bezig was met zijn krachttraining. Zolang ze bij de deur aan de andere kant van de zaal naar hem stonden te staren, ging hij gewoon door met zijn programma. Maar toen ze uiteindelijk dichterbij kwamen stond hij op en pakte een losse stalen stang die bij een korte halter hoorde. Terwijl het zweet langs zijn lichaam liep, stond hij daar in zijn gymbroek tegen de muur achter hem geleund, met de stang in de ene hand. Het was onbegrijpelijk hoe ze een situatie hadden kunnen uitkiezen waarin er zulke vreselijke wapens in de buurt waren. Zonder een woord te zeggen liepen ze weg. Was het alleen een soort psychologische oorlogsvoering? Wisten ze zo weinig van de angst van een mens, dat ze niet begrepen dat wat ze net gezien hadden – Erik met dat vreselijke wapen in zijn hand – er alleen maar toe zou leiden dat ieder van hen, zonder zich groot te houden tegenover de anderen, hierna nog banger zou zijn.

De dag erna kwamen de eerste twee raadsleden terug uit het ziekenhuis in Flen. Ze hadden blauwe plekken die vanaf de wang omlaag liepen tot aan de hals en hun neus zat in het verband. Een van hen had een zilveren spalk gekregen in plaats van het neusbeen. Bij de ander was het gelukt om de neus weer op te lappen.

Het was niet gemakkelijk te voorspellen hoe hun terugkomst de stemming precies zou beïnvloeden. Er waren twee mogelijkheden: óf de met haat vervulde roep om wraak borrelde op, óf er ontstond nog meer twijfel.

's Nachts sliep Erik met de bijbel tussen de deurknop en de deurpost geklemd, terwijl Pierres oude bandystick tegen het nachtkastje leunde.

Maar ze kwamen niet opdagen. In plaats daarvan renden ze langs de wegen op zoek naar Erik en als ze Erik vonden had hij nooit de muts bij zich. Die lag in de houtstapel langs de bosweg.

∾

Hij maakte lange wandelingen met Marja en luisterde naar haar verhalen over het vreemde, harde leven in Savolaks en hoe de 75 kronen die ze iedere week naar huis kon sturen het verschil betekenden tussen gewone armoede en grote armoede.

Toen de avonden lichter werden en het avondrood nog lang de horizon kleurde, werd hij voorzichtig door haar verleid.

Hij zei tegen haar dat hij van haar hield en dat kon in alle opzichten alleen maar waar zijn.

Hij vertelde haar dat hij, zolang hij haar had, niet het risico kon nemen om nog eens naar buiten te gaan met de muts met de drie gaten, zelfs al zou Silverhielm op deze manier de dans ontspringen. Ze zei, met haar onwrikbaar bondige logica in haar mooie, zingende taaltje, dat hij het zijn beste vriend verschuldigd was om wraak te nemen op Silverhielm.

Jazeker, dat was helemaal waar. Maar hij zei nog een keer dat hij van haar hield en, in een formulering die klonk alsof hij er bergen mee kon verzetten, voegde hij daar aan toe dat het grootste van alles toch de liefde was. Maar toen lachte ze hem uit en noemde hem een domkop met zijn gloeiende ernst. Hij lachte verlegen toen hij omlaag keek naar haar spitse Finse leren laarzen. Zeker, zei hij op haar manier, zeker, hij was misschien een domkop.

Hun relatie was nauwelijks een geheim, maar dat was ook niet zo merkwaardig of ongewoon. Het was verboden om 's nachts de mess te bezoeken, maar het was niet verboden om gearmd langs de weg te lopen. Anderen deden het ook en zo was het altijd geweest.

Ze ontsloegen haar op een zondagmiddag en stuurden haar naar huis. Erik hoorde het toen hij uit het arrest kwam. Het was begin april en de avonden waren te licht geworden voor de muts met de drie gaten.

Er deden wat geruchten vol leedvermaak de ronde over hoe het in zijn werk was gegaan. De raad was gewoon naar de rector gegaan en had uiting gegeven aan zijn bezorgdheid over wat beschouwd kon worden als een verbintenis. Er waren weliswaar geen bewijzen dat er iets gebeurd was tussen Erik en de desbetreffende serveerster, maar voorkomen was beter dan genezen, nietwaar?

En niets was gemakkelijker dan een serveerstertje te ontslaan.

Vijf minuten nadat Erik met zijn gebruikelijke stapeltje boeken onder de arm was vrijgelaten uit het arrestlokaal bereikte het gerucht hem in al zijn welingelichte details.

Eerst was hij sprakeloos. Hij liep naar zijn kamer, waar hij een tijdje leeg voor zich uit zat te staren. Toen stond hij op en sloeg razend, terwijl de tranen over zijn wangen stroomden, de schrijftafel en de bureaustoel aan diggelen tot er alleen nog een hoop spaanders over was. Toen liep hij naar de halter in de gymzaal, bevestigde een paar extra gewichten en brulde van haat en inspanning terwijl hij de halter keer op keer optilde tot zijn armen gevoelloos werden. Hij hing de halter op zijn plaats, zakte ineen op een lage kast en begroef zijn gezicht in zijn handen.

Hij ging naar zijn kamer en veegde de restanten van de meubels bijeen, die ongetwijfeld tot een extra post op de maandrekening zouden leiden, waarna de advocaat die waakte over 'het studiefonds voor Eriks vooruitgang' van zich zou laten horen met een van zijn belachelijk geformuleerde brieven over verantwoordelijkheid en de toekomst en verstand. En *beoordelingsvermogen!* Dat was het ergste van alle woorden in dat volwassenentaaltje – beoordelingsvermogen! Die avond bekommerde hij zich niet om het aanbrengen van het bijbelslot. Hij ging op zijn buik liggen met zijn armen om het kussen. 'Marja, ik zal nooit van iemand anders houden dan van jou,' fluisterde hij en wist met alle beukende emotionele kracht van een tiener, dat het volkomen waar was. Al snel viel hij als gevolg van een vreemd soort uitputting in slaap.

Maar ze namen daar nog geen genoegen mee.

Marja schreef hem een brief. Die kwam een week nadat ze haar ontslag kreeg en per taxi naar het station van Solhov was gebracht met haar eindloon van 472 kronen in haar mantelzak. Op een of andere manier verwachtten ze de brief en hadden ze met het kantoor van de conciërge een teken afgesproken.

Die avond hielden ze een razzia in zijn kamer. Er was geen twijfel aan wat ze zochten en toen ze de brief vonden, wierpen ze zich vier man sterk over hem heen en hielden hem vast – want zo gemakkelijk ging dat, als je maar met voldoende mensen was – terwijl Silverhielm triomfantelijk de brief doornam die Erik al uit zijn hoofd kende, totdat Silverhielm vond, waar hij op gehoopt had:

'Hoor eens,' zei hij, 'het is nog beter dan we dachten... wacht, hier staat het: *...en ik had bijna gehoopt dat ik zwanger met je zou worden...* Nou! Die stomme slons kan niet eens Zweeds schrijven, zwanger *met* je, hè? In plaats van *van* je! Maar wacht, er staat nog meer... *want de eerste keer dat we het deden had ik mijn pessarium niet in...* Had ze dat ding op haar kop in plaats van in haar kut, hè! *...maar het is waar dat ik van je hou, hoewel ik niet denk dat we elkaar ooit nog zullen zien...* Nou, rottige kleine stroper, nu ben je erbij. Zo'n slons uit de keuken naaien, hè? Als dit de rector ter ore komt, word je van school getrapt, daar kun je donder op zeggen.'

Erik klemde zijn tanden op elkaar en deed zijn ogen dicht. Wat hij ook had willen zeggen – achteraf zou hij duizend redenen hebben om er spijt van te hebben. Inwendig werd hij ijskoud van woede. Hij hoorde nauwelijks dat ze luid lachend de gang uit liepen.

Toen ze weg waren, trok hij zijn jas aan en ging naar het magazijn van de burgerbescherming.

Hij woog het hangslot en de rest van zijn leven op zijn hand. Wat voelde het licht aan. Het zou zelfs lukken zonder een hamer te gebruiken. Hij hoefde trouwens alleen maar het raampje aan de achterkant in te slaan.

Hij stond doodstil met het hangslot in zijn hand. Toen liet hij het los, draaide zich om en begon aan een vier uur durende wandeling. Er viel een aanhoudende regen.

De volgende middag kwam Silverhielm triomfantelijk vertellen dat Erik naar de rector moest voor verhoor.

Op het grote bureau van de rector, dat van glanzend donker hout was gemaakt, lag slechts één stuk papier, Marja's brief.

De rector zat achter zijn bureau met zijn vingertoppen tegen elkaar en nam hem op door zijn glinsterende brillenglazen.

'Tjaaa,' zei de rector en tikte met zijn duim op de brief, 'hoe verklaar je dit hier?'

'Ik hou van haar,' antwoordde Erik kort en keek recht in de glinsterende brillenglazen.

Iets wat wellicht kon worden uitgelegd als een glimlach dook op in de mondhoek van de oude man.

'Nee maar, echt waar?'

'Ja, echt waar.'

'En begrijp je niet wat voor problemen je had kunnen veroorzaken?'

'In dat geval zijn er twee die het probleem veroorzaken. Wij houden van elkaar. Als ik hier klaar ben vertrek ik rechtstreeks naar Finland. Ze woont in Savolaks.'

'In dat geval,' zei de rector – en nu lachte hij werkelijk – 'is het misschien het beste dat we je hier nog een tijdje proberen te houden, tot de liefde wat bekoeld is. Ik heb je cijfers bekeken, Erik. Je gemiddelde ligt net iets boven "zeer goed", een kleine a. Je krijgt niets dan lof van het hele lerarenkorps; ik heb vandaag contact gehad met je leraren. Zoals je misschien weet wordt er elk voorjaarssemester een prijs uitgedeeld aan de beste leerling van de onderbouw en het zou belangrijk voor je kunnen zijn nu...'

Plotseling aarzelde de rector.

'Nu Pierre Tanguy hier niet meer op school zit,' vulde Erik aan.

'Ja. Zo zou je het kunnen zeggen. Een pijnlijke geschiedenis, dat met Tanguy...'

Erik beheerste zich. *Een pijnlijke geschiedenis.* Maar Erik beheerste zich.

'Nu dan,' ging de rector verder, 'ik heb vandaag contact gehad met advocaat Ekengren en we hebben het volgende besluit genomen. Je krijgt een cijfer voor gedrag dat je, hoop ik, je leven lang niet meer vergeet. Het heet *afkeurenswaardig* en wordt in de beoordelingskolom aangeduid met een grote D. En dan nog wat... ga staan!'

Erik stond op. De oude man kwam op hem af met de rechterarm ver naar achteren gestrekt en de hand open, alsof hij hem een draai om de oren wilde geven. Achter zijn rug greep Erik vlug met zijn rechterhand zijn linkerpols vast. Toen gaf de rector hem een oplawaai, met verbazend veel kracht.

'Verdwijn uit mijn ogen, lummel die je bent!' schreeuwde de oude man en Erik glipte bliksemsnel de deur uit. Zijn hoofd tolde ervan. Hij was dus *niet* van school gestuurd? Kennelijk niet. En nog maar twee maanden tot de vrijheid.

Maar toen schoot hem plotseling iets te binnen, hij draaide zich om, liep terug naar de deur van de rector, klopte aan en opende de deur.

'Jij..?' vroeg de rector verbaasd.

'Ja, ik ben iets vergeten. De brief. Haar adres staat op de brief.'

'Dit is de laatste keer dat ik je vraag te verdwijnen,' begon de rector op een beheerste toon. 'Die brief is in beslag genomen en nu verdwijn je uit mijn ogen voordat je jezelf diep ongelukkig maakt, kereltje!'

Maar daarmee was het nog niet afgedaan.

Na het volgende morgengebed besteeg de rector het spreekgestoelte en bulderde dat Erik naar voren moest komen. Toen hield de rector een tien minuten lange boetepreek, die op Erik voornamelijk overkwam als een rood gesuis in zijn oren. Eén zin bleef echter voor altijd in zijn geheugen gegrift staan:

'Het betaamt knapen van Stjärnsberg niet om zich te verbroederen met de arbeidersjeugd.'

~

Twee dagen later kreeg hij een aangetekende expresbrief van advocaat Ekengren. Als het geen aangetekende expresbrief was geweest, met een rood lakzegel op de achterklep, zou hij gedacht hebben dat het gewoon om het gebruikelijke gezeur over de veel te hoge rekening van de schoolwinkel ging. Maar de brief had een zeer verrassende inhoud.

Erik,

Als je juridisch gemachtigde en vertrouwenspersoon zal ik me in het navolgende uitsluitend beperken tot de feitelijke omstandigheden die betekenis hebben in strikt formele zin. Ik heb met andere woorden geen enkele reden om een specifiek standpunt in te nemen met betrekking tot je privé-relaties met het bedienend personeel. Aangezien het postverkeer naar de juiste geadresseerde op Stjärnsberg bovendien enigszins onzeker lijkt te zijn, is er des te meer reden om de persoonlijk getinte standpunten te bewaren tot een meer geschikte gelegenheid.

Conform het reglement van de school, hetgeen ik in mijn hoedanigheid van je gemachtigde, zij het op bepaalde punten niet van harte, heb goedgekeurd, is seksuele omgang met het personeel te beschouwen als een dusdanig vergrijp, dat schorsing normaliter de enige consequentie is die in aanmerking kan komen.

De regels zijn op dit punt echter amper duidelijk geformuleerd. Er is sprake van dat nachtelijk bezoek aan de zogeheten mess de concrete daad is waaruit het delict zou bestaan. Men kan dan enerzijds aanvoeren dat men je niet heeft kunnen betrappen op de concreet beschreven daad waarvan sprake is in het reglement. Aan de andere kant heeft de jongedame zich in haar brief openlijk zo geformuleerd, dat er op zich geen twijfel kan bestaan over de aard van de daad in kwestie.

Toen ik bij wijze van inleiding over deze kwestie onderhandelde met rector L., meende hij dat schorsing als zodanig boven alle twijfel verheven was. Hij haalde daarbij een aantal tamelijk onbelangrijke standpunten aan met betrekking tot een zekere verdenking van mishandeling van de vertrouwenscommissie van de school. In dat opzicht was de bewijsgrond klaarblijkelijk dusdanig, dat consequenties niet aan de orde waren. Ik wil je evenwel attent maken op deze omstandigheid. Wees je ervan bewust dat er bepaalde concrete verdenkingen zijn en ik zou je willen aanraden om te voorkomen dat je in dit opzicht nog verder belast wordt.

Wat betreft de kwestie van je vermeende seksuele omgang met de desbe-treffende serveerhulp is het van buitengewoon belang dat de leiding van de school zich hiervan kennis heeft verschaft op een manier die niet alleen als krenkend voor jouw persoonlijke integriteit kan worden bestempeld, maar tevens als onwettig kan worden aangemerkt (hierbij kan gerefereerd worden aan een aantal bepalingen uit de Postwet e.d.).

Als jouw gemachtigde vond ik derhalve dat ik zo vrij moest zijn om on-verwijld besluitvaardig op te treden, zonder jou nader in deze kwestie ge-hoord te hebben.

Voor het geval dat jou de toegang tot de school zou worden ontzegd, zou ons – zo heb ik aangevoerd – niets anders resten dan de school door jou, met mijn juridische bijstand, voor de rechter te dagen. Puur formeel gezien zou een dergelijke dagvaarding alleen bepaalde eisen inzake teruggave van be-taalde bijdragen en schadevergoeding e.d. kunnen inhouden (voor een be-drag dat amper de moeite waard zou zijn), maar wat de school betreft is dat niet het punt waar de schoen wringt.

Zoals ik, naar ik hoop, veelbetekenend heb voorgehouden aan rector L. zou ik bij het aanspannen van een dergelijk proces nauwelijks kunnen nala-ten om een aantal van mijn goede contacten bij de pers, in het bijzonder bij de Expresse, te wijzen op het opmerkelijke feit dat een jongeman op deze ma-nier getroffen wordt door dergelijke draconische bepalingen, hoewel als zijn enige overtreding het feit wordt aangevoerd dat hij een liefdesrelatie is aan-gegaan met een ander jong mens.

Rector L. toonde zich zeer begripvol voor deze standpunten.

Aangezien er bovendien nog maar een korte tijd resteert tot je de school voorgoed zult verlaten, kon ik een vergelijk tot stand brengen waarvan de in-houd je in wezen al bekend moet zijn.

Je zult dus niet geschorst worden. Daarentegen zal je cijfer voor gedrag een, laten we zeggen, enigszins merkwaardig aanzien krijgen.

Daarover valt niet zoveel te zeggen, vind ik, aangezien het belangrijk-ste deel van de onderhandeling reeds gewonnen is. Wat het dramatische cijfer voor gedrag betekent voor je plannen om je komend najaar in te schrijven bij een gymnasium in Stockholm, is niet helemaal duidelijk. In ieder geval zijn je overige cijfers van een dusdanige aard, dat je een puntentotaal hebt ver-zameld dat zelfs de strengste toelatingseisen ver overschrijdt. Ik kan dan ook niets anders bedenken dan dat ik, als je advocaat, een verklarend schrijven bijvoeg inzake de aanleiding van dit lage cijfer voor gedrag, waarna – naar mijn stellige overtuiging – jouw D voor gedrag waarschijnlijk alleen nog een *zeker komisch effect zal hebben. De rector van Norra Real, mijn eigen oude school, is overigens een tamelijk goede persoonlijke vriend van mij.*

Daarmee heb ik, naar ik hoop, in tamelijk duidelijke bewoordingen de voorwaarden aangegeven voor je korte, maar belangrijke resterende tijd op Stjärnsberg. De meer persoonlijke discussie over deze kwestie, waar ik onmiskenbaar naar uitzie, kunnen we maar het beste laten wachten tot we elkaar onder vier ogen ontmoeten.

De resterende middelen in het fonds voor je vooruitgang, dat ik beheer, zullen na afsluiting van dit semester circa 8.700 kronen bedragen. Hoe deze middelen het best kunnen worden aangewend zullen we bespreken wanneer we elkaar hier in Stockholm ontmoeten. Een kort studieverblijf in het buitenland zou wellicht een goed idee zijn.

Met vriendelijke groeten,
Henning S. Ekengren.
Lid van de Zweedse Orde van Advocaten.

Erik las de brief telkens opnieuw. Zo zat het dus. Ze hadden een overtreding begaan toen ze de brief stalen. Maar dat was nog kennelijk niet het belangrijkste. Bij een rechtszaak zou de school in opspraak worden gebracht. Dat was het belangrijkste. Het was dus niet de wet, de echte wet, die sterker was dan de wetten van Stjärnsberg, het was iets anders.

Het enige risico dat resteerde was van school te worden gestuurd onder verwijzing naar paragraaf 13. Maar hoeveel begreep de raad hiervan? Het leek niet waarschijnlijk dat de rector 'in dit opzicht' intensief overleg met de raad had gevoerd.

Maar over tien dagen was het eindexamen al en Silverhielm leek dus de dans te zullen ontspringen: '... een aantal tamelijk onbelangrijke standpunten aan met betrekking tot een zekere verdenking van mishandeling van de vertrouwenscommissie van de school... Ik zou je willen aanraden om te voorkomen dat je in dit opzicht nog verder belast wordt.'

Maar Silverhielm, die zich klaarblijkelijk zorgen maakte over het puntentotaal dat hij nodig had op zijn eindlijst om zich te kunnen inschrijven op het Karolinska Instituut, begon lange wandelingen te maken. Erik had hem zien lopen op de tractorweg die naar het moeras leidde, waar ze vorig voorjaar de korhoenders hadden zien spelen. Hij kwam pas twee uur en twintig minuten later terug. Tweemaal had Erik hem zien verdwijnen in die richting en beide keren had het twee uur en twintig minuten geduurd voor Silverhielm terugkeerde.

Maar er was een belangrijker zaak die hij eerst moest regelen. Op weg naar de kiosk zocht Erik een paar van de Finse serveersters op en vertelde hun dat Marja's brief hem was afgepakt, zodat hij haar adres was kwijtgeraakt. De volgende dag in de eetzaal kreeg hij al een briefje in zijn hand gedrukt, toen hij een roestvrijstalen schaal aanreikte die moest worden bijgevuld. Het was haar adres.

Hij begon eindeloze brieven te schrijven, waarmee hij naar de brievenbus bij de rijksweg fietste om ze daar te posten. De brievenbus op school was immers niet te vertrouwen.

Daarna zat hij lang in het arrestlokaal met de topografische kaart van de omgeving van de school waarop hij en Pierre al hun vogelobservaties hadden aangegeven.

Als Silverhielm de bosweg nam naar het korhoenmoeras... en na twee uur en twintig minuten terugkwam... dan was hij na de verlaten houtschuur afgeslagen van de oostelijke weg... en hierlangs teruggekomen... en dan was hij verder gegaan...

Eigenlijk had hij slechts de keuze uit twee wegen. De volgende keer dat Silverhielm op pad ging, zou het gebeuren.

Het gebeurde op de dag af een week voor het eindexamen.

Silverhielm liep met zijn ogen naar de grond gericht, zonder om zich heen te kijken, in de gebruikelijke richting.

Erik ging naar zijn kamer en trok een trainingspak en veldloopschoenen aan en vervolgens jogde hij weg, alsof hij op weg was voor een trainingsrondje, in een heel andere richting dan Silverhielm.

Hij kende alle bospaadjes en boswegen op dit moment. Het was geen probleem om Silverhielm in te halen en zo kon hij zien welke weg Silverhielm uiteindelijk koos.

Hij zat op een heuvel achter de twee hoge sparren, waar in de herfst grootsporige champignons groeiden en zag Silverhielm helemaal alleen aankomen. Hier in de buurt moest hij de volgende keuze maken, want daarna waren er alleen maar vanzelfsprekende wegen terug als hij in twee uur en twintig minuten terug moest zijn. Silverhielm koos de oostelijke weg. Dan zou hij over tien tot twaalf minuten om de bocht komen bij de grote zwerfkei. Dat zou een uitstekende plek zijn.

Erik nam een doorsteek door het bos en kwam ruim op tijd aan. Zo stond hij achter de kei en zag Silverhielm steeds dichterbij komen. Hij ging zitten en doordacht opnieuw het plan dat hij al honderden keren had doordacht. In zijn hand hield hij een stevige boomtak.

Silverhielm keek niet om zich heen toen hij langs de zwerfkei liep en was er al drie of vier meter voorbij toen Erik hem uit zijn dromen wekte.

'Nu zou ik niet graag in jouw schoenen staan, Otto,' zei Erik. Silverhielm draaide zich om, staarde hem aan en keek haastig om zich heen. 'Nee, Otto, er zijn geen mensen in de buurt. Alleen jij en ik. Het is drie kilometer tot de dichtstbijzijnde grote weg. Het is vier kilometer tot de school.'

Silverhielm stond doodstil maar zei niets.

'Je kunt proberen weg te rennen, Otto. Je bent immers vrij snel, zo snel dat je deel uitmaakt van het atletiekteam van school. Als je nu start, heb ik bijna honderd meter nodig om je in te halen. En dan is het nog zo ver tot de bewoonde wereld, dat niemand je zal horen als je schreeuwt.'

Silverhielm slikte. Dat begon er goed uit te zien.

'Je bent niet goed wijs... Je wordt onmiddellijk van school gestuurd als je...'

'Nee, dat kan ik je beloven, Otto, ik word niet van school gestuurd. Zo snel zullen ze je niet vinden. Deze wegen worden alleen 's winters bereden, wanneer de boeren hout halen. En in de winter, Otto, ligt er sneeuw. Het kan wel jaren duren voor ze je vinden.'

Erik stond langzaam op, net zo langzaam als hij tijdens de honderden repetities in gedachten was opgestaan, tilde de dikke boomtak die bij zijn voeten had gelegen op en liep naar voren, tot hij op minder dan een meter afstand van Silverhielm stond. Hij kon duidelijk de trillingen en het koude zweet zien.

Silverhielm zakte op zijn knieën, alsof zijn benen hem niet langer droegen. Het ging beter dan verwacht.

'Ik doe alles wat je wilt, als je maar niet...'

Silverhielm moest slikken voor hij verderging. Dat was omdat zijn mond kurkdroog was geworden. Uitstekend.

'Je krijgt wat je maar wilt...' ging Silverhielm verder '... tienduizend kronen! Je krijgt morgen tienduizend kronen, ik zweer het!'

Toen lachte Erik zonder dat hij er moeite voor hoefde te doen.

'Tienduizend, Otto! Is dat de waarde die je jezelf toekent. Nauwelijks meer dan de kiloprijs van ossenhaas? Tienduizend...'

'Ja, dat is wat ik in contant geld los kan krijgen, maar als je wacht... over een paar dagen...'

'Ja, ja. En het zou natuurlijk niet in je opkomen om een dergelijke belofte te breken.'

'Ik zweer het, zeg ik je toch! Bij mijn eer als edelman.'

Nu moest Erik opnieuw lachen.

'Je eer als edelman! Waar was die eer dan toen je Pierre Tanguy zo treiterde dat hij het niet langer uithield? Of toen je mij in mijn gezicht sloeg, die keer dat ik het recht niet had om me te verdedigen?'

'Ja maar... je deed ook alles wat je kon om mij te sarren. Snap je niet welke problemen ik met jou heb gehad? Is dat niet voldoende, we zullen elkaar immers nooit meer zien als...'

'Als je hier levend vandaan komt, bedoel je? Nou, dan zullen we elkaar nog heel binnenkort zien op het kantoor van de rector. Trouwens, die ring die je draagt als teken van je adellijke eer heeft mij vijftien hechtingen gekost. Geef die maar aan mij!'

Erik pakte de boomtak over met zijn linkerhand en strekte zijn rechterhand uit om de ring in ontvangst te nemen. Silverhielm wrong hem wanhopig van zijn vinger en reikte hem aan met een zichtbaar trillende hand. Erik pakte de ring en bekeek hem met gespeelde nieuwsgierigheid.

'Dat kroontje boven het wapen, dat kroontje dat uit kleine kogeltjes bestaat, dat geeft aan dat je vrijheer bent, hè? Baron, zoals ze in het buitenland zeggen?'

'Jaa...'

'Typisch zo'n ding waarmee men je onmiddellijk zou kunnen identificeren, ongeacht hoeveel jaren er verstreken zijn. Een naakt lijk, in verregaande staat van ontbinding waarvan het een en ander ontbreekt omdat vossen en dassen hun deel hebben genomen. Maar die ring is één ding. Een ander ding zijn je tanden. Het wordt een beetje lastig om alle tanden weg te krijgen, maar tegen die tijd voel je er niets meer van. Wat denk je dat ze op school zullen zeggen als je gewoon verdwijnt?'

Silverhielm was bijna niet in staat om te praten. Spoedig zou alles voorbij zijn.

'Nou, Silverhielm, geef eens antwoord. Wat zullen ze ervan denken als je zomaar verdwijnt, een week voor het eindexamen? Dat je depressief was, dat je gevlucht bent, dat je de druk niet aankon, dat je dacht dat je te lage cijfers zou halen, en dat terwijl je pa een televisie heeft geschonken aan alle leerlingenhuizen als aandenken aan het eindexamen van zijn zoon? Als een verdomde Markurell, hè? Nou, wat zullen ze ervan denken?'

Silverhielm moest moeite doen om een woord te kunnen uitbrengen.

'Ze... alles is toch onaangeroerd op mijn kamer... ze zullen mij gaan zoeken met honden... denken dat ik een been gebroken heb of zoiets. En met de honden vinden ze mij wel en dan word jij opgepakt en krijgt levenslang, heb je daar al aan gedacht, is het dat echt waard..?'

'De honden zullen al op de grote landweg het spoor bijster raken, je weet wel, door al dat autoverkeer. En naderhand sleep ik je hier natuurlijk weg, een heel eind weg. Dus ook al zouden ze hier komen, dan zou je spoor hier eindigen. En ook al zouden ze je vinden, denk je niet dat ik dan alle bloed zou hebben afgewassen en de kleren die ik nu aan heb zou hebben weggegooid? Dan is er geen bewijs meer, begrijp je. Net als toen ik rondliep met de muts met de drie gaten en toen ik poep over je heen kieperde. Voor ik dat deed heb ik trouwens een hele tijd naar je staan kijken. Je sliep met open mond, je lag op je rug. Daarom kreeg je zoveel in je mond. Lekker hè? Ik ben er zeker van dat je je nog steeds kunt herinneren hoe dat smaakte, als je even nadenkt.'

Silverhielm zakte ineen met zijn gezicht vlak bij de grond. Plotseling liep er speeksel uit zijn mond en boog hij zich voorover. Kennelijk stond hij op het punt om over te geven.

'Nou, Silverhielm, denk nog maar eens terug aan die poep in je mond, de poep die ik zo goed had omgeroerd met al jullie pis... in je mond... hoe je hoestte en het in je keel bleef steken... hoe je keer op keer probeerde je mond te spoelen en je tanden te poetsen en hoe de smaak van poep maar niet wilde verdwijnen...'

Eindelijk moest Silverhielm overgeven. Hij lag voorover op zijn knieen aan Eriks voeten te braken, alsof zijn ingewanden zich binnenstebuiten keerden.

Daarna bleef hij voorovergebogen liggen met zijn gezicht vlak bij het braaksel, maar met zijn lijf in een houding alsof hij de kracht niet had om zijn gezicht weg te trekken. Erik pakte hem bij zijn haar en tilde zijn gezicht op. De uitdrukking die Silverhielm nu in zijn ogen had, zou Erik nog heel lang met zich meedragen.

Het was volbracht.

'Hier,' zei Erik en liet de zegelring met de vrijherenkroon recht omlaag in het braaksel vallen.

Toen gooide hij de boomtak opzij, draaide zich om en liep weg. Toen hij honderd meter verderop was, waar de weg een bocht maakte zodat hij uit het gezicht zou verdwijnen, draaide hij zich om en bekeek het schouwspel.

Silverhielm lag nog precies in dezelfde houding als toen hij hem had achtergelaten.

De laatste schooldag was een korte triomf.

De rapporten werden 's morgens al uitgedeeld toen de klassenleraren hun gebruikelijke preek van vermaningen en loftuitingen hielden. Toen Erik zijn rapport in ontvangst had genomen, maakte hij een rondje om afscheid te nemen van de leraren. Het werd wederzijds behoorlijk sentimenteel. Tosse Berg pakte hem bij de schouders, met tranen in de ogen, en zei dat hij hard moest trainen voor Tokio.

'Je bent een fighter, Erik, *the whole world loves a fighter*, onthoud dat als je straks in een andere wereld komt waar je geen last meer hebt van raadsleden.'

Met de Kraanvogel ging het ongeveer net zo.

'Laat nog eens wat van je horen,' zei de Kraanvogel, 'ik wil graag weten hoe het je verder vergaat.'

'Tot ziens, Kraanvogel, en bedankt voor het cijfer.'

'Daar hoef je mij niet voor te bedanken. Jullie tweeën hebben het werkelijk verdiend, je weet wel, jij en...'

'En Pierre?'

'Ja, precies. Doe hem de hartelijke groeten van mij als je elkaar nog eens spreekt.'

De taxi's waren al begonnen met hun pendeldienst naar het station van Solhov voor degenen die niet door hun ouders werden opgehaald. Het hele schoolplein schitterde en glom van de grote, voornamelijk zwarte auto's.

Voor de laatste slotceremonie in de aula, waar de beloningen en sportprijzen zouden worden uitgedeeld, liep Erik een rondje langs de houtstapel bij de bosweg. Ja hoor, daar lag zijn muts met de drie gaten nog, beschimmeld, net als de handschoenen.

Hij had niet verwacht dat hij een prijs zou krijgen. Toen echter het moment gekomen was om de beloning voor het beste rapport van de onderbouw uit te reiken – een prachtwerk van Carl Fries in diepdruk, voorzien van het zegel van de school op het schutblad – verklaarde de rector dat er weliswaar enkele bedenkingen waren geweest, vanwege een buitengewone misstap wat betreft het cijfer voor gedrag, waarop hij bij deze gelegenheid echter niet nader zou ingaan, maar dat een schitterend rapport niettemin een schitterend rapport was.

Onder beleefd applaus, net als bij alle anderen, liep Erik naar voren, boog en nam het boek in ontvangst dat eigenlijk voor Pierre bestemd was.

Vanaf het podium bekeek hij de aula met de decoraties van berkentakken, alle leerlingen in colbert die zouden terugkeren naar deze hel, hun pompeuze ouders die niet wisten of niet wilden weten of zelfs goedkeurden hoe het op Stjärnsberg toeging.

Het zou onvergeeflijk laf zijn om het niet te doen. Hij zou er de rest van zijn leven spijt van hebben.

Met zijn gezicht naar het publiek en zijn rug naar de rector, trok hij langzaam de muts met de drie gaten tevoorschijn en spreidde hem uit, zodat iedereen kon zien wat het was.

Een paar van zijn klasgenoten begonnen voorzichtig te applaudisseren. Hij bleef staan, hij dwong zichzelf te blijven staan met de muts boven zijn hoofd gestrekt. Toen begon het applaus zich te verspreiden door de onderbouw, tot het door de zaal daverde alsof, zo viel hem plotseling in, de beroemde violist zojuist zijn solo had afgesloten.

Toen boog hij als dank en als einde van de voorstelling en rende de trap af naar buiten, recht naar een van de wachtende taxi's. Toen de auto startte, besloot hij niet meer om te kijken, zich geen enkele keer meer om te draaien. Stjärnsberg bestond niet meer.

Hij ging in een lege treincoupé zitten. Op het station had hij twee losse John Silver-sigaretten gekocht, voor de ogen van twee raadsleden die deden alsof ze niets zagen of hoorden. Met een bezorgde blik over hun schouder waren ze later in de op een na achterste wagon geslopen, hoewel ze waarschijnlijk ook kaartjes voor een eersteklascoupé hadden.

Hij lachte zonder dat hij leedvermaak voelde. In elk geval wilde hij dat hij nu zonder een spoor van leedvermaak kon lachen als hij eraan dacht hoe het tweetal in de op een na achterste wagon meer dan een uur lang in angst zou zitten dat de deur van hun coupé plotseling zou worden opengerukt en vervolgens vlug en hard achter Erik zou dichtslaan.

Ze zouden gevangen zijn zonder een kans om te vluchten. Als ratten, dacht hij en spande zich opnieuw in om niet te lachen. Maar zij konden ook niet weten dat het nu voorbij was. Het was voorbij en het zou nooit meer gebeuren. Dat alles behoorde tot een andere wereld en Stjärnsberg bestond niet meer.

Hij strekte zijn handen voor zich uit en spreidde zijn vingers. Hij hield zijn handen volkomen stil, zonder te trillen. Twee jaar geleden had hij allemaal kleine witte littekentjes rond zijn knokkels gehad van andermans tanden. Nu waren de meeste littekens weg, alleen als je echt goed keek kon je er nog sporen van ontdekken. Zijn handen waren schoon. Hij voelde boven zijn rechterelleboog, waar een fors litteken van Lelles voortanden zat – heette hij Lelle, die vent? – maar een dergelijk litteken had je van allerlei dingen kunnen krijgen. Een dergelijk litteken kon je bijvoorbeeld ook krijgen als je op een grindweg van je fiets viel. Maar nu was alles voorbij. Nooit meer. Hij had het embleem met Orion losgetornd van het borstzakje van het schoolcolbert. Hij nam het in zijn hand en hield er een brandende lucifer onder. Het brandde langzaam en smeulend. Met duim en wijsvinger verkruimelde hij de laatste as boven de asbak. Toen stak hij een van zijn twee sigaretten aan.

Ergens in het bos lag de plastic zak van hem en Pierre met een half pakje John Silver, twee rookstokjes om de sigaret mee vast te houden, een doosje lucifers en een halve fles Vademecum. Misschien zou de schat in geen honderd jaar worden gevonden. En als iemand hem dan werkelijk een paar eeuwen later zou vinden, dan zou hij nooit de samenhang kunnen begrijpen. Dan zou er geen spoor meer over zijn van Stjärnsberg, geen steen op de ander gelaten zijn.

De trein zette zich met een plotselinge ruk in beweging. De stationschef die gevlagd had, liep met zijn opgevouwen seinvlag het stationsgebouw in.

Hij deed het raam open, boog zich naar buiten en liet de zomerwind de stank van de verbrande stof in de asbak wegblazen. Toen gooide hij de sigaret die hij in zijn hand had weg, haalde de andere sigaret tevoorschijn en liet ook deze vallen. Nu was er geen reden meer om te roken.

Met ogen die traanden door de harde wind zag hij hoe het landschap van Södermanland voorbijgleed; seringenprieeltjes, fruitbomen in bloei (het konden geen appels meer zijn, waren het pruimen die nu bloeiden?), boerderijen waar hij een glimp opving van mensen achter een tractor of een schuur, vee, verkeer op de wegen en af en toe meren en bosschages. Zo zag de vrije wereld eruit.

Hij ging zitten en sloot zijn ogen. Achter zijn oogleden zag hij beelden van Pierre en Marja. Hij zou ze binnenkort kunnen opzoeken, hij had immers geld. Hij kon trouwens ook in de haven werken zonder nog het risico te lopen om te worden gepakt als minderjarige en daarna zou hij kiezen of hij naar Genève of naar Savolaks wilde reizen. Eerst Savolaks, dan Genève.

Hij stond opnieuw met het raam omlaag geschoven en zijn hoofd als een hond snuivend uitgestrekt in de wind, toen de trein het centraal station van Stockholm binnenliep. De zon weerkaatste in de Riddarfjärd. Hij was vrij. Niemand wist wie hij was en daarom bestond er geen geweld meer. Het was voorbij, eindelijk was het voorbij en was hij vrij en gelukkig.

Toen hij in het appartement kwam, was er niemand thuis. Hij sjouwde zijn tassen met de zware boeken naar wat eens de kamer van hem en zijn broertje was geweest. Nu was het blijkbaar alleen nog de kamer van zijn broertje. Hij pakte een paar van zijn boeken uit en stond een poosje met een paar droge, slecht onderhouden spikes in zijn hand. Ze waren van het merk Puma en van echt kangoeroeleer. Maar ze waren in elk geval te klein geworden. Hij was er niet rouwig om.

Hij rommelde wat in de hangkasten om te zien of er plaats was. Boven in een van de hangkasten, helemaal achterin op de bovenste plank, vond hij een pakket met zijn naam erop. Het was een aantal jaren geleden gepost door het lyceum, maar nooit geopend. Het was vrij groot en zacht en zo te voelen moest de inhoud dus wel iets van stof zijn. Hij pakte het pakket, legde het op het bureau en probeerde te raden wat erin zat.

Hij kon er niet opkomen. Toen hij het pakket had opengescheurd, barstte hij uit in een lange, haast blije schaterlach. Het was een lachwekkend klein zijden jasje met een drakenpatroon op de rug, dat ooit waarschijnlijk zijn liefste bezit was geweest.

Hij pakte het jasje en hield het lachend voor zich. Het zag er bijna uit als een kindermaatje. Toen hij voor de grap zijn ene arm erin stak, kraakte de tere stof al toen hij zijn onderarm probeerde te buigen in de ruimte vlakbij de schouder.

Hij liep naar de badkamer en bekeek zichzelf in de spiegel. Zo stond hij lang naar zichzelf te kijken en probeerde alles op een of andere manier samen te vatten. Hij was dus volwassen. Hij was een meter vijfenzeventig lang, woog 74 kilo en was 16½ jaar en behoorlijk puisterig. Toen hij zich vooroverboog naar de spiegel, zag hij duidelijk de witte littekens hier en daar in zijn gezicht. Als een onbehaaglijk koude windvlaag fladderde de herinnering aan de kotsende Silverhielm aan hem en het gezicht in de spiegel voorbij.

Hij legde zijn rapport op de vleugel van zijn moeder en liep naar het postkantoor om het boekwerk met het papieren zegel van de school naar de rechtmatige eigenaar in Genève te sturen. Op de terugweg viel het hem op dat niemand hem op straat herkende. Hij bedacht dat het zo moest voelen als je vrij kwam. Aan de buitenkant was niets te zien, niemand in je omgeving kon weten dat je uit zo'n oord kwam.

Toen hij thuiskwam, hoorde hij al onder aan de trap dat ze speelde. Het klonk als een zekere feestpolonaise in F-dur.

Toen hij de kamer binnenkwam stond ze langzaam op, lachte en strekte haar armen uit, waarna ze elkaar lange tijd omhelsden zonder iets te zeggen. Hij had het gevoel dat ze veel kleiner was geworden, alsof haar lichaam in die twee jaar iets vogelachtigs had gekregen. Voorzichtig maakte hij zich los uit haar zachte greep, waarna ze elkaars tranen droogden.

Bij het avondeten had hij nog steeds het gevoel dat hij op bezoek was. Zelf was hij het meest aan het woord – je zou zelfs kunnen denken dat hij converseerde om geen stilte te laten vallen – over de toekomst, over Pierre, over die geweldige berg de Matterhorn, die recht in de hemel reikte en die hij ooit zou beklimmen, zoals hij tegen Pierre had gezegd, dat hij rechten wilde gaan studeren om advocaat te worden en of hij Norra Real of Östra Real zou kiezen als volgende school. Hij kon immers kiezen, aangezien de toelatingseis in Stockholm op twintig punten lag en hij in elk geval zevenentwintig punten bij elkaar had geschraapt (in arrest, dacht hij stilletjes). Dus kon hij gewoon kiezen.

'Maar dat cijfer voor gedrag is wel erg slecht. Ik heb nog nooit gehoord dat iemand een D voor gedrag kreeg,' zei zijn vader. 'Was het werkelijk nodig om uitgerekend een serveerster te neuken?'

Vader kauwde ongedwongen verder en probeerde eruit te zien alsof hij zomaar een terloopse opmerking over het zomerweer had gemaakt. Erik ving nog net een waarschuwende blik van zijn moeder op.

'Je hebt niets met haar te maken en mijn privé-leven gaat je geen donder aan,' antwoordde hij na enkele seconden te hebben nagedacht en tegelijkertijd reikte hij nonchalant naar het zoutvaatje.

Toen sloeg vader hem op de neus.

Toen sloeg vader hem op de neus met een perfecte treffer.

'Zoals ik al zei,' herhaalde Erik, 'ze gaat jou geen donder aan. Ik ga trouwens binnenkort bij haar op bezoek.'

'Dat ga je helemaal niet!'

'O, jawel. Zonder twijfel.'

'Na het eten zal ik je mijn standpunt nog eens pijnlijk precies duidelijk maken.' Nu pas drong het tot hem door dat de uitdrukking 'pijnlijk *precies* duidelijk maken' was. Hij had het altijd begrepen als '*pijn-*

lijk, precies duidelijk maken', want daar draaide het in de praktijk altijd op uit.

De rest van de maaltijd was somber en stil. Hij keek naar de stofdeeltjes die oplichtten in een smalle lichtstraal van de avondzon door het raam. Hij blies naar de stofdeeltjes, zodat ze rondwervelden in de microkosmos en vervolgens boog hij, alsof het een spel was, zijn hoofd licht opzij toen vader opnieuw probeerde hem een klap op zijn neus te geven. Zijn vader moest dus wel gek zijn, dacht hij. Of zou zijn vader, als hij jonger zou zijn geweest en prefect op de plek die niet meer bestond, net als Silverhielm zijn geweest? Vermoedelijk wel. En Silverhielm zou zo kunnen worden als zijn vader; bij hen was het nooit voorbij. Maar zou je dan nooit aan dat soort mensen kunnen ontkomen? Het deed er niet toe of je het embleem van Orion met vuur verbrandde of deed alsof Stjärnsberg niet meer bestond of zelfs de naam Stjärnsberg zou zijn vergeten. Hij dacht een poosje aan het embleem van Orion dat hij had verbrand en waarvan hij vervolgens de as verkruimeld had, zodat die verdween in de asbak van de treincoupé.

De maaltijd was afgelopen, moeder begon af te ruimen en vroeg Eriks broertje om haar te helpen, net als altijd. En net als altijd bleven hij en zijn vader een paar ogenblikken zwijgend aan tafel zitten.

'Zooo,' zei vader en stond op, 'dan zullen we eens zien dat we dat karweitje achter de rug krijgen.'

Vader begon naar de slaapkamerdeur te lopen, zonder te kijken of Erik wel achter hem aan kwam. Hij liep naar de slaapkamerdeur met dezelfde vanzelfsprekendheid als waarmee hij dat zijn hele leven al had gedaan. Hij scheen erop te vertrouwen dat Erik hem zou volgen, alsof Erik Romulus of Remus was.

Erik ging achter zijn vader de slaapkamer binnen en deed de deur achter zich dicht. Door het open raam hoorde hij een fitis, wat verderop aan de andere kant van de binnenplaats een merel. De zomerlucht was bijna zoel.

Vader stond bij het bed in zijn gebruikelijke positie. Hij had die belachelijke schoenlepel van chroom met het omwikkelde leren handvat in de hand.

Wat jammer, dacht Erik, wat jammer dat hij de hondenzweep niet bij zich had, die gevlochten hondenzweep van donkerbruin, taai leer met dat metalen clipje dat de huid openreet. Wat jammer dat hij vandaag de zweep niet had gekozen.

'Kom op,' zei vader, 'broek omlaag en vooroverbuigen!'

Zonder te antwoorden liep Erik naar de deur en pakte de sleutel die aan de buitenkant zat. Vervolgens deed hij de deur aan de binnenkant op slot, draaide de sleutel tweemaal om en stopte hem in zijn linkerbroekzak. Hij nam de man, die nog steeds langer was en nog steeds een grotere reikwijdte had dan hij, in zich op. Maar noch de reikwijdte, noch de schoenlepel zou de man over een paar minuten nog kunnen helpen. De man was nog niet bang geworden, hij zag er alleen verbluft uit. Hij moest de man dus eerst de stuipen op het lijf jagen.

Erik haalde diep adem.

'Nu moet je eens goed naar me luisteren, pa. Jij bent het kwaad zelve en lui zoals jij moeten vernietigd worden. Over ongeveer een halfuur zul je je in het Sint Joris Ziekenhuis bevinden. Je zult met geen van beide ogen meer iets kunnen zien. Je neusbeen zal op diverse plaatsen gebroken zijn. Je ene arm zal gebroken zijn en je zult een heel stel tanden missen. En weet je wat je dan tegen ze zult zeggen, pa? Je zult het niet wagen te vertellen wat er gebeurd is, je zult zeggen dat je van de trap gevallen bent. Hoewel niemand je zal geloven, zul je dat zeggen.'

Erik liet een stilte vallen om de woorden te laten bezinken en te zien welke uitwerking ze hadden; te zien hoe de angst nu als gif werd rondgepompt in de bloedsomloop van de man en er een wirwar van opgesloten vleermuizen ontstond in de te krappe kooi van zijn hoofd. Precies, de man had de schoenlepel tot halverwege opgetild, slechts tot halverwege, en daar was hij als het ware midden in de beweging verstijfd. De schrik werkte, nog even en de man zou weerloos zijn.

Merkwaardig, dacht Erik, die vogel daarbuiten voor het raam die ik zo duidelijk hoor – behalve vaders ademhaling hoor ik alleen die vogel – waarom kan ik er niet opkomen hoe hij heet? Het is een gewone vogel, amper een halfjaar geleden had ik direct kunnen zeggen welke het was en nu lijkt die naam te zijn weggewaaid. Maar het is tijd om de schrik weer aan te vullen.

'Je zult dat zeggen, ook al zal niemand je geloven. Want als jij de politie erbij haalt, vertel ik gewoon wat jij al die jaren gedaan hebt. Je kunt me proberen te slaan met de schoenlepel. Door die gesloten deur kom je toch niet. Als ik klaar ben met je gezicht, breek ik je linkerarm. Ik zal hem precies bij het ellebooggewricht breken en jij zult schreeuwen tot je je bewustzijn verliest. Ik zweer het, pa. Ik doe het echt. Je zult schreeuwen en gillen tot je je bewustzijn verliest van de pijn.'

Erik bekeek de man voor hem. Het had gewerkt. De man bleef staan in zijn bevroren houding met die belachelijke schoenlepel tot de helft opgetild. Hij was volkomen weerloos en ademde zwaar door zijn neusgaten, niet in staat zijn blik los te rukken van Eriks gezicht.

Waarom kan ik er niet opkomen hoe die vogel heet? dacht Erik, en hoe komt het dat ik volkomen rustig ben, terwijl ik mijn hele leven op dit moment moet hebben gewacht. De adrenaline moet door mijn hele lichaam gepompt zijn, maar mijn hart slaat niet zo heftig als anders, ik ben niet zo nerveus als ik zou moeten zijn. Merkwaardig genoeg ben ik helemaal niet nerveus en toch zal over minder dan tien seconden zijn bloed over de hele vloer en het behang gespat zijn (het is belangrijk daarna niet uit te glijden in het bloed) en dan zal hij met die lange armen voor zich uit tasten zonder iets te zien. Ik ben volkomen rustig. Maar dit moet toch echt de laatste keer zijn? Daarna nooit meer. Daarna is het voorbij, daarna nooit meer.

Toen zette hij de eerste langzame stap in de richting van de versteende man.

BP 9/04
KA 10/05
Beuk 10/7
Ki 09/08
Beu 03/09
VE 09/2012
HA 08/2013
VR 02/2016